LES SECRETS DE MA VIE
À HOLLYWOOD
Princesse des paparazzis

D0965088

LES SECRETS DE MA VIE À HOLLYWOOD
Princesse des paparazzis

Livre 4

Un roman de
Jen Calonita

Traduit de l'anglais par
Lynda Leith

éditions

Éditeur : François Doucet
Traduction : Lynda Leith
Révision linguistique : Isabelle Veillette
Correction d'épreuves : Nancy Coulombe, Carine Paradis
Conception de la couverture : Tho Quan
Photo de la couverture : © Thinkstock
Mise en pages : Sylvie Valois
ISBN Papier 978-2-89667-260-8
ISBN Numérique 978-2-89683-038-1
Première impression : 2010
Dépôt légal : 2010
Bibliothèque et Archives nationales du Québec
Bibliothèque Nationale du Canada

Éditions AdA Inc.
1385, boul. Lionel-Boulet
Varennes, Québec, Canada, J3X 1P7
Téléphone : 450-929-0296
Télécopieur : 450-929-0220
www.ada-inc.com
info@ada-inc.com

Diffusion
Canada :   Éditions AdA Inc.
France :   D.G. Diffusion
               Z.I. des Bogues
               31750 Escalquens — France
               Téléphone : 05.61.00.09.99
Suisse :   Transat — 23.42.77.40
Belgique :   D.G. Diffusion — 05.61.00.09.99

Imprimé au Canada   SODEC

Participation de la SODEC.
Nous reconnaissons l'aide financière du gouvernement du Canada par l'entremise du Programme d'aide au développement de
l'industrie de l'édition (PADIÉ) pour nos activités d'édition.
Gouvernement du Québec — Programme de crédit d'impôt pour l'édition de livres — Gestion SODEC.

En l'honneur de mes grand-mères, Kathleen Calonita
et Evelyn Horn, qui m'ont toujours inspiré des rêves de grandeur.

Des nouvelles de
Kaitlin Burke !

Semaine du 30 décembre

La fille favorite d'*Affaire de famille* parle de sa vie après l'émission à succès.

Par Steven Diamond

TV TOME : Très bientôt, *Affaire de famille* ne sera plus. Comment fais-tu face à la situation ?

KB : C'est difficile, tu sais ? J'ai été dans cette émission presque toute ma vie. Parlons de quelque chose de joyeux, par exemple où je vais pendant ma pause hivernale.

TV : Bien sûr. Alors, où vas-tu pour tes vacances ?

KB : *(rires)* Je suis contente que tu poses la question, Steven. Ma famille n'a pas pris de grandes vacances depuis des années, je suis donc très excitée de fermer mon téléphone cellulaire et de flân...

(La porte-parole de Kaitlin, Laney Peters, l'interrompt et on l'entend insister pour que Kaitlin ne révèle pas sa destination.) Je suis désolée. Où en étais-je ? Oh, je disais que je suis impatiente de partir.

TV : J'imagine que tu ne peux révéler où, n'est-ce pas ?

KB : Euh, je crois que je ne peux même pas dire dans quel hémisphère je serai !

TV : Si les paparazzis découvraient le lieu, ils arriveraient probablement en foule.

KB : Je ne suis ni Angelina ni Brad, mais quelques fidèles semblent toujours savoir où je vais avant moi. Les paparazzis m'ont beaucoup facilité les choses au fil des ans, alors cela ne me dérange pas trop quand ils veulent une photo — tant que je ne suis pas au milieu d'une bouchée !

TV : Cela doit être difficile à gérer. La presse te courtise comme si tu étais leur princesse personnelle, mais elle semble aimer aussi te voir tomber en disgrâce.

KB : *(Voix étouffées encore une fois.)* Hum, bien, ouais, j'ai eu quelques échauffourées, n'est-ce pas ? Mais c'est ce qui arrive lorsque tu as dix-sept ans et que tu vis sous le regard du public. Tu vas te tromper et tout le monde sera au courant. Je suis simplement heureuse d'avoir appris de mes erreurs. Je ne veux jamais me retrouver déchaînée, ce qui explique que je mène une vie en dehors du travail et que je me colle à ma famille et à mes amis. Ils me gardent les pieds sur terre.

TV : Et n'oublie pas ton copain, Austin Meyers. Comment vont les choses entre toi et le séduisant joueur de crosse du lycée ?

KB : Bien ! Il est formidable. C'est facile pour moi de penser à autre chose que le boulot grâce à Austin. Il est amusant à fréquenter et il me fait rire. Je ne pourrais pas demander mieux.

TV : Tu vas me détester, mais nous devons parler d'*Affaire de famille* maintenant.

KB : *(soupir)* D'accord. C'est juste que tu es le premier journaliste à me questionner sur la fin de l'émission depuis qu'on l'a annoncée publiquement. Je suis encore en déni.

TV : Qu'est-ce qui te manquera le plus à propos d'*Affaire de famille* ?

KB : Sans conteste mes collègues de travail. *AF* est ma deuxième famille. Ce sera vraiment difficile de ne plus les voir presque chaque jour dorénavant.

TV : Peux-tu nous dire quoi que ce soit sur la façon dont la série va se terminer ?

KB : Ton hypothèse est aussi bonne que la mienne. Notre chef de production, Tom

Pullman, n'a pas dévoilé les scénarios finaux. Aucun de nous ne les a encore vus.

TV : Et toi ? Comment crois-tu que sera ta vie après *Affaire* ?

KB : Je sais que je veux des projets qui m'aideront à grandir en tant que personne et en tant qu'actrice. Au-delà de cela, je ne suis pas sûre. Avec un peu de chance, des vacances reposantes m'aideront à résoudre le reste.

Affaire de famille est diffusée le dimanche soir à 21 h, heure de l'Est. Le prochain film de Kaitlin, *Adorables jeunes assassins (AJA)*, mettant aussi en vedette son ancien petit ami, Drew Thomas, sort en salle en mai.

UN : *La grande évasion*

— OK, Kaitlin, détends-toi.

— Je suis détendue, insisté-je.

D'accord, c'est un mensonge. Je suis pétrifiée.

— Il n'y a aucune raison de te sentir nerveuse, me dit Pierre d'un ton apaisant.

Je commence à penser que Pierre, mon instructeur de paravoile à l'allure d'un dieu grec, est télépathe. Il est assis sur le siège du conducteur d'un bateau à treuil, à quelques secondes de faire décoller ma chaise pour la propulser à des dizaines de mètres audessus des eaux des îles Turks et Caicos, où je passe mes vacances. Il a peut-être l'habitude de faire ceci, mais moi, je suis complètement paniquée.

Pierre démarre le moteur.

— Prête, Kaitlin? crie-t-il par-dessus le ronronnement.

Mon garde du corps, Rodney, et mon frère, Matty, sont installés derrière Pierre, et leur tête dodeline en raison des mouvements de l'embarcation sur la mer relativement calme.

— Si quelque chose tourne mal, tire simplement sur la corde et nous te ferons redescendre, ajoute mon instructeur. Compris?

J'essaie de répondre oui, mais quand j'ouvre la bouche, on dirait que j'ai mangé une poignée de boules de coton. Je gigote dans ma chaise, laquelle est heureusement encore ancrée à l'arrière du bateau. Lorsque l'embarcation augmentera sa vitesse, un câble de remorquage étrangement mince restera ma seule corde de sécurité une fois que le vent s'engouffrera dans mon parachute et que je prendrai mon envol.

Comment me suis-je retrouvée dans cette situation?

J'essaie de me calmer en centrant mon attention sur ma tenue. J'ajuste les bretelles de mon mignon bikini Dolce & Gabbana en dentelle blanche, qui me démange sous mon gilet de sauvetage.

Oh mon Dieu. Et si cela tournait au drame et que ce morceau de vêtement devenait le dernier que j'aie la chance de porter? Je vois déjà les titres des tabloïds : *La vedette adolescente Kaitlin Burke plonge dans la mort alors qu'elle pratiquait le paravoile dans les Caraïbes, vêtue du deux-pièces en dentelle Dolce & Gabbana, succès fulgurant cette saison*. Je pose mes mains sur les sangles et m'apprête à me détacher.

— Hé, Kates! crie mon jeune frère par-dessus le moteur bruyant. Tu as l'air d'un fantôme!

Je lui lance un regard furieux.

— Écoute, si tu te défiles, je ne le raconterai à personne; sauf à *Celebrity Insider*, ajoute-t-il avec un sourire diabolique. Rod, filemoi mon téléphone cellulaire. Je suis certain que Brian Bennett aimerait apprendre que Kates a eu la trouille de faire du paravoile.

QUOI? Il faudra d'abord qu'il me passe sur le corps. Peut-être littéralement. Ha, ha. Hum! Je ne ferai *pas* l'objet de l'article principal d'*Insider* demain soir! Je prends une profonde respiration et je ferme les yeux.

— GO!

J'entends Pierre mettre les gaz et je hurle quand ma chaise décolle du bateau. En quelques secondes, je sens le vent s'infiltrer sous mon parachute et le soulever dans les airs. Après avoir hurlé pendant ce qui me semble une éternité, j'ouvre les paupières et je regarde en bas.

WOW.

Je vole très haut au-dessus des Caraïbes! L'eau bleu vif est tellement transparente que je peux distinguer les pierres et le corail sous sa surface. J'aperçois la plage près de notre hôtel, les gens qui font de la motomarine et qui nagent et regardez! Voilà mon bateau à treuil avec Matty, Rod et Pierre. On dirait une voiture Matchbox de là où je suis. Je referme rapidement mes yeux.

Ceci. Est. Terrifiant.

Pourtant… c'est assez excitant aussi. Personne ne peut me voir ici, pas même un paparazzi avec sa lentille d'appareil-photo. C'est un des avantages certains du paravoile. Je suis habituée à vivre ma vie sous un microscope, alors cette promenade est plutôt libératrice — ne serait-ce que pour quelques secondes.

Ne vous méprenez pas : j'adore être une fille « branchée » d'Hollywood. Je joue le rôle de Samantha, une fille douce comme la soie, dans l'émission de télévision *Affaire de famille* depuis que je suis en âge d'aller à la maternelle. Je suis invitée à toutes les meilleures fêtes, j'appelle Zac par son prénom (comme dans Efron) et j'ai le numéro de Stella McCartney sur composition rapide pour les urgences en matière de mode.

Être une vedette adolescente, c'est comme gagner à la loterie, mais cela a un prix. Quand ma meilleure amie non célèbre, Liz, ne respecte pas le couvre-feu ou se chamaille avec son père, elle perd le privilège d'utiliser son Sidekick, son téléphone cellulaire et le téléviseur pendant une semaine. Lorsque je commets une bêtise, Perez Hilton l'apprend avant mes parents, et une fois qu'ils ont découvert le pot aux roses, ils peuvent télécharger mon moment honteux sur YouTube.

Les poils blond pâle sur mes bras se hérissent. C'est plutôt froid ici. Le vent se soulève et me fouette le visage et brusquement, ma chaise se déplace vers la droite. Je vole encore une fois loin au-dessus du centre de villégiature exclusif Parrot Cay, le lieu où nous séjournons. Les villas ont l'air de maisons de poupée et je distingue les allées menant aux piscines et les minuscules personnes allongées sur la plage. Je me demande où se trouvent maman et papa en ce moment précis. Avec de la chance, pas dans un endroit d'où ils peuvent me voir. Le temps de le dire, ma chaise se balance vers la gauche et ensuite, je redescends.

Évidemment! Juste comme je commence à m'amuser. Après quelques minutes, j'entends un bruit sourd et ma chaise atterrit à l'arrière du bateau comme si je n'étais jamais partie.

Ahhh... cette bonne vieille terre (enfin, presque). Elle m'a manqué.

— C'était génial, déclare mon frère, Matty, quand nous descendons du bateau quelques minutes plus tard et que nous marchons sur la promenade longeant la plage.

Son maillot Ralph Lauren est complètement trempé, car il a fait un saut dans la mer pour se rafraîchir. Il secoue ses cheveux et les gouttes d'eau frappent mon visage.

— Attention! dis-je en riant.

— Quoi? proteste Matt. Je veux avoir l'air bien au cas où nous rencontrerions quelqu'un.

Il lisse sa chevelure vers l'arrière. Boucles blond miel, peau claire, yeux verts — regarder Matty, c'est comme m'admirer dans un miroir, sauf que, bien, c'est un adolescent de treize ans et je suis une fille de dix-sept ans. Mais quand même.

— Tu veux dire comme Maya? le taquiné-je.

Matty a rencontré cette jolie rouquine à notre hôtel et il a bavé d'admiration devant elle toute la semaine. Nous sommes tellement occupés à nous décocher des railleries que je ne réalise pas que quelqu'une d'autre me parle jusqu'à ce que cette personne me cache le soleil.

— Tu es Kaitlin Burke, non? s'enquiert une fille.

Elle arbore des lunettes de soleil Dior surdimensionnées et un minuscule bikini Versace. Ses longs cheveux blonds sont coiffés en deux nattes. Elle transporte un Loulou nain qui n'arrête pas de japper et qui grogne dans ma direction. Je ne savais même pas que les chiens étaient admis dans le centre de villégiature.

Je réalise tout à coup que je connais cette fille. C'est Ava Hayden. Il n'y a pas une seule fête à Los Angeles où elle n'est pas invitée. Ava avait sa propre télé-réalité sur VH1 pendant deux saisons, mais son véritable titre de gloire, c'est d'avoir des tonnes d'argent grâce à la chaîne de restaurants haut de gamme de ses parents, spécialisés dans les steaks, et à sa troublante capacité à vivre toute sa vie en présence des paparazzis.

— Ava, n'est-ce pas? dis-je. Voici mon frère, Matty, et mon garde de sécurité personnel, Rodney.

Rodney (il déteste le terme garde du corps, ce qui explique pourquoi j'évite de l'utiliser) se contente de grogner. Matty est sans voix, alors je continue de parler.

— Comment vas-tu? m'informé-je.

— J'ai chaud, se plaint-elle. Cette île est beaucoup trop humide. J'espère que le paravoile me rafraîchira. Je ne suis pas certaine que Calou aimera le bateau, par contre, ajoute Ava en désignant son chiot hyperactif.

Une fille s'approche d'elle.

— Peut-être devrions-nous le jeter par-dessus bord.

En voyant mon regard frappé d'horreur, elle rit.

— Je rigole, dit-elle. J'adore cet agaçant petit gars.

Elle lui caresse le crâne et il essaie de la mordre.

— Calou va partout avec Ava. Même si nous devons le sortir et le faire entrer en douce du centre tous les jours.

La fille, Lauren Cobb, est la copine d'Ava. Elle aussi est une héritière — ses parents sont propriétaires d'une importante entreprise de produits électroniques — et elle a eu sa propre émission sur E! Elle a aussi joué dans quelques films d'horreur, interprétant habituellement la fille qui meurt d'une façon horrible au cours des deux premières minutes du film.

Ava roule les yeux.

— Évidemment que j'amène Calou en vacances. Il les mérite autant que moi, n'est-ce pas mon petit sucre d'orge?

Le chien jappe pour marquer son accord.

— Bien, s'il t'arrive quelque chose en paravoile, tu ferais mieux de ne pas léguer ta fortune à un cabot, lance Lauren en faisant tourner une mèche de ses longs cheveux bruns bouclés autour de son doigt manucuré et verni de rouge. Je veux tes anneaux en diamant quatre carats.

Lauren porte un tout petit, petit bikini bleu marine avec une blouse transparente à manches longues pour se couvrir, vêtement qui, dans les faits, ne couvre rien.

Je ris.

— Je ne compterais pas sur ces boucles d'oreille, informé-je Lauren. Je viens de faire du paravoile et j'ai survécu. J'étais pétrifiée, mais une fois que j'ai surmonté ma peur, c'était grisant.

Elles se contentent de me fixer et de hocher la tête.

— Je suis désolée, me dit finalement Lauren. C'est juste que nous t'aimons. Sérieusement, nous sommes de grandes admiratrices. *Affaire de famille* est genre, la meilleure émission de tous les temps!

— Je ne peux pas croire qu'elle quitte les ondes! Après quinze ans! se plaint Ava. Ma mère a pleuré pendant une heure lorsque nous avons entendu la nouvelle à *Celebrity Insider*.

— Ouais, j'étais plutôt brisée moi-même, admets-je.

Je n'ai pas beaucoup songé à *AF* pendant mes vacances, mais entendre Lauren et Ava discuter de la fin prochaine de l'émission me rappelle tout un flot d'émotions.

— J'ai grandi dans l'émission. Elle va vraiment me manquer.

— Je suis certaine que tu auras une nouvelle émission en un rien de temps, dit Lauren. Tu es méga populaire! Et pas seulement à cause d'*Affaire de famille*. Enfin, tout le monde parle encore de ta phase *Hannah Montana* et de ton inscription dans un lycée l'an dernier. Plutôt cool.

— Et la façon dont tu as fréquenté deux superbes mâles en même temps, ajoute Ava. Comment as-tu réussi à assurer avec Drew Thomas et ce beau mec du lycée?

Matty s'étrangle de rire.

— Oh, je ne sortais pas avec Drew, réponds-je vite. C'était un stupide truc publicitaire imaginé par les gens de mon prochain film, *Adorales jeunes assassins*. Je sors avec, euh, le beau mec du lycée.

Elles hochent la tête.

— Comment savez-vous tout cela, les filles?

— Je vis pour Page Six et je ne manque jamais un numéro de *Sure*.

— Ni un épisode d'*Access Hollywood*, ajoute Lauren.

— Vous lisez et regardez ces trucs, les filles?

Matty est abasourdi.

— Bien sûr, répond Ava. Pas vous?

Matty et moi nous regardons. Enfin, parfois, oui, quand cela concerne notre famille, mais je ne vis pas uniquement pour ces torchons.

— Pas tous les jours, dis-je, mal à l'aise.

— C'est toujours bon de savoir ce qu'on dit sur soi pour pouvoir susciter encore davantage de publicité, déclare Lauren d'un air entendu.

Tout à coup, elle remarque mon maillot et pousse des cris perçants.

— Où as-tu pris ce bikini? Ava, c'est celui que je cherchais, n'est-ce pas? Juste la semaine dernière, chez Bendel?

— Il te va tellement bien, me dit Ava d'un ton admirateur. Tu peux porter du blanc; moi, ça me donne l'air crayeuse.

Je rougis.

— Merci.

J'ai déjà rencontré Lauren et Ava auparavant, mais je ne crois pas leur avoir adressé plus de deux mots. Leur réputation de filles aimant faire la fête les précède, mais elles semblent en fait plutôt gentilles.

— Je l'ai acheté dans cette mignonne boutique sur Melrose.

— Celle avec les formidables bracelets joncs ? demande Ava.

— Celle-là même, lui dis-je.

— J'adore cette boutique ! s'extasie Ava. Une fois, j'y ai passé une heure juste à essayer des bracelets.

— Ma sœur a déjà fait cela, intervient Matty.

— Hé, as-tu déjà été au…

Ava s'arrête net au son du flash d'un appareil-photo.

Nous nous retournons tous et nous apercevons un grand photographe maigre vêtu d'un t-shirt couleur sable et d'un short de camouflage se dissimulant derrière un buisson à proximité. D'où vient-il ? Je n'ai pas vu un seul paparazzi de toute la semaine. Rodney s'avance rapidement pour le chasser. Même par 32 °C, il porte un t-shirt et un jean noirs, et il a l'air totalement terrifiant avec ses lunettes de soleil à la Terminator.

Avant que Rodney n'atteigne le photographe, Ava s'écrie :

— Gary, viens ici ! Où te cachais-tu ? Je t'ai dit que je faisais du paravoile à 14 h précises.

— Tu le connais ? demande Rodney d'un ton menaçant.

— Le connaître ? Je l'ai invité, réplique Ava. Il enverra mes photos de paravoile à X17, n'est-ce pas Gary, mon chéri ?

— N'importe quoi pour toi, Ava, rétorque Gary en continuant de prendre des clichés. Hé, que dis-tu d'en faire une avec ton amie ici ?

Matty saute devant moi et enlace Lauren.

— Je parlais des dames, lance Gary.

— Typique, grommelle Matty.

— Qu'en penses-tu, Kaitlin ? s'enquiert Ava. Une photo ?

— Disons deux, lui réponds-je en regardant mon frère. Tant que l'une d'elles inclut Matty.

Nous sommes en train de poser pour la deuxième — disons plutôt la vingt-deuxième tant Gary photographie vite — quand j'entends une voix familière.

— Kaitlin? Matty? Où êtes-vous?

C'est maman, et elle ne semble pas contente. Calou doit l'entendre aussi parce qu'il recommence à grogner. Je regarde autour de moi. Mes parents ne sont pas sur la promenade de la plage, mais ils doivent se trouver tout près.

— Nous devrions partir.

J'attrape rudement le bras de Matty.

— C'était bon de vous voir, les filles.

— Que fais-tu plus tard? Nous organisons une petite fête à ma cabine de plage, m'apprend Ava, insouciante des cris provenant des buissons.

Maman et papa vont traverser ces palmiers à tout moment à présent et se retrouveront face à face avec nous.

— Merci, réponds-je rapidement, mais je dois étudier un peu. Mon SAT[1] se tiendra dans un mois et je suis tellement en retard.

Mon assistante personnelle, Nadine, qui est très favorable à l'éducation, m'a acheté des cahiers d'exercices et je les emporte à la plage tous les jours. Même ainsi, comment est-on censé mémoriser des milliers de mots pour un examen?

— Tête d'œuf, marmonne Matty dans sa barbe.

Mais Lauren et Ava ne paraissent pas offusquées. Lauren a l'air de sympathiser.

— C'est intelligent. J'ai mon GED[2] le mois prochain et je n'ai pas encore ouvert un manuel.

— Nous nous reprendrons une autre fois.

Ava sourit.

— Peut-être pourrions-nous nous donner rendez-vous à L.A.?

---

1 N. d. T. : Le Scholastic Aptitude Test est un examen pour l'admission aux collèges et aux universités aux États-Unis.

2 N. d. T. : Aux États-Unis, le General Educational Development (GED) est un test qui certifie que la personne l'ayant passé détient une éducation de niveau lycée.

— Ça me semble bien, réponds-je la tête ailleurs alors que la voix de mes parents — et les jappements de Calou — augmente de volume.

Ava, Lauren et Gary partent juste à temps. Deux secondes plus tard, maman et papa émergent entre deux palmiers et montent sur la promenade. Les cheveux couleur de miel de maman sont dissimulés sous un chapeau de paille à large bord et son peignoir de plage cache son superbe maillot Prada de taille 4. Elle porte de grandes lunettes de soleil noires Gucci, mais si je pouvais voir ses sourcils, je sais qu'ils seraient levés d'agacement. Papa la surplombe, vêtu d'une chemise Tommy Bahama et d'un short de bain marine Calvin Klein, et son front plissé lui donne un air tellement maussade que j'ai peur qu'il reste figé ainsi à jamais.

— Ton père et moi vous avons cherchés partout !

Maman pointe un doigt manucuré dans notre direction.

— Essayez-vous de me tuer avant que j'atteigne mes quarante ans ?

— N'as-tu pas quarante-deux ans ? lui demande Matty.

Je lui donne un coup de coude dans les côtes.

— AÏE !

— Nous faisions simplement le tour de l'île avec Pierre, lui réponds-je avec ma meilleure imitation de la voix de bonne jeune fille Sam. Nous aurions dû vous dire où nous allions.

— Ne joue pas à l'actrice avec nous, Kaitlin, rétorque nonchalamment maman. Nous avons vu ton bikini à édition limitée Dolce & Gabbana voler au-dessus de l'île quand ton père et moi revenions de notre leçon de plongée sous-marine.

Oups.

— Comment Matt et toi avez-vous réussi à contourner la signature de la décharge ? veut savoir papa.

Mon frère et moi nous regardons d'un air coupable. Puis, Rodney tousse, ce qui incite maman à lui décocher un regard mauvais pendant qu'il ramasse nos sacs de natation. Nous entreprenons en silence la courte distance qui nous sépare de la voiturette de golf qui nous ramènera à The Residence, la villa privée où nous séjournons. The Residence est un manoir de cinq chambres avec deux villas de trois chambres situé à environ sept minutes en carriole du site principal de villégiature Parrot Cay. L'endroit possède une cuisine complète avec service de majordome, une salle à manger intérieure ainsi qu'une à l'extérieur, une pièce cinéma-maison avec un téléviseur à écran au plasma et un lecteur DVD ainsi qu'une terrasse avec piscine chauffée et un accès direct à la plage. Tout le monde peut séjourner dans ce centre de villégiature reconnu à travers le globe, mais il est habituellement fréquenté par des gens d'Hollywood et les fous de l'informatique avec de l'argent à brûler et qui casquent les 16 500 $ la nuit. Ce qui m'amène au premier des nombreux nouveaux secrets que je veux vous révéler.

SECRET D'HOLLYWOOD NUMÉRO UN : Où les vedettes passent-elles leurs vacances ? Pour être franche, aux mêmes endroits que vous. Nous gagnons Hawaii ou les Caraïbes pour un beau bronzage, la montagne pour la poudreuse et le ski, et l'Europe quand nous voulons changer d'air. Mais la raison pour laquelle vous ne tombez probablement pas sur nous est que nous nous déplaçons très discrètement. Bien que certaines vedettes voyagent en première classe des vols commerciaux (y compris Brad Pitt et moi-même), plusieurs préfèrent les avions à réaction privés. Et en ce qui concerne les lieux où nous séjournons, lorsque nous désirons nous détendre et nous amuser un peu avec très peu de demandes pour des autographes, nous choisissons des centres de villégiature de luxe reconnus pour leur personnel discret et leurs quartiers bien surveillés qui gardent les yeux inquisiteurs des paparazzis loin de nous.

— Le paravoile, c'est comme conduire une Ferrari.

Le ton de papa est sévère lorsqu'il commence à nous réprimander en glissant une analogie en lien avec son ancienne carrière de vendeur de voitures.

— Bien sûr, c'est excitant, mais si vous avez un accrochage, la voiture ne sera plus jamais pareille. Dois-je vous rappeler à tous les deux que vous êtes sous contrat avec *Affaire de famille*, que vous soyez en vacances ou non ? Je ne pense pas que vous ayez le droit de vous adonner à une activité aussi dangereuse ! Si l'un de vous était blessé, il y aurait d'énormes conséquences.

— Désolés, grommelons-nous à l'unisson, Matty et moi.

— Vous devriez l'être, rétorque maman, l'air exaspérée. Au moins si je l'avais su, j'aurais pu demander à Laney d'organiser un genre d'entente exclusive avec *Access Hollywood* !

Matty et moi nous regardons. Puis, nous regardons Rodney et nous éclatons de rire tous les trois. Maman et papa se regardent à leur tour et commencent aussi à rire.

— Maman, je t'aime, mais tu es folle !

Matty a le hoquet et il se tient le ventre.

— Tu penses toujours au travail !

Ma mère est ma gérante depuis le début de ma carrière. Quand Matty est entré dans l'industrie du spectacle il y a quelques années, elle est devenue la sienne aussi. Maman dit que personne ne pourrait surveiller nos intérêts aussi bien qu'elle, mais Nadine pense que ma mère est obsédée par ma carrière et que son style de gestion m'étouffe. Je ne crois pas qu'elle soit *si* pire, mais parfois il est vrai que je m'inquiète qu'elle soit plus préoccupée par mes possibilités de gagner un Kids Choice Award que du résultat de mon examen de chimie.

Maman rit encore avec cœur.

— Je ne peux pas m'en empêcher. Mon cerveau est programmé pour penser comme votre gérante, et quand je vois une occasion se présenter, je dois la saisir !

— Nous sommes en vacances, lui rappelé-je. Voilà pourquoi nous avons confisqué ton téléphone cellulaire.

— Ma douce, cela ne suffit pas à éloigner votre mère d'Hollywood, s'esclaffe papa. Elle a toujours eu sur elle un appareil de rechange.

Maman rougit violemment.

— En parlant d'appels, tu en as reçus quelques-uns pendant que tu volais au-dessus de l'île.

Maman me tend mon téléphone. J'étais tellement nerveuse à propos du paravoile, j'imagine que je l'ai oublié dans la villa.

— Liz a appelé d'Hawaii et Austin a téléphoné pour dire qu'il te verrait lundi après le travail.

Elle lève de nouveau un sourcil.

— Austin et Lizzie me manquent, gémis-je.

J'ai parlé à Austin tous les jours, mais avec l'importante différence entre nos fuseaux horaires, je n'ai joint Liz que trois fois. Elle semble s'amuser, par contre. Elle a rencontré cette fille de Los Angeles l'autre jour et elles faisaient de la randonnée ensemble.

— Encore plus important, Seth a téléphoné de Vail. Il doit te parler.

Seth est mon agent, et pour qu'il m'appelle pendant ses premières vacances en trois ans, il faut que cela soit crucial. Tout le monde de ma connaissance est à l'extérieur de la ville cette semaine. Hollywood ferme en quelque sorte à la fin décembre et Los Angeles devient une ville fantôme. Nadine visite sa famille à Chicago; mon agente de publicité, Laney, s'est rendue en avion à Cabo avec « Drew et Cameron »; et Liz et son père, mon avocat spécialisé dans l'industrie de spectacle, passent d'une île hawaïenne à l'autre. Comme il ne restait personne à enquiquiner, maman et papa nous ont même permis de quitter la ville aussi (particulièrement après qu'ils ont appris que les Beckham annulaient leur fête de la veille du Nouvel An).

— A-t-il précisé ce qu'il voulait? demandé-je.

— À présent que les vacances sont terminées, il veut organiser une réunion pour discuter de tes projets après *AF*, explique maman. Il affirme que nous devons agir si nous désirons avoir une chance d'obtenir une nouvelle émission.

— Déjà? glapis-je.

J'ai promis de prendre une décision sur mon avenir après cette pause, mais je n'avais pas réalisé que nous devrions plonger si tôt.

— Je n'arrive pas à croire que nous devons nous inquiéter d'un autre boulot. Je vais encore tourner l'émission pendant quelques mois.

— Ta décennie et quelque de chèques de paie réguliers tire à sa fin, blague papa. Où penses-tu que nous trouverons l'argent pour les prochaines vacances somptueuses dans une villa de style privé si tu ne nous décroches pas un nouveau projet que je pourrai produire, dans lequel Matty pourra jouer et pour lequel maman pourra te gérer?

Maman et Matty rient, mais la blague me fait l'effet d'un coup dans l'estomac. Je n'ai jamais songé à ma carrière dans *AF* de cette façon auparavant, mais j'imagine que papa marque un point plutôt troublant. Je suis le gagne-pain de cette famille depuis longtemps et je serai bientôt sans emploi. Que se passera-t-il si je ne trouve pas la prochaine *Chère Betty* ou une franchise d'*Harry Potter* pour faire vivre ma famille pendant quelques années? Devrais-je me séparer de Rodney? De Nadine? Mince. Maintenant, je suis déprimée.

— Nous devrions probablement organiser quelque chose pour la semaine prochaine, dit maman. Je veux dénicher ton prochain projet et l'annoncer dès que possible.

Je hoche la tête.

— D'accord, alors, lance papa quand nous atteignons la voiturette de golf que nous avons utilisée pour aller et venir entre notre habitation et le centre de villégiature principal. Retournons à notre villa et retrouvons-nous à la voiturette à 19 h pour notre dernier dîner au paradis.

Il me sourit.

— Tu ferais mieux d'y prendre plaisir, fillette; j'ai l'impression que les prochains mois se passeront comme dans un brouillard.

Je souris faiblement. Je pensais que j'aurais le temps de m'habituer à tous ces changements, mais il me semble que je viens de monter à bord d'un car express filant à toute allure vers la fin d'*AF*. J'espère simplement que lorsque nous arriverons au terminus, je serai prête à descendre.

VENDREDI 2 JANVIER
NOTE À MOI-MÊME :

Rapelé Seth.
Cherché définition d'aérostat. Emballé manuels du SAT pr le voyage en avion !
Vol de retour sam : 16 h
Lun : H de convoc *AF* : 6 h
Film avec A. : aprè le boulo, H à confirmé.

12. INT. CUISINE DU MANOIR DES BUCHANAN — JOUR
L'îlot de la cuisine est couvert d'un vaste
assortiment de nourriture pour le petit
déjeuner. C'est un dimanche matin vif et enso-
leillé, et PAIGE, SAMANTHA et SARA sont de
bonne humeur après une ronde de tennis.

> SARA
>
> Pourquoi le fastueux petit déjeuner? Je
> ne veux pas te froisser, mais d'habitude,
> je ne mange qu'une banane.

> PAIGE
>
> J'ai pensé que ce serait agréable si nous
> prenions tous les quatre le petit déjeuner
> ensemble. Nous courons tous chacun de
> notre côté ces temps-ci. J'ai l'impression
> de ne jamais vous voir, les filles.

> SAMANTHA
>
> La même chose vaut pour toi, tu sais.
> Pourquoi tous ces rendez-vous secrets
> avec papa? Je ne peux toujours pas
> croire que vous êtes allés quelque part
> en avion la semaine dernière sans nous
> révéler votre destination.

> SARA
>
> Ils sont toujours à chuchoter sur la
> terrasse aussi. Pourquoi?

DENNIS entre, vêtu d'un costume sombre et un porte-document à la main.

                    DENNIS
Bon matin, mes belles dames. (Il les embrasse toutes.) J'imagine qu'il est temps que nous crachions le morceau. Il y a une raison qui explique que votre mère et moi avons été aussi réservés dernièrement. (Il regarde Paige.) On m'a demandé de devenir le chef de la direction du groupe Bluestone. Ils construisent un système informatique de technologie avancée pour la NASA.

                    SAMANTHA
(Sam le serre dans ses bras.) Papa, c'est incroyable! C'est ce que tu as toujours rêvé de faire!

                    PAIGE
C'est une occasion extraordinaire pour votre père, les filles, mais avant que vous ne vous excitiez trop, vous devez savoir autre chose. L'entreprise se trouve à Miami.

                    SARA
Génial! Pourrais-je t'accompagner parfois? J'ai entendu dire que les boutiques de South Beach sont formidables.

DENNIS

Bien, ce ne serait pas pour une visite,
Sara. Si j'accepte le poste, nous devrions
déménager là-bas à temps plein. Je ne
peux pas diriger une entreprise de cette
envergure par satellite et BlackBerry.

SAMANTHA

(abasourdie) Tu blagues, n'est-ce pas?

PAIGE

Nous avons besoin d'un changement, les
filles. Votre père et moi avons cette
impression depuis longtemps. Après tous
les événements de l'an dernier, et l'in-
cendie du manoir Buchanan il y a quelques années, nous voulons recommencer à
neuf et nous pensons que cette occasion
est la façon de le faire.

SARA

Vous ne pouvez recommencer à neuf qu'en
déménageant à Miami?

DENNIS

Vous, les filles, partirez pour l'université dans deux ans et il ne restera que
votre mère et moi. Nous devons aussi
penser à notre avenir.

SARA

Et qu'en est-il de l'avenir des Entre-
prises Buchanan? Ou de grand-papa? Il a

besoin de ton aide pour diriger la compagnie, papa. Et maman, qu'en est-il de
tante Krystal et de tante Penelope ?

                    PAIGE
Nous avons réfléchi à tout cela, les filles,
mais la vérité, c'est que parfois, on doit
reprendre le contrôle de sa propre vie et
placer ses besoins personnels en premier.

                  SAMANTHA
(la voix étranglée) C'est ainsi alors,
n'est-ce pas ? Il ne s'agit pas d'une
grande réunion de famille où nous devons
tous voter. Vous deux avez déjà pris la
décision !

                    PAIGE
Si ta réaction concerne Ryan, il pourra
venir nous visiter quand il le souhai-
tera. Tu trouveras une façon d'arranger
les choses.

                  SAMANTHA
Il ne s'agit pas uniquement de Ryan ! Il
s'agit de tout ! Comment pouvez-vous nous
changer de ville pendant nos deux dernières années de lycée ?

                    SARA
Ce n'est pas comme si les écoles de Miami
n'avaient pas un comité pour l'album de
fin d'année, Sam.

SAMANTHA

(à Sara) Comment peux-tu trouver cela
acceptable? Je pensais que tu adorais
vivre ici!

SARA

Oui, mais l'ambiance de South Beach est
électrique. Je pourrais améliorer mon
bronzage, rencontrer de beaux garçons…

SAMANTHA

(sèchement) Tu peux faire ces choses ici.

PAIGE

Je suis étonnée par ta réaction, Sam. Si
je m'attendais à quelque chose, c'est à
ce que Sara nous fasse des misères à propos de la décision. Tu es toujours partante pour essayer de nouvelles choses.

SAMANTHA

C'est différent! Je n'y vais pas. Tante
Krystal ou grand-papa me laisseront
vivre avec eux.

DENNIS

Samantha, si nous partons, nous y allons
en famille.

SAMANTHA

Bien, peut-être que je ne veux plus faire
partie de cette famille!

(En larmes, Samantha quitte la cuisine en courant. Sara s'apprête à la suivre.)

PAIGE
(à Sara) Laisse-la partir. Elle a besoin
de temps. Elle ne peut plus fuir l'avenir.

DEUX : *De retour à la réalité*

— Te voilà! crie Paul avec exubérance quand j'entre dans la salle de maquillage d'*AF*. Comment va notre petite vedette? As-tu passé une bonne pause?

Je le serre fortement dans mes bras. Paul est mon styliste en coiffure (il a banni le mot «coiffeur» de mon vocabulaire).

— Ta peau resplendit, s'émerveille Shelly, mon artiste-maquilleuse, en enroulant sa large silhouette autour de moi. Comment étaient les îles Turks et Caicos?

— Formidable, leur dis-je.

Mes vacances ont été incroyables, mais c'est bon d'être de retour dans ma zone de confort.

— La température était parfaite tous les jours, reprends-je avec enthousiasme. Matty et moi avons même pratiqué le para-voile. Ne le dites pas à Tom, ajouté-je rapidement.

— Tu es revenue en un seul morceau, alors qui s'en soucie? plaisante Paul.

Il m'aide à m'installer dans la chaise de maquillage et commence à asperger d'eau mes cheveux ondulés. Mon téléphone sonne et Paul soupire.

— Tu peux répondre, mais ne me blâmes pas si le fer à friser brûle légèrement ton Motorola.

— Salut! crie Lizzie d'une voix perçante quand je décroche. J'ai dit à monsieur Harris que je devais utiliser les toilettes afin de m'échapper en douce pour t'appeler. Notre vol en provenance d'Hawaii a été retardé hier soir et je suis rentrée tard.

— Ça va. Tu m'as manqué! lui dis-je. Quand nous verrons-nous?

— Que dis-tu de ce soir? me demande Liz. Slice of Heaven à 20 h?

— Je ne peux pas, réponds-je en me sentant coupable. J'ai un rendez-vous avec Austin.

J'attrape mon Sidekick et fais dérouler mon horaire de la semaine.

— Demain, je travaille tard. Jeudi, j'ai une réunion. Que penses-tu de mercredi?

— Mercredi, j'ai un tournoi de kick-boxing.

Liz paraît déprimée.

— Jeudi, j'ai ce truc avec Josh et vendredi soir, je sors avec Mikayla.

— Qui est Mikayla? demandé-je alors que Paul passe à deux doigts de me brûler l'oreille.

— C'est la fille que j'ai rencontrée à Hawaii, m'explique Liz. Elle est géniale, Kates. C'est une étudiante de première année à NYU. Sa famille vient juste de déménager à Los Angeles, alors elle est ici pour le congé d'hiver. Tu dois faire sa connaissance avant qu'elle ne reparte.

Liz est obsédée par l'idée d'entrer à la New York University depuis qu'elle a été mon assistante sur le plateau d'*Adorables jeunes assassins* et qu'elle a commencé à travailler avec la productrice du film. Maintenant, l'objectif de Liz est de devenir une importante productrice à Hollywood. Un jour, nous voulons nous associer pour créer notre propre maison de production. Cela pourrait se produire. Posséder son entreprise de production est une tendance chez les vedettes populaires en ce moment.

— Bien, j'aurai au moins l'occasion de te voir ce week-end au déjeuner Cinch, déclaré-je.

Cinch est cette compagnie de sacs à main haut de gamme qui font baver les vedettes d'envie. Leur déjeuner annuel sur invitation seulement est l'un de nos événements favoris à Liz et à moi. L'argent de chaque sac à main que nous achetons est remis à un organisme de charité, ce qui signifie que je peux dépenser sans me sentir coupable d'emprunter sur mon argent de poche du mois suivant.

— Peut-être pourrions-nous rencontrer ton amie ensuite.

— Parfait, affirme Liz. Je t'appelle plus tard. Je ferais mieux de retourner en classe avant que la principale P. ne me surprenne.

Quand je raccroche et me regarde dans la glace, ma chevelure est pleine de grosses boucles rebondissantes et hautement lustrées. Le look s'assortit avec la tenue que Renee m'a remise en salle d'habillage. Je porte une jupe en denim Zac Posen et un haut rose à dos nu. Mais ensemble, ni ma coiffure ni mes vêtements ne semblent appropriés pour une scène où Sam est censée revenir d'un match de tennis.

— Paul, c'est formidable, mais n'est-ce pas un peu élégant ? m'informé-je avec hésitation alors que Shelly applique mon fond de teint.

— Je vais refaire tes cheveux avant la première scène, m'explique Paul en passant un peigne dans mes boucles une dernière fois. D'abord, tu dois tourner les promos.

— Les promos ? Quelles promos ? demandé-je.

— Te voilà, dit Nadine en entrant à grands pas dans la pièce.

Je bondis de ma chaise et la serre très fort dans mes bras. Nadine est plus que mon assistante personnelle de longue date. Elle est mon Yoda. Alors que maman et Laney, mon agente publicitaire, brûlent de me voir faire la meilleure chose pour ma carrière, Nadine est celle qui se soucie de me voir faire la bonne chose pour *moi*. Elle s'inquiète quand je suis trop prise par le travail, elle a toujours mes meilleurs intérêts à cœur et elle organise ma vie mieux que toutes les assistantes de ma connaissance. Je ne sais pas ce que je ferais sans elle.

— As-tu déjà entendu parler des promos? me demande Nadine. Cela explique mon retard. J'ai dû aller chercher ton scénario auprès de Tom.

Nadine tient en équilibre une immense pile de papiers au-dessus de sa bible (alias le cartable qui contient mon horaire), et son téléphone cellulaire personnel et son BlackBerry dédié au travail sonnent et vibrent simultanément, mais au moins elle a l'air détendue. Elle porte du maquillage, ses cheveux roux à longueur de clavicule sont relevés en queue de cheval, et elle porte un chandail noir côtelé et un pantalon cargo vert avec ses souliers de course Adidas.

Mon expression doit être confuse, car Nadine ajoute :

— Ne t'inquiète pas. Tes répliques sont faciles. Le réseau veut que tu tournes quelques clips sur la fin d'*AF* afin que tout le monde et leurs mères syntonisent l'émission. Tu rencontres Melli et Sky sur le plateau dans quinze minutes.

Nadine me remet une feuille et je jette un œil sur le bref scénario.

SARA : Est-ce que je vais enfin me reprendre en main?

PAIGE : Vais-je convaincre ma famille que je sais ce qu'il y a de mieux pour elle?

SAMANTHA : La seule façon de le découvrir est de syntoniser l'émission. Ne ratez pas les huit derniers épisodes d'*Affaire de famille*.

SARA : Vous savez que vous vous en botterez le derrière sinon. (Paige lui lance un regard) Quoi? Tu sais que c'est vrai. (Regarde de nouveau la caméra) Ne manquez pas ce qui fera parler tout le monde.

PAIGE : Elle marque un point.

SAMANTHA : Il reste huit épisodes. Ne dites pas que nous ne vous avons pas prévenus.

PAIGE, SAMANTHA et SARA : *Affaire de famille*. Les dimanches à 21 h.

Je ravale ma salive. Il reste HUIT épisodes? Est-ce vraiment tout? Je pensais qu'il y en avait davantage, mais j'imagine que c'est logique. Nous prenons plus d'une semaine à tourner chaque épisode et nous arrêtons en mars, même si les épisodes sont diffusés jusqu'à la fin mai.

— Voici tes questions d'entrevue pour *Seventeen*.

Nadine continue de parler.

— Je leur ai demandé de me les envoyer avant l'appel téléphonique. Plusieurs traiteront de la fin d'*Affaire de famille*, mais tu ne peux pas donner d'information sur l'intrigue. Après cela, tu dois recevoir le gagnant d'un concours du studio et tu donnes une autre entrevue par téléphone. Ensuite, j'ai pensé que nous pourrions faire un examen de pratique SAT. Je suppose que tu as étudié tous les soirs.

Elle me remet un scénario.

— Et ceci vient de Seth. Il veut que tu prennes en considération ce pilote pour la télévision.

Ma tête tourne. Entrevue, rencontre, SAT, réunion. Oups. Je dois toujours rappeler Seth!

— Nadine, tu es vraiment d'attaque pour ton premier jour de retour au travail, la taquiné-je.

Nadine ne rit pas.

— Je sais, me répond-elle avec sérieux. Tu regardes une Nadine nouvelle et améliorée. J'ai pris une résolution envers moi-même pour la nouvelle année pendant mon séjour à Chicago : je vais devenir davantage que ta secrétaire personnelle à partir de maintenant. Tu as besoin de quelqu'un pour te guider dans un futur sans *AF* et je peux t'aider. Je veux que tu atteignes ton plein potentiel tant professionnellement que personnellement. Fini le relâchement ! C'est pourquoi j'ai développé le plan de match Kaitlin Burke.

Elle tapote son cartable et sourit.

— Nous allons t'obtenir une très bonne note pour le SAT afin que tu aies un plan de rechange te permettant de fréquenter l'université et nous regarderons autant de projets que possible pour trouver celui qui convient à ta personnalité plus mature.

Elle passe un bras autour de moi.

— Pense à moi comme à ton coach de vie personnel.

Hein ? Je sais que j'ai dit que j'avais totalement confiance en Nadine, mais cela ne ressemble pas du tout à la Nadine que je connais. Nadine veut que je réussisse bien, mais elle n'est jamais consumée par le désir de mouler ma vie comme le reste de mon équipe. Elle est d'abord mon amie. Je suis certaine que les intentions de Nadine sont bonnes, mais ce n'est pas comme si ma vie était en jeu. Ne devrais-je pas être capable d'atteindre mon potentiel par moi-même ? Bien sûr, il m'arrive de perdre la tête quelques fois — d'accord, souvent —, mais je n'ai pas besoin que Nadine joue les gardiennes d'enfants avec ma vie. Je vais simplement ignorer ce dernier commentaire. Peut-être a-t-elle manqué d'oxygène pendant son vol de retour pour L.A. Ou bien elle ressent la tension liée à la fin de l'émission, tout comme moi je commence à la ressentir. Tout à coup, je suis triste. Tous à *AF* vont vraiment me manquer.

— Es-tu prête ?

Sky apparaît dans l'embrasure de la porte en faisant claquer sa gomme à mâcher. Ses cheveux noirs comme du jais sont bouclés et elle porte une robe Prada kaki que je reconnais comme une pièce de leur collection printanière.

Enfin, *presque* tout le monde va me manquer.

D'accord, ce n'est pas gentil. Sky et moi n'avons peut-être jamais été amies (elle joue ma fausse jumelle, Sara, mais elle serait plutôt la méchante sorcière et moi, Glinda), mais après avoir travaillé ensemble pendant plus de douze ans, ce qui s'est passé à *AF* l'automne dernier nous a aidées à nous respecter. Cette vedette invitée, Alexis Holden, voulait un rôle permanent dans notre émission et quand on lui a dit que l'équipe de distribution était complète, elle a inventé des mensonges virulents à notre propos et les a racontés à la presse en secret. J'imagine qu'elle pensait que Sky et moi reporterions le blâme pour ce mauvais karma l'une sur l'autre et que nous serions renvoyées. Mais, pour une fois, nous avons travaillé ensemble et sauvé nos emplois. Bien, jusqu'à la fin de la saison.

Shelly me met rapidement une couche de brillant à lèvres Bobbi Brown et je me hâte derrière Sky. Nous parcourons le long couloir en silence pendant quelques minutes, ce qui est vraiment gênant.

— Comment était ton congé ? lui demandé-je en essayant de me montrer amicale. Nous sommes allés à Turks et Caicos. C'était splendide. Qu'as-tu fait ?

— Des trucs, me répond sèchement Sky.

Je m'arrête.

— Sky, c'est idiot, déclaré-je. Après Alexis, nous nous entendions mieux, non ? Nous ne sommes pas obligées d'être les meilleures amies du monde, mais nous pouvons quand même être amies sur le plateau.

Sky soupire.

— J'imagine. Il ne me reste que quelques mois à te fréquenter de toute façon.

D'accord, c'est une légère amélioration — pour Sky.

— Recommençons : comment était ton congé ? lui redemandé-je.

— Très occupé, dit Sky, les yeux brillants. Mon agent a organisé des tas de réunions et j'ai reçu quelques offres, mais je ne prendrai pas de décision hâtive.

Wow. Elle a déjà fait tout cela ? Nous sommes le 5 janvier !

— J'ai entendu dire que tu essaies d'obtenir l'émission basée sur le livre *Je te détesterais si je ne t'aimais pas*, à propos de filles vivant dans un hôtel de Chicago. Je les rencontre aussi.

Je n'ai pas entendu parler de ce pilote et pourtant Sky sait déjà que je suis intéressée?

— Je n'ai pas encore rencontré mon agent. Je suis coincée dans le monde d'*AF* et je ne veux pas le quitter, blagué-je. Peux-tu croire que nous tournons les huit derniers épisodes? Je pensais qu'il en restait davantage.

Sky secoue la tête.

— Nan. L'émission est presque *finito*, déclare-t-elle sans émotion. Tu ferais mieux de t'activer si tu veux une autre émission ou un film ce printemps.

— Comment fais-tu pour être si calme?

Je suis abasourdie.

— N'es-tu pas bouleversée par la fin d'*AF*?

Sky hausse les épaules.

— J'en ai déjà fait mon deuil. Je concentre mes efforts à obtenir une nouvelle émission dont je serai la vedette. Tu devrais faire pareil. Je suis certaine que nous serons en compétition pour les mêmes projets. Peut-être que ce sera amusant. J'ai toujours aimé affronter un bon adversaire.

— Tu ne me dis pas? lancé-je, impassible.

Nous avons rejoint le studio d'enregistrement.

Melli, qui joue Paige, notre maman à la télévision, nous attend de l'autre côté.

— Les filles! Comment allez-vous? s'enquiert-elle en nous bombardant de baisers. Comment étaient vos vacances?

— Formidables, répondons-nous à l'unisson.

C'est bon de la voir. Melli est comme ma deuxième mère. Celle avec qui je peux partager mes peurs. Mais cela va changer, n'est-ce pas? Bientôt, je ne lui parlerai plus tous les jours. Une boule se forme dans ma gorge.

Le téléphone de Sky sonne et elle me lance un regard triomphant.

— Ce doit être mon agent avec une nouvelle offre! Je reviens tout de suite.

Elle part en courant pour répondre en privé.

— Qu'est-ce qui ne va pas, Kaitlin?

Melli me lance un regard entendu.

— Je ne sais pas.

Ma voix tremble.

— J'imagine que c'est de te voir, de revenir ici, de tourner cette promo. La fin d'*AF* me frappe vraiment de plein fouet.

Melli me serre dans ses bras.

— C'est normal d'être bouleversée. Tu as grandi ici.

Elle regarde autour d'elle.

— *AF* est ce que tu connais et aimes, mais cela changera.

Elle sourit.

— Je sais, répliqué-je, même si je ne suis pas certaine d'y croire.

Tom Pullman, notre créateur et producteur délégué, entre muni d'une planchette à pince. La sueur perle sur son crâne chauve et ses lunettes noires sont légèrement embuées. Il porte un jean et un t-shirt qui dit « L'*Affaire* est presque terminée ».

— Pourquoi les tristes mines?

— Nous parlons de la fin de l'émission, lui apprend Melli.

— Ah, marmonne Tom. Nous ne pouvons plus le nier, n'est-ce pas? Particulièrement lorsque nous devons tourner ces promos.

Il agite le dialogue devant nous et il frappe accidentellement Sky au visage quand elle revient.

— Êtes-vous prêtes, les filles? Ce sont des promos de vingt secondes que le réseau veut diffuser immédiatement. Elles annonceront des épisodes spéciaux, des rétrospectives de l'émission et un compte à rebours jusqu'au dernier épisode. Tout le monde enregistre une promo différente afin que le réseau soit placardé de rappels d'*AF*.

Tom a l'air content.

— Faisons une lecture rapide et ensuite nous filmerons. Cela ne devrait pas nécessiter plus d'une demi-heure.

Huit épisodes. *Huit* épisodes. Je n'arrive pas à croire que c'est tout ce qui reste. J'essaie de ne pas y penser en me dirigeant vers ma marque.

Tom s'assoit dans son fauteuil de metteur en scène placé derrière deux moniteurs à écran plat montrant différents angles de notre décor. Les accessoiristes sont déjà prêts avec les microphones et deux caméramans dirigent leur objectif sur nous. Nous répétons la scène deux fois avant de tourner.

— Promo numéro un, prise un, annonce Tom quand nous commençons.

— Est-ce que je vais enfin me reprendre en main ? dit Sky avec un sourire sournois.

— Vais-je convaincre ma famille que je sais ce qu'il y a de mieux pour elle ? sourit Melli.

C'est mon tour. Je fixe la caméra.

— La seule façon de le découvrir est de syntoniser l'émission. Ne ratez pas…

Je ne me souviens pas de ma réplique ! Comment est-ce possible ? J'ai bien performé pendant la répétition.

— Ne ratez pas…

— Ne ratez pas les huit derniers épisodes d'*Affaire de famille*, me rappelle Tom. Continue. Nous tournons encore.

Mais je ne peux pas. Je suis incapable de le dire. Je ne peux pas dire : « les huit derniers épisodes ». Ces promos, la pensée de perdre ma famille de plateau ; tout cela me semble trop réel pour mon premier jour de retour au travail. Sky a déjà une liste de projets potentiels et je n'en ai même pas regardé un. Comment peut-elle être aussi blasée à ce sujet ? Comment tout le monde peut-il être aussi calme à propos de la fin de la diffusion d'*AF* ? Suis-je la seule à penser que tout cela arrive trop vite ? Ne sont-ils pas touchés par le changement dans nos vies ?

Des larmes coulent sur mes joues. Je repense encore une fois à la mauvaise blague de papa. Je ne perds pas seulement ma famille sur le plateau. Je perds mon chèque de paie régulier, ce qui ne devrait pas trop chambouler une fille de dix-sept ans, mais j'en suis une qui aligne toute une équipe dans son registre de personnel (y compris mes parents).

— Ne ratez pas les derniers…

Je commence à sangloter.

— Je suis désolée.

Melli se met aussi à pleurer et Sky secoue la tête.

— Ces deux-là s'arrêteront-elles un jour de pleurer ? Syntonisez l'émission et découvrez-le, déclare-t-elle. Ne ratez pas les huit derniers épisodes d'*Affaire de famille*.

L'équipe technique rit, mais je peux voir Tom et il a aussi les yeux dans l'eau.

— Ça va, Kaitlin.

Il me serre dans ses bras.

— Je suis désolée, dis-je en sanglotant. Donne… donne-moi… donne-moi juste une seconde.

— Je vois maintenant que les quelques prochains mois seront difficiles, déclare doucement Tom.

Il vient juste de s'en rendre compte ?

* * *

Dix heures plus tard, je suis debout devant le cinéma ArcLight avec Austin.

— Où voulez-vous que je vienne vous prendre lorsque le film sera terminé ?

Rodney paraît inquiet. Des paparazzis m'attendaient à la sortie du travail aujourd'hui. Je suis certaine que cela avait quelque chose à voir avec les photos de moi avec Ava Hayden et Lauren Cobb à la une de tous les tabloïds ce matin. On m'appelle la nouvelle meilleure amie pour toujours des filles, ce qui est drôle quand on pense que je ne connais même pas leurs numéros de téléphone.

— Rod, nous te rejoindrons à la voiture, réponds-je. Je pense que Larry le menteur a pris suffisamment de photos de moi à l'aéroport. Je vois un gars derrière la poubelle, mais je suis certaine qu'il partira lorsque nous entrerons.

— Ne te bile pas, Rodney. Je vais prendre soin d'elle.

Austin enroule un bras protecteur autour de moi.

Comment ai-je pu être aussi chanceuse ? J'ai rencontré Austin l'automne dernier à Clark High, où je me suis fait passer pour une nouvelle étudiante pendant quelques mois, et si vous m'aviez demandé à ce moment-là si nous finirions ensemble, je vous aurais probablement répondu non. Austin a découvert mon secret et il était très blessé. Même après qu'il m'a pardonnée, nous ne savions ni l'un ni l'autre comment jongler avec ses travaux scolaires et ses pratiques de crosse et mes heures démentes au boulot et mes apparitions à *Jimmy Kimmel*, mais nous avons réussi on ne sait comment à placer notre relation en priorité.

Ce soir, c'est la première fois depuis plus d'une semaine que je pose les yeux sur Austin et je ne peux pas m'empêcher de me demander si c'est possible qu'il soit devenu encore *plus* séduisant pendant mon absence. Sa frange blonde balayée par le vent frôle ses splendides yeux bleus, et il semble prêt à poser pour le catalogue d'Abercrombie dans son t-shirt bleu marine passé par-dessus un chandail blanc en isotherme et un jean qui donne un air féerique à ses fesses. (J'espère qu'il ne m'a pas surprise à les fixer.) J'étais tellement excitée et nerveuse de le voir que j'ai hésité sans fin sur ma tenue ce soir. Ma peau est bronzée après une semaine de sable et de soleil, alors je me suis changée pour enfiler un haut blanc bain-de-soleil crocheté et un jean taille basse PRVCY.

Quand Rodney est finalement convaincu que je ne serai pas harcelée par des photographes, il s'éloigne en voiture. Nous sommes complètement seuls. Enfin, seuls avec un paparazzi et une mer de cinéphiles ; mais ils ne semblent pas me remarquer ou, si c'est le cas, ils s'en foutent. L'ArcLight est très convivial pour les célébrités, ce qui explique pourquoi j'ai tendance à venir ici même si les billets sont 14 $. De plus, c'est le seul cinéma que je connais qui permet de réserver ses sièges avant les représentations.

— Toi et moi seuls. Enfin.

Austin me lance un grand sourire, découvrant ses dents blanches parfaitement droites et il m'embrasse.

Pendant une minute, j'oublie mon travail, mon examen de pratique SAT (Nadine m'en a fait passer un aujourd'hui et je l'ai très mal réussi) et le casse-pieds qui prend des photos de nous.

Lorsque nous reprenons notre souffle, Austin dit :

— Je pourrais rester ici toute la soirée, mais nous devrions entrer si tu veux regarder le film.

Nous allons voir le plus récent Mac Murdoch. Il a interprété mon père dans *Faux*, un film que j'ai tourné l'an dernier, et je ne manque jamais un de ses films. Austin prend ma main moite dans la sienne et me guide vers l'entrée principale.

Le hall d'ArcLight me rappelle Grand Central Station. Il y a un immense « panneau des départs » qui liste quatorze films ou plus jouant dans les salles et dans le Cinerama Dome (le cinéma en forme de dôme géodésique qu'ils ont construit dans les années 1960). Je suis tout de suite envahie par l'odeur du maïs soufflé au caramel, le produit phare du cinéma. L'endroit possède aussi son aire de collations légères et un bar-café qui sert des repas comme des tamales avec crevettes grillées dans une sauce au homard à la crème ou des burgers de bœuf Angus. Nous nous dirigeons droit vers le casse-croûte, et Austin nous achète deux boissons gazeuses, des Raisinets (pour moi), des Milk Duds (pour lui) et un grand maïs soufflé.

— Comment était ton premier jour au travail ? me demande Austin quand nous nous assoyons enfin sur nos sièges réservés dans le cinéma.

Le sourire que j'ai affiché sur mon visage à compter du moment où j'ai aperçu Austin s'efface instantanément, et je lui raconte le tournage de la promo et comment j'ai eu l'impression d'être prise par surprise.

— Je pensais que je n'avais pas de problème avec la fin de la diffusion de l'émission, mais quand j'ai vu tout le monde aujourd'hui, j'ai perdu la tête, admets-je. Je n'arrive pas à croire qu'il ne nous reste que huit épisodes. Je me suis rendue sur ce plateau toutes les semaines depuis que j'ai quatre ans. As-tu une idée de ce que l'on ressent en sachant que toute sa vie va basculer en quelques mois et de ne pouvoir rien y changer?

— Non, admet Austin.

Il remonte l'appuie-bras (une autre caractéristique géniale d'ArcLight) afin que je puisse m'appuyer sur son épaule.

— J'imagine que les vacances sont réellement terminées, hein?

— Tu peux le dire.

Je soupire.

— En vacances, la seule chose urgente à mon agenda était de mémoriser des mots de vocabulaires pour le SAT, mais dès que nous avons touché terre à L.A., tout a changé. Tout le monde me harcèle pour que je rencontre Seth et que je trouve un nouvel emploi. Ils ont éveillé en moi des inquiétudes à propos de gagner de l'argent et de maintenir un toit sur notre tête. Et cela me fait paniquer, vraiment. Mais une partie de moi veut seulement prendre un peu de temps pour faire le deuil d'*AF*.

Austin tente de réprimer un sourire.

— Burke, même si tu ne trouves pas un autre boulot avant un an, ou trois ans, je pense que ta famille aura encore un toit sur la tête.

— Je sais cela et tu sais cela, mais maman et papa agissent comme si trouver le prochain gros projet est crucial pour notre survie. Chaque fois qu'ils en parlent, j'ai une boule dans la gorge.

J'imagine que je n'ai jamais songé à la signification de mon travail à *AF* pour mon entourage.

— Tu ne peux pas être si dure envers toi-même, me dit Austin. Aujourd'hui était ton premier jour au boulot et tu as été dépassée. Tu trouveras une solution. *AF* ne disparaît pas demain.

Je fixe l'écran de cinéma. Ils passent un de ces jeux-questionnaires sur les célébrités et une question sur moi vient de surgir à l'écran (« Quel est le nom du personnage de Kaitlin Burke dans *Affaire de famille*? Réponse : Samantha Buchanan.)

— Austin, cette émission est ma bouée, lui chuchoté-je presque. Je ne suis pas prête à la lâcher.

Il m'embrasse. Ses lèvres goûtent le sel du maïs soufflé.

— Je peux devenir ta bouée, me répond-il doucement.

Je dois avoir le meilleur petit ami au monde. Quel gars dirait une chose semblable sinon dans une comédie romantique?

— Merci.

Je souris et plonge la main dans mon sac.

— J'ai oublié. Je t'ai rapporté un souvenir.

Je sors un t-shirt bleu royal et une casquette de baseball portant l'inscription Parrot Cay, le nom du centre de villégiature où j'ai résidé. Ce n'est pas beaucoup, mais mes fonds sont bas après Noël. J'ai offert à Austin un panneau de collection encadré du métro de la ville de New York. Il en a toujours désiré un. Il était listé sur eBay pour 100 $, mais je suis entrée en guerre d'enchères avec ICrackBax82 et j'ai fini par le payer 450 $. Austin n'a pas besoin de le savoir. Et, hum, maman et papa non plus.

Mais Austin, il m'a offert quelque chose de dix fois mieux. Il s'agit de ce beau et mince bracelet jonc en or blanc que je porte en ce moment. À l'intérieur, il a fait graver : *Avec amour, A.*

AVEC AMOUR, A.

AVEC A-M-O-U-R, A. Soupir.

Je ne peux pas croire qu'il m'a dit ces trois petits mots et que je les lui ai dits en retour.

Austin admire le chandail que je lui ai donné.

— Super génial. Je pourrai le porter à la pratique lundi.

— La saison de crosse commence déjà?

Je suis perplexe.

— Nous ne reprenons pas officiellement avant février, m'explique Austin, mais la plupart d'entre nous ne pratiquent pas les sports d'hiver, alors nous nous y mettons plus tôt. Je veux être au maximum de ma forme cette saison.

— Tu es l'un des meilleurs de l'équipe, lui dis-je fièrement.

Austin fait un petit sourire narquois.

— Tu es obligée de dire cela. Mais sérieusement, je dois travailler plus fort. Rob et moi songeons à nous inscrire à un camp d'entraînement de crosse au Texas cet été. Nous avons entendu dire que les dénicheurs des universités visitent ce camp pour découvrir leurs futurs grands joueurs.

— Wow, on dirait que tu devrais y aller alors.

J'essaie de sembler le soutenir à fond même si l'idée qu'Austin se trouve au milieu du pays pendant l'été me déprime totalement. Avant que je puisse ajouter autre chose, les lumières se tamisent et les bandes-annonces commencent. C'est ma partie favorite des films. J'adore décider lesquels ont l'air bons et ceux qui me semblent des navets.

SECRET D'HOLLYWOOD NUMÉRO DEUX : Les bandes-annonces constituent un actif important pour les films. Une bonne bande-annonce peut susciter de l'excitation dans l'industrie, chez les amateurs et sur Internet pendant des mois et même un an avant la sortie du film. Une mauvaise bande-annonce peut éloigner les amateurs potentiels en moins de deux minutes. Les bandes-annonces ont pris tellement d'importance que les studios se battent en fait pour le positionnement de leurs bandes-annonces avant certains films et réclament même la place précise dans laquelle elles seront vues dans la rotation (la dernière bande-annonce avant le programme principal est généralement meilleure que la première, qui est celle que la plupart des gens manquent parce qu'ils achètent des Milk Duds). Une source avisée dit que certains studios paient des sommes astronomiques pour s'assurer que leurs bandes-annonces passent exactement au moment où ils le souhaitent. Mais, ce n'est pas moi qui vous l'ai dit.

— Sais-tu pourquoi les bandes-annonces s'appellent des « trailers[3] » en anglais ? chuchoté-je pendant la bande-annonce d'une comédie romantique qui me semble mauvaise et mettant en vedette une star de série B et une blonde beaucoup trop jeune pour lui.

— Non, pourquoi ? me chuchote Austin en retour.

— Dans les années 1950, les bandes-annonces étaient diffusées à la fin du film, et non au début, lui dis-je en lui volant une poignée de ses Milk Duds.

Il prend quelques-unes de mes Raisinets.

Soudain, j'entends ma propre voix, et elle ne sort pas de ma bouche. Que dia… Je jette un œil à l'écran. C'est vraiment moi ! Ils passent la bande-annonce d'Adorables jeunes assassins.

— Hé, c'est toi ! lance Austin, excité.

— CHUT ! nous ordonne quelqu'un derrière nous.

En moins de deux minutes, nous me regardons me débattre avec des débris, combattre Sky (qui interprète ma meilleure amie traîtresse) et nous voyons mon personnage se sauver devant madame Murphy, la diabolique docteure des clones, et son armée. La dernière scène montre Drew Thomas, qui joue mon copain, et moi fuyant une voiture fonçant à toute vitesse. Une bande sonore forte et enlevée joue pendant que les scènes défilent à toute allure et que nos noms — réalisateur Hutch Adams, Kaitlin Burke, Drew Thomas, Sky Mackenzie (dans cet ordre) — apparaissent brièvement à l'écran. À la fin, le fond devient noir et le titre du film surgit en lettres rouge sang : *Adorables jeunes assassins*, sur vos écrans en mai.

---

3 N. d. T. : « Trailer » est le mot anglais pour « remorque ».

Quelques personnes applaudissent et je me sens rougir. Je sais ce que j'ai dit sur les bandes-annonces, mais quand même. Le tournage en soi a peut-être été cauchemardesque, mais le film lui-même semble *bon*.

— Tu avais l'air épatante.

Austin m'embrasse la joue.

— Très style princesse Leia. J'ai particulièrement aimé ton pantalon en cuir noir serré.

Je glousse.

— Garde tes disponibilités en mai, lui déclaré-je. Je veux que tu m'accompagnes à la première.

Austin me serre la main.

— Je ne la manquerais pas.

AF prend peut-être fin, mais j'imagine que j'ai quelque chose d'amusant qui m'attend.

LUNDI 5 JANVIER
NOTE À MOI-MÊME :

VRMT rapelé Seth. Il a laissé 4 msg !
Mar, mer, jeu, ven, H de convoc : 6 h 30.
Déjeuner Cinch pr 1 cause avec Lizzie : sam.

TROIS : *Cinch pour une cause*

Rodney vient de me déposer au déjeuner Cinch pour une cause et je suis devant le restaurant en essayant de ne pas m'endormir sur mes pieds. Nous avons tourné en extérieur hier soir jusqu'à 23 h et je suis épuisée. Cernes ou non, il n'était pas question que je manque cela. Le déjeuner de Cinch combine deux formidables avantages : je peux acheter un sac à main à édition limitée et collecter des fonds pour la recherche sur le cancer en même temps !

Cette année, il se tient au restaurant cubain américain de Mac Murdoch, Fusion. Je doute que Mac soit là pour la réception. Il m'a dit un jour qu'il n'y vient que quelques fois par année. Cela expliquerait le SECRET D'HOLLYWOOD NUMÉRO TROIS : La plupart des vedettes ne gèrent pas leurs propres messages BlackBerry, encore moins un restaurant. Plusieurs vedettes dans l'industrie de la restauration sont habituellement des partenaires silencieux qui participent avec leur porte-monnaie et leurs recettes. (Quelle célébrité ne désire pas partager les secrets du pain de viande de leur mère avec le monde ?) Si le restaurant d'une vedette est bon, l'endroit peut devenir une façon de gagner de l'argent entre les projets. Mais si les affaires vont mal, attendez-vous à un dénigrement systématique dans les médias.

Heureusement, le restaurant de Mac se classe dans la première catégorie. Je me regarde une dernière fois avant d'entrer pour vérifier l'efficacité de mon cache-cerne. Le déjeuner est à moitié formel, alors je porte une robe bleu marine sans bretelles Samantha Tracy et des Jimmy Choo de sept centimètres. Mes cheveux retombent librement et j'ai un sac à main Cinch en cuir brun. (C'est toujours bien vu de porter ou d'avoir sur soi quelque chose du grand couturier qui organise l'événement auquel vous assistez.) Je suis sur le point d'ouvrir la porte quand j'entends une sonnerie familière. Je décroche dès la première sonnerie.

— COMMENT ÉTAIT TURKS ET CAICOS? beugle mon agente de publicité, Laney.

Elle est peut-être dans la trentaine (c'est ce que je *pense* : elle ne veut toujours pas me révéler son âge véritable), mais elle effraie même les gens les plus aguerris de l'industrie. Elle est reconnue pour être bruyante et culottée ainsi que comme une personne qui adore émailler sa conversation de noms de célébrités. («Jess Alba et moi avons déjeuné ensemble hier dans cet endroit fabuleux!») Toutefois, elle défendra aussi ses clients à mort, ce que j'apprécie chez elle.

— BIEN, hurlé-je, oubliant un instant que je n'ai pas besoin de crier moi-même.

Laney semble continuellement trouver les endroits les plus tapageurs pour communiquer avec moi, alors elle s'époumone toujours au téléphone.

— J'ai fait du ski nautique, et Matty et moi...

— QUAND RENCONTRES-TU SETH? me demande-t-elle en hurlant par-dessus une symphonie de marteaux-piqueurs, de perceuses et de bois qui tombe.

On rénove la maison de Laney à Malibu.

— Je l'appelle aujourd'hui, réponds-je en me sentant coupable.

J'ai été tellement occupée entre les trucs à *AF* et mes études pour le SAT cette semaine que j'ai mis les messages répétés de Seth de côté. Non que je vais l'avouer à Laney.

— Comment était Cabo avec Drew et Cameron?

Je change de sujet.

— Fabuleux, roucoule Laney et elle baisse la voix d'une octave. J'ai dit aux filles qu'elles devaient tourner un autre film des *Drôles de dames* et t'inclure dedans. Maintenant, à propos de ta réunion, je pense... NOOON! J'AI DIT DE LE METTRE SUR LA TERRASSE. PAS SUR LA VÉRANDA.

J'écarte le téléphone de mon oreille.

— Tu as l'air occupée, lui dis-je.

— Non.

Laney semble vexée.

— J'appelais pour organiser un lunch *après* ta réunion avec Seth. Nadine a dit que selon elle, tu évites de tenir cette réunion. Est-ce le cas?

Quoi? Pourquoi Nadine dirait-elle cela à Laney? Elle est censée se ranger de mon côté!

— Non, rétorqué-je rapidement. C'est simplement que le retour est plus difficile que je ne l'aurais cru et...

— JE VEUX LA BAIGNOIRE À REMOUS LÀ! m'interrompt Laney.

Les coups de marteau et le son des perceuses redeviennent plus forts.

— LÀ-BAS! Kaitlin, appelle Seth. Pas de mais. Je te rappelle après avoir réglé *ceci*.

Clic.

Soupir. C'est une bonne chose que je ne lui aie pas parlé de ma crise de larmes pendant le tournage des promos. Elle m'aurait dit que je dramatisais.

J'entends encore le marteau-piqueur dans mon oreille pendant que je me fraie un chemin dans le restaurant climatisé vers la terrasse. L'espace extérieur de Fusion est vraiment paisible. Des lierres sont drapés sur les murs en béton de la terrasse, des arbres en pot fournissent de l'ombrage additionnel et des lumières blanches scintillantes parsèment les buissons, même pendant la journée. Une grande fontaine en pierre avec deux chérubins est installée au centre de plusieurs tables en fer forgé décorées d'hortensias et de petites bougies. Pour l'événement d'aujourd'hui, je constate que le bar extérieur du restaurant a été converti en mini boutique Cinch tenue par des filles portant la signature type CI. Je regarde autour de moi. L'endroit est rempli de femmes que je connais, ou du moins que j'ai déjà vues au grand et au petit écran.

La directrice de la mercatique de Cinch, Enid Euber, m'accueille chaleureusement.

— Salut Kaitlin ! Je suis tellement contente que tu aies pu venir. Tu es assise à la table huit.

Elle pointe l'extrémité de la pièce, où Liz est déjà installée. Cette dernière me voit et agite frénétiquement la main.

— Nous avons des photographes pour documenter l'événement ; alors, sois prête à sourire ! ajoute Enid alors que je me dirige vers mon amie.

C'est peu dire. Les déjeuners de Cinch profitent d'une excellente couverture de presse ; il y a quatre photographes et au moins deux équipes vidéo travaillant dans la salle. Déjà, Miley et Vanessa lèvent des t-shirts Cinch devant un appareil-photo dans un coin pendant que Rihanna, Jessica et Ashley prennent la pose avec leurs achats dans un autre.

Un flash éclate quand je serre Liz dans mes bras. Nous commençons à parler en même temps et nous rions.

— Assieds-toi, m'ordonne Liz.

Elle paraît bien dans sa robe moulante de couleur rouille qui met en valeur sa peau olivâtre. Les cheveux bruns bouclés à longueur d'épaule de Liz ne sont pas attachés.

— Échangeons nos nouvelles rapidement afin de pouvoir faire nos achats, dit-elle. J'ai un œil sur une pochette en peau de serpent à édition limitée que l'une des Cheetah Girls n'arrête pas de regarder. Détails des vacances. Vas-y.

Je pouffe de rire.

— Totalement relaxant et beau. J'ai pensé à tout laisser tomber et à ouvrir ma propre boutique de plongée sous-marine simplement pour éviter de revenir à la maison et de passer mon SAT.

— Arrête de stresser! me réprimande Liz. Tu as étudié, alors tu t'en sortiras bien.

— Si tu qualifies d'étude une moitié d'examen de pratique faite pendant les changements d'éclairage sur le plateau alors, ouais, j'ai étudié, répliqué-je sèchement. J'avais au moins une heure d'exercice par jour pendant les vacances, mais à présent, entre la mémorisation de mes répliques et les entrevues que je donne pour *AF*, je suis chanceuse de trouver vingt minutes pour cela.

— Une photo, les filles? nous interrompt un photographe, et avant même que nous puissions répondre, il commence.

— Levez vos achats.

— Nous n'en avons pas encore fait, l'informé-je.

Il semble déçu.

— Je vais revenir dans ce cas, déclare-t-il. Et Kaitlin, peut-être pourrais-je en prendre aussi une de toi avec Ava et Lauren plus tard.

— Bien sûr.

Je souris gentiment.

— J'ai entendu parler de tes nouvelles meilleures amies pour toujours dans *Hollywood Nation*.

Liz me donne un petit coup de coude quand le photographe est hors de portée de voix.

— Tu ne m'as pas dit que vous étiez allées en vacances ensemble.

— Très drôle, rétorqué-je, et je lui explique ce qui est arrivé. Et toi? Raconte-moi ton voyage.

— Le Grand Wailea Resort Hotel and Spa est la perfection même, s'extasie Liz. Tu dois y aller. C'est plutôt tranquille, alors il faut de la compagnie. Je ne pense pas que j'aurais pu supporter deux semaines si je n'avais pas rencontré Mikayla.

Je hoche la tête.

— Elle m'a été tellement utile pour NYU et…

— Pardonne-moi, Liz, l'interrompt Enid en souriant gentiment. L'associé de ton père est ici et j'espérais prendre une photo de vous deux ensemble.

Le père de Liz est un célèbre avocat du spectacle dont les clients comprennent la plupart des vedettes populaires et de nombreuses vedettes de la télévision, comme moi. Liz et moi nous sommes rencontrées quand il est devenu mon avocat il y a des années.

— Je reviens tout de suite, me dit Liz d'un ton d'excuse.

Pendant que j'attends, j'examine notre table. Il y a six chaises, mais Liz et moi sommes les deux seules assises jusqu'à maintenant. Deux vedettes du Disney Channel arrivent quelques secondes plus tard et me saluent. Je les ai déjà rencontrées à d'autres événements, mais je ne les connais pas très bien. Elles laissent tomber leur propre sac à main Cinch sur les sièges, repoussant les jolis sacs-cadeaux roses Cinch, et partent faire des achats. Je commence à regarder le menu du déjeuner et j'entends un bruit assourdissant. Un serveur portant un plateau rempli de boissons est entré en collision avec Lauren Cobb et Ava Hayden. La boisson transparente de Lauren se répand partout sur sa robe.

— Attention! aboie-t-elle.

— Désolée pour mon absence.

Liz se glisse sur sa chaise à côté de la mienne.

— Que se passe-t-il?

Je hausse les épaules.

— Je l'ignore, dis-je en observant Enid se hâter vers Lauren et Ava et commencer à présenter ses excuses.

— Alors, où en étions-nous? demande Liz.

— Euh…

Il y a eu tellement d'interruptions, je ne m'en souviens plus.

— Je ne sais pas.

Nous rions.

— Et toi? s'informe Liz en buvant une gorgée de son soda. Comment va *AF*?

Je suis contente qu'elle ait posé la question parce que je mourais d'envie d'en discuter avec elle. Le mois dernier, je me sentais très sûre de moi à l'idée de laisser *AF* derrière moi, mais à présent que la fin se trouve juste sous mes yeux, je ne suis plus certaine. Je suis sur le point de dire exactement cela à Liz quand j'entends quelqu'un s'éclaircir la gorge dans notre dos. Je pivote.

Sky est debout derrière moi avec son amie Elle Porter, une actrice de série C plus reconnue pour sa chirurgie ratée des seins que pour l'ensemble de son travail. Elle me décoche un demi-sourire.

— J'ai besoin de toi, me dit Sky en se penchant plus près et en souriant pour un photographe à proximité. Enid veut que nous donnions une courte entrevue ensemble. C'est pour *Celebrity Nation*.

— Prends ton temps, insiste Liz. Je vais aller acheter le sac que je désirais avant qu'une autre personne ne s'en empare.

Dix minutes s'allongent en vingt minutes et je reviens en hâte à notre table, où Liz bavarde de tout et de rien avec les filles assises à côté de nous.

— Cela a été plus long que prévu, m'excusé-je. Où en étions-nous?

Je sais de quoi nous discutions. J'étais sur le point de raconter à Liz mon mini effondrement sur le plateau, mais je ne veux pas me montrer impolie et simplement commencer à parler de moi.

Liz grimace.

— En fait, je dois partir.

— Quoi? protesté-je. Nous n'avons même pas encore mangé la salade.

— Je sais.

Liz a l'air coupable.

— J'allais t'en informer plus tôt, mais nous avons été constamment interrompues. Le meilleur ami du père de Mikayla fait partie du conseil d'administration de NYU et il est en ville pour une visite. Mikayla a dit que je pouvais venir chez elle pour lui parler. Je ne l'ai su qu'hier soir. Je suis désolée.

— Ça va, réponds-je, déçue. C'est juste que je me faisais vraiment une joie de passer du temps avec toi.

— Je sais, dit Liz d'une voix contrite. Moi aussi. Je ne peux pas laisser passer cela Kates. Rencontrer des membres du conseil de NYU est une grosse affaire. Cela pourrait me donner un léger avantage, tu vois ?

— Tu n'as pas besoin d'un avantage, lui déclaré-je. Tes résultats de SAT étaient fantastiques, tu as de bonnes notes et neuf millions d'activités parascolaires. NYU tuerait pour t'avoir.

— Merci, mais c'est tellement compétitif.

Liz soupire.

— Mikayla dit que c'est important de se distinguer. La rencontre pourrait réellement m'aider. Peut-on plutôt se voir demain ?

Je me mords la lèvre.

— Demain, j'ai mon tuteur de SAT le matin et une séance de photos pour Fever l'après-midi.

Fever est une gamme de produits de beauté dont je suis porte-parole.

— Mais je veux vraiment te parler. Il se passe tellement de choses.

— Je veux te parler moi aussi, insiste Liz.

Elle attrape son nouveau sac Cinch et le sac-cadeau rose.

— Je t'appelle plus tard et nous trouverons une journée pour nous voir.

Nous nous serrons encore une fois dans nos bras et je regarde Liz partir. Une petite partie de moi est en colère que Liz soit partie. Je sais que rencontrer un membre du conseil d'administration de NYU est une chance formidable, mais n'aurait-elle pas pu y aller plus tard? Nous avions planifié ceci depuis des lustres. J'essaie de tirer parti de la situation et je bavarde avec les autres filles à ma table pendant que nous mangeons la salade, mais la conversation est gênée. J'ai l'impression qu'elles veulent simplement être laissées seules. Peut-être devrais-je me mêler aux autres. Je n'ai pas encore salué Miley.

— Kaitlin! Par ici!

Je lève les yeux. Ava est debout deux tables plus loin avec Lauren et elles me font signe de les rejoindre. Sans les boissons répandues et le brouhaha autour d'elles, je vois très bien leurs tenues. Ava est très belle dans une robe courte jaune canari avec des plis retombant en cascade sur sa minuscule taille et s'enroulant autour de ses genoux. Ses longs cheveux blonds et lisses sont empilés en un chignon bas et elle porte des boucles d'oreilles en diamants d'au moins dix carats. Pourquoi ai-je le sentiment qu'elle ne les a pas empruntées? Lauren est époustouflante dans une robe argentée s'arrêtant aux cuisses.

Je m'excuse à ma table et je me dirige vers elles.

— J'ignorais que tu serais ici, pépie Ava en me serrant fortement contre elle, comme si nous étions les meilleures amies du monde. Nous avions l'intention de te téléphoner.

— Avec qui es-tu assise? s'enquiert Lauren. Oublie-les. Tu t'assois avec nous.

Ava m'offre la chaise à côté de la sienne. Je regarde vers ma propre table. Je suis certaine que les filles n'y verront pas d'inconvénient si je pars. Ava et Lauren me sourient, pleines d'espoir.

— D'accord, acquiescé-je avec gêne.

— Peux-tu croire qu'Oprah est ici? me murmure Ava en se penchant vers moi. Je meurs d'envie de la saluer. Je vénère cette femme.

— Elle est brillante, l'appuie Lauren. J'enregistre tous ses épisodes.

— Moi aussi, dis-je, ragaillardie. Elle et Rachael Ray. Non que je cuisine.

— Va chez le diable !

Ava me tape le bras.

— Nous l'adorons aussi !

Nous entamons une longue discussion sur les animateurs de la télévision, nos émissions favorites et les meilleures télé-réalités (ni l'une ni l'autre n'a parlé de la sienne, mais nous sommes toutes d'accord que *The Hills : Princesses d'Hollywood* les domine toutes). Il s'avère qu'Ava et Lauren regardent aussi *Gossip Girl* comme moi et ne vivent que pour les deux heures consécutives de *Chère Betty* et de *Dre Grey, leçons d'anatomie*. Lauren aime même *La guerre des étoiles*. Notre conversation n'est interrompue qu'une seule fois quand Ava engueule cette actrice de Nickelodeon pour avoir dit quelque chose de négatif sur elle dans Page Six. Cela arrive si vite que je n'ai même pas le temps de réagir. Lauren est trop occupée à me cuisiner à propos de mes scènes préférées dans *La guerre des étoiles*. Nous découvrons que nous faisons nos courses dans les mêmes boutiques, que nous sommes d'accord que Coffee Bean botte le derrière de Starbucks et que nous n'en avons jamais assez du yogourt Pinkberry. Ava est drôle et Lauren, malgré sa réputation de sotte, semble en fait avoir beaucoup de choses à dire. Je me sens presque coupable d'avoir cru tout ce que j'ai lu sur elles. Je sais que je détesterais cela si elles faisaient la même chose pour moi.

— Bon, assez parlé, déclare Ava. Il est temps d'acheter.

Elle m'attrape la main et je remarque que les flashs de plusieurs appareils-photo éclatent autour de nous.

— Venez ! Allons-y !

Nous nous hâtons toutes les trois vers la boutique Cinch, et Lauren et Ava commencent à cueillir les sacs sur leur piédestal comme s'il s'agissait de bonbons.

— Oooh, regarde celui-ci ! Je l'ai en bleu. Je ne l'ai pas en rouge. L'offrez-vous en orange ? Celui-ci déchire ! Il est si mignon et minuscule. Je vais en prendre trois. Quels genres de porte-monnaie avez-vous ? Avez-vous un porte-clés assorti ?

Je marche le long de l'étalage et je m'arrête devant un grand sac à motif léopard avec une bordure en cuir noir et des tas de fermetures à glissière. Je le soulève et le fais tournoyer. Je n'ai jamais vu un sac Cinch comme celui-ci auparavant.

Ava retient son souffle.

— Ce sac est divin, déclare-t-elle en me le prenant des mains. Le cuir est tellement souple et j'adore le motif. Tu dois l'acheter. C'est *tellement* toi.

Je ris.

— C'est plutôt voyant pour mon goût. Et gros. Je ne transporte pas autant de choses.

— Essayer quelque chose qui ne nous ressemble pas est tellement branché en ce moment, lance Lauren. Ce sac déchire.

Je l'enfile sur mon épaule et je me regarde dans le miroir de plain-pied à côté du comptoir. Le sac est formidable. Et je ne possède rien de tout à fait comme lui. Je jette un œil sur l'étiquette de prix. Aïe! Il coûte plus de trois mille dollars.

Ava aperçoit mon visage.

— Ne pense pas au prix. L'argent va à une bonne cause.

— Tout de même, c'est beaucoup. Ma mère va me tuer.

J'ai des sacs beaucoup plus coûteux que celui-ci, mais je les ai tous reçus en cadeau. Je ne peux pas l'acheter. J'entends déjà maman hurler.

Lauren hausse les épaules.

— Attends l'arrivée de la facture avant de le lui annoncer. C'est ainsi que je procède.

— Je ne peux pas faire cela, rétorqué-je, étonnée.

Je replace le sac sur son piédestal et je le regarde avec envie.

— Ne réfléchis pas. Achète, me dit Ava en le reprenant sur son piédestal pour le pousser dans mes bras. Tu travailles dur. Tu gagnes de l'argent.

— Mais ma mère, recommencé-je à dire.

— Oublie ta mère, insiste Ava.

Elle me regarde intensément.

— C'est un sac formidable et tu le mérites, particulièrement maintenant que ton émission ne sera plus diffusée. Achète le sac pour te remonter le moral.

Peut-être que je mérite un cadeau d'encouragement. Je regarde de nouveau le sac. Non. Je ne peux pas. Maman va piquer une crise de nerfs. Elle peut faire un achat comme celui-là, mais si je le fais, elle va paniquer.

— Je vais peut-être parler à ma mère pour voir si elle est d'accord et ensuite me le procurer, dis-je un peu tristement.

Lauren fait la moue. Ava soupire et secoue la tête.

— *Ne fais-tu jamais ce que tu* désires? Je veux dire, *sans* demander la permission à personne?

Hum. Non?

Je fixe encore le sac et je joue avec l'une des fermetures à glissière. Hum… peut-être qu'Ava a raison. Tout le monde prend toujours les décisions pour moi. Je devrais pouvoir acheter un sac sans avoir à convoquer une réunion. Et maman m'a dit de choisir ce que je veux. L'argent va à une bonne cause. Sans compter que *j'adore* ce sac.

— OK, rétorqué-je d'un air de défi.

Je remets ma carte de crédit à la fille de Cinch et je sens une poussée d'adrénaline parcourir mon corps.

Les filles poussent des cris perçants pour marquer leur approbation. Leur récolte finit par coûter trois fois plus cher que la mienne, mais ni l'une ni l'autre ne bronche. Quand nous retournons à la table, mon Sidekick se met à vibrer et je vois que le message vient de Nadine.

FUTUREPREZ : Bonnes nouvelles! Ns t'avons fait invité à la fête dè Oscars de *Vanity Fair*! Toi + 1. J'imagine que ns devons te trouver 1 robe. Félicitations! (P.-S. N'oublie pas d'étudier pr mon questionnaire SAT lundi.)

Oh mon Dieu. Je suis admise à la fête de *Vanity Fair*! Je n'ai jamais été invitée auparavant et j'ai toujours souhaité y aller. J'étais peut-être agacée par Nadine avant, mais tout est oublié à présent. Je veux crier, mais je ne crois pas que ce serait approprié.

— J'ai été invitée à la fête de *Vanity Fair* pour les Oscars, dis-je à Lauren et à Ava avec excitation.

Lauren crie si fort que j'entends des chiens aboyer à la porte d'à côté.

— Nous aussi! Nous devons aller faire les boutiques ensemble pour trouver nos robes.

— Célébrons, les filles!

Ava lève sa coupe de champagne pour porter un toast. Lauren attrape la sienne aussi et je tends rapidement la main vers mon soda et jus de canneberge.

— Hé, les filles, souriez, nous demande un photographe.

Je pivote et lui lance un grand sourire. Aujourd'hui, ce n'est pas un problème.

SAMEDI 10 JANVIER
NOTE À MOI-MÊME :

R-v avec A. — ce soir @ 20 h. Apprendre la bonne nouvelle à A.!
Dimanche — tuteur SAT @ 9 h, séance foto Fever @ 12 h.
Lundi, mardi — H de convoc @ 6 h.
*Mar soir, 1re du film de Gina! Tapis rouge @ 19 h.
Mer en ext — Santa Monica Pier @ 7 h.
Étudié pr l'exam de prép. SAT de Nadine. 2manD à Nadine de s'informé pr leçons de conduite. Encore.

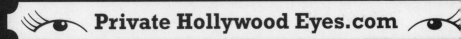
BLOGUES **APERÇUS** BIOS **ARCHIVES**

APERÇUS   11 janvier

QUITTANT LA CLINIQUE DE CHIRURGIE PLASTIQUE TREMONT :
Ne pense pas que ton écharpe Hermès et tes lunettes de soleil Chanel dissimulent ton visage, **Alexis Holden**. Nous t'avons vue quitter la clinique de chirurgie plastique Tremont hier avec un gros bandage blanc sur le nez. Ton pif a-t-il été raccourci ? Ton nouvel agent publicitaire a dit : « Elle était là pour faire une recherche pour un rôle », mais nous ne le croyons pas. Le nez sait, comme on dit, Alexis, et une fois que tu sortiras de sous cette écharpe Hermès, nous en serons certains.

PROVOQUANT UNE SCÈNE À YOGA CENTRAL :
Le cinglé réalisateur d'*Adorables jeunes assassins*, **Hutch Adams,** a piqué une méchante crise de nerfs pendant son cours de yoga quotidien du soir quand un professeur suppléant lui a demandé de déplacer son matelas pour permettre à un autre étudiant de se joindre à la classe. Après plusieurs tentatives infructueuses pour calmer monsieur Adams, il a été sorti de la pièce. Ne pense pas que tu reprendras la position du chien tête en bas à cet endroit dans un avenir près, Hutchy. Bou hou.

DOUBLANT SON PLAISIR :
Drew Thomas, espèce de coquin, toi ! Tes gentilles petites amies n'ont peut-être pas compris qu'elles se disputaient ton amour, mais nous t'avons pris la main dans le sac. Samedi, à 17 h, tu as amené une blonde mystérieuse dîner chez Koi (trop tôt, mec ! Qu'est-ce que tu espérais ? Un spécial lève-tôt ?) et ensuite, à 21 h 30, tu avais une brunette à ton bras en entrant chez Shelter. Tss-tss. Souhaitons que ni l'une ni l'autre ne lise cette chronique !

NOUVELLES MEILLEURES AMIES POUR TOUJOURS VUES AU DÉJEUNER CINCH POUR UNE CAUSE :

La vedette d'*Affaire de famille*, **Kaitlin Burke,** faisait des courses et riait avec ses nouvelles meilleures amies **Ava Hayden** et **Lauren Cobb** au déjeuner annuel Cinch pour une cause au profit de la recherche sur le cancer du sein (voir nos photos dans la section SORTIES DES VEDETTES). Des sources nous disent que les trois sont inséparables, ayant même passé des vacances ensemble pendant Noël. Il se pourrait aussi que Kaitlin soit en pourparlers pour réaliser une télé-réalité avec les filles, laquelle suivrait leurs aventures dans une maison louée à Malibu l'été prochain, après la fin du boulot de Kaitlin dans *Affaire de famille*. Au contraire de Lauren et d'Ava, Kaitlin est nouvelle au style de vie axé sur la fête, mais elle semble bien s'adapter. Elle sirotait une boisson non identifiée au déjeuner avec laquelle elle portait aussi des toasts. « Je ne dis pas que c'était de l'alcool à coup sûr, nous dit un témoin sur place, mais avec les deux filles qui accompagnaient Kaitlin, je ne serais pas étonné. »

QUATRE : *Kaitlin Burke kidnappée!*

Lumière vive! Lumière vive! Je me sens comme un vampire quand je sors de la roulotte de location d'*AF* qui me protégeait après une journée de tournage sur Santa Monica Pier et que j'affronte les paparazzis qui m'attendent. Je me couvre les yeux pour éviter l'éclat aveuglant des flashs pendant que Rodney fraie un chemin dans la foule pour Nadine et moi.

— Excusez-nous, nous passons, dit Rodney d'un ton bourru.

Depuis que l'on a annoncé la fin d'*AF*, les paparazzis sont pires que des mouches. Ils traînent devant le studio, hantent nos lieux de tournages extérieurs et, essentiellement, dérangent tout le monde.

— Kaitlin, poupée, sourit pour l'appareil!

Ma peste personnelle, Larry le menteur, pointe son Nikon sur mon visage.

Si je n'avais pas peur que notre échange soit imprimé dans *Hollywood Nation* demain, je dirais à Larry exactement où il peut mettre sa demande. Traiter avec des gars comme Larry fait partie de la célébrité, mais ce dernier week-end, il a dépassé les bornes. C'est lui qui a pris la photo de moi portant un toast avec Lauren et Ava pendant l'événement Cinch pour une cause et qui a vendu la photo à certains sites Web. Tous les sites se sont demandé si je buvais de l'alcool. Allô! C'était du soda! Il y avait tellement de controverse sur ma boisson désaltérante que Laney a dû faire une déclaration : « Kaitlin Burke est trop jeune pour boire. Elle sirotait du soda avec du jus de canneberge au déjeuner Cinch. »

Pouvez-vous croire que ce genre de truc fasse les nouvelles de 17 h ? Pas les injustices humaines ni les enfants qui meurent de faim. Moi et mon choix de boisson. C'est surréaliste.

— Barre-toi Larry, grogne Rodney, découvrant sa dent ébréchée.

Il la fait recouvrir demain, mais il n'est pas pressé. La fissure est un symbole d'honneur dans le livre de cascadeur de Rodney. L'incident s'est produit pendant la répétition d'une scène de poursuite pour une publicité qu'il tourne pour la gomme Trident.

Larry continue à prendre des clichés.

— Tu ne peux pas m'arrêter. J'ai le droit d'être ici.

— Ignore-le, Rod, lui dis-je.

Je ne vais pas laisser Larry me gâcher l'humeur. Aujourd'hui, c'était plutôt une bonne journée. Sky, Trevor et moi avons eu la chance de monter dans tous les manèges du Santa Monica Pier sous une température plus chaude que celle de saison (près de 27 °C !). La meilleure partie, c'est que personne n'a mentionné la fin d'*AF* une seule fois. Pendant un moment, c'était comme n'importe quelle autre journée de tournage. Enfin, jusqu'à ce que je me souvienne qu'il nous reste moins de deux mois.

— Allons à la voiture.

Nadine lance un regard à Larry.

— Il ne peut pas te prendre là.

Nous commençons à marcher — les véhicules ne sont pas permis sur le quai — et mon téléphone sonne. Je tends la main dans mon nouveau sac Cinch à motif léopard (j'ai déjà reçu des tas de compliments sur lui) et je prie pour que l'appel soit de Liz. Nous jouons au chat depuis deux jours, ce qui ne nous ressemble pas du tout. Je regarde l'afficheur et je ne reconnais pas le numéro.

— Allô ?

— Hé, poulette ! C'est Ava, dit-elle de sa voix traînante et chaude. Tu veux traîner avec moi et Lau ?

Je souris pour moi-même. J'ai eu tellement de plaisir avec elles au déjeuner. Je pensais qu'Ava et Lauren seraient très tournées vers elles-mêmes, mais non. Elles désiraient savoir des tas de choses sur moi et ma relation avec Austin. Nous avons dû parler de petits amis pendant une heure. (Lauren est célibataire. Ava vit une relation instable avec le chanteur principal d'un groupe populaire qui est plus célèbre pour ses multiples relations amoureuses sans lendemain que pour les simples du groupe.)

— Nous allons au Chateau Marmont et danser ensuite, dit Ava. Tu peux te joindre à nous tant que tu ne bois pas trop, espèce d'alcoolo.

Je ris tellement fort que je ne remarque pas l'Escalade noire qui vient de se garer au coin de la rue que nous venons d'atteindre. Larry bondit hors du chemin quand la voiture freine, faisant crisser les pneus. La vitre teintée côté passager descend, et Rodney m'attrape le bras. Nous sommes prêts à fuir quand j'entends une voix familière dire :

— Kaitlin Burke, monte dans la voiture tout de suite.

— Maman ?

Je passe ma tête par la fenêtre et je vois maman et papa sur la banquette arrière. Le visage de maman est sérieux, comme après de mauvais résultats au Nielsen, mais elle est très belle, comme d'habitude. Elle porte son ensemble-pantalon crème préféré de Dolce & Gabbana, et ses longs cheveux sont bouclés. Papa semble prêt pour une journée au bureau — même s'il ne travaille pas dans un bureau — dans sa chemise bleu pâle Izod et son pantalon marine.

— Est-ce que tout va bien ? demandé-je nerveusement.

— Tout va bien. Rodney ramènera Nadine à la maison, poursuit-elle. Monte.

— Ava, je vais devoir te rappeler, lui annoncé-je vite, et je raccroche pendant que Larry continue de prendre des clichés de cette étrange scène.

J'ouvre la portière arrière et j'ai à peine le temps de dire au revoir à Nadine et à Rodney avant que nous démarrions.

— Salut, Kaitlin. Comment était ta journée?

Laney est assise sur le siège passager avant. Que fait-elle ici? Laney a l'air splendide. Ses longs cheveux blonds sont lissés au fer à la perfection et elle est encore bronzée en raison de ses vacances. Elle porte une chemise noire ajustée avec les manches roulées jusqu'aux coudes révélant des avant-bras musclés, sa montre incrustée de diamants Movado et un bracelet tennis qu'elle s'est achetés elle-même. (Laney dit que la seule relation pour laquelle elle a le temps est celle avec ses clients.)

— C'était bien jusqu'à maintenant, lui réponds-je en regardant avec curiosité le chauffeur étranger qui nous conduit vers un endroit inconnu. Vous me faites paniquer, les amis. Pourquoi m'avez-vous kidnappée? Avez-vous vu Larry le menteur? Il a dû prendre des tonnes de photos et elles se retrouveront toutes en ligne plus tard.

Papa fronce les sourcils.

— Hum… nous n'avons pas pensé aux paparazzis.

— Je vais gérer cela, insiste Laney. Ceci est plus important. Tes parents et moi avons décidé que la seule façon d'obtenir une vraie réponse de ta part était de te parler en personne.

— Pour la énième fois, je buvais du soda!

— Nous le savons.

Maman paraît agitée.

— Je veux discuter avec toi de tes nouvelles connaissances un peu plus tard, dit Laney d'un ton sinistre.

— Cette petite rencontre est à propos de ta réunion avec Seth, explique maman. Nous voulons savoir pourquoi elle n'a pas encore eu lieu. Y a-t-il quelque chose que tu nous caches?

— J'ai été occupée.

Je me tortille, mal à l'aise. Ils ne semblent pas convaincus et je ne sais pas si je le serais non plus. J'aurais pu rencontrer Seth. Je m'organise pour avoir du temps pour tout le reste. J'imagine que je ne désirais pas encore affronter l'avenir. Je suis assez confrontée à la réalité chaque fois que je mets les pieds dans le studio d'enregistrement d'*AF*.

— J'ai donné toutes ces entrevues et nous avons tourné pendant de longues heures et fait des promos, leur rappelé-je. Je n'ai pas eu le temps.

— Tu dois prendre le temps! me lance maman, l'air agacée. Rencontrer Seth est plus important que tout, Kaitlin. Trouver ton prochain projet est crucial si tu veux rester en haut de la liste des vedettes les plus recherchées d'Hollywood.

Je sens que mon estomac se barbouille, comme si j'étais sur le point de tomber vraiment malade, et je me sens légèrement nauséeuse. Est-ce si urgent de me dénicher un nouvel emploi? Est-ce que maman pense que si je ne décroche pas quelque chose immédiatement, le public va m'oublier avant le début de la prochaine saison de télévision?

Papa me prend la main.

— Je sais qu'*AF* te manquera. Je me souviens du jour où j'ai dû renoncer à ma Mustang 1977, dit-il. Je croyais que je ne pourrais jamais aimer une autre voiture autant que celle-là. Puis, j'ai vu la Pontiac Firebird 1982. Elle avait des banquettes en cuirs et des roues en aluminium de trente centimètres, et j'ai su instinctivement que c'était la voiture pour moi. Parfois, on peut ouvrir son cœur à plus d'une automobile.

Je lui presse la main. Je comprends ce que dit papa.

— C'est ton occasion de briller, me dit Laney, donnant l'impression d'être un roi se préparant à la bataille. Tu dois montrer au monde que tu es capable de jouer un rôle différent de celui de Samantha. Seth peut t'aider à le faire.

— Je sais, admets-je.

— Si tu dois faire un pilote, nous en avons besoin d'un maintenant, poursuit Laney. Autrement, tout ce qui restera, ce sera des rôles d'adolescentes ternes dans un mauvais feuilleton avec des acteurs de séries C.

— Ou *Dancing with the Stars*, menace maman.

Je hoquette. *Dancing with the Stars* est l'une de mes plus grandes peurs. Je ne veux pas que mon étoile palisse si vite qu'il faille que j'apprenne le quick step et le mambo. Je dois rencontrer Seth! Je vais lui dire ce que je cherche et s'il n'a rien que j'aime, je ne choisirai pas n'importe quoi juste pour avoir quelque chose. Qui sait? Peut-être que papa a raison et que je découvrirai quelque chose qui me plaît encore plus que jouer Sam.

— Je vais organiser une rencontre tout de suite, promets-je, me sentant plus confiante. Est-ce tout ce que vous vouliez? Parce que je devais rejoindre quelques amies pour le dîner. Vous pourriez peut-être me déposer au Chateau Marmont.

Maman sourit sereinement.

— Je crains que tu ne doives annuler. Nous nous rendons au bureau de Seth immédiatement.

— Quoi?

Je sens mon estime de soi revenir s'écraser au sol. Maintenant? Ils veulent que je rencontre Seth tout de suite? Je ne suis pas prête! On dirait que ma tunique Abercrombie couleur merlot m'étouffe et que mon jean Divine Rights of Denim est collé sur la banquette de cuir. Est-ce que ce chauffeur a allumé la climatisation? La nausée revient et mon estomac est douloureux. Je veux argumenter, mais c'est inutile. Rien ne me permettra d'éviter cette réunion. Sauf peut-être si je saute en bas de la voiture. Ça ferait mal. Soupir.

— Comment avez-vous pu faire cela sans m'en parler?

Maman hausse les épaules.

— Nous savions que tu comprendrais. Nous devions nous occuper de cela, Kaitlin.

— Bien. Déposez-moi, lancé-je d'un air de défi. Je peux rencontrer Seth seule.

Maman et papa rigolent.

— Ma douce, nous devons être présents, déclare maman. Nous ne pouvons pas courir le risque que tu prennes de mauvaises décisions, non? Nous voulons nous assurer que ton prochain projet défoncera les cotes d'écoute et qu'il sera bon pour ton image, et nous ne pensons pas que tu puisses y arriver par toi-même. Tu as besoin de nos conseils, Kate-Kate.

— Merci, grommelé-je.

Maman peut se montrer tellement embarrassante parfois. Je sais qu'elle protège ma carrière, mais je déteste quand elle me traite comme une enfant. Je m'enfonce dans la banquette avec le sentiment d'avoir été vaincue et les mots d'Ava résonnent dans ma tête. Quand ai-je l'occasion de faire ce que *je* désire sans devoir attendre d'approbation? Ma famille ignore quel genre de rôle je souhaite. *Moi*, je le sais. Enfin, je le saurais si l'on cessait de me harceler assez longtemps pour que je puisse le découvrir. Soudain, j'ai l'impression de me retrouver à six ans, quand je demandais la permission de rouler à vélo seule dans la cour arrière du studio. On ne me l'a pas permis, bien sûr. Maman craignait que je passe devant un patron du studio et que je dise quelque chose d'idiot.

— Ne sois pas en colère, dit maman d'une voix plus douce. Nous essayons de t'aider.

Elle regarde Laney.

— Parlant de cela, il y a autre chose dont je désire discuter avec toi.

— Quoi? lui demandé-je avec lassitude.

— *Fashionistas* veut faire mon portrait dans leur prochaine édition.

Maman semble excitée à présent.

— J'aurais une séance de photos, et ils me suivraient partout pendant quelques jours et ils réaliseraient une entrevue en profondeur. Je ne parlerais pas trop de toi, bien sûr, uniquement de mes devoirs de gérante, mais Laney croyait que je devais obtenir ton approbation avant d'accepter.

Elle me regarde avec espoir.

Enfin, une chose pour laquelle maman a besoin de *ma* permission. Je suis tellement exaspérée que je suis tentée de répondre non tout de suite, mais j'observe son visage rempli de joie. *Fashionistas* est une épaisse et importante bible de la mode. Le magazine est incroyablement branché et lu par la plupart des gens à Hollywood. Maman est obsédée par lui.

— Tu devrais le faire, lui dis-je. Cela me semble amusant.

— Vraiment ?

Maman a l'air sur le point d'éclater. Elle commence à presser des chiffres sur son cellulaire avec ses longs ongles.

— Merci, ma chérie ! Je dois appeler mon entraîneur afin d'ajouter plus de séances d'entraînement, changer ma coiffure et prendre un rendez-vous pour un bronzage à l'aérographe. La séance de photos a lieu la semaine prochaine.

Au moins, l'une de nous est prête à se faire scruter à la loupe.

Certaines célébrités aiment être la vedette de chaque instant de leur vie. Elles veulent que leurs œuvres de bienfaisance soient rapportées dans *OK!* Elles désirent que les photos de bébé de leur premier enfant déclenchent une guerre des prix. Quand elles font un film, une émission de télé, un CD ou qu'elles doivent promouvoir un documentaire, elles se font inviter dans tous les talk-shows qui leur permettront de réchauffer leur divan.

Comme vous l'avez possiblement remarqué maintenant, je ne suis pas l'une de ces personnes.

Comme les autres, j'aime recevoir une critique dithyrambique ou rencontrer un admirateur exubérant, mais l'idée de parler de tout ce qui concerne Kaitlin Burke en long et en large est gênante.

Inutile d'ajouter que je passe beaucoup moins de temps avec mon agent, Seth Meyers, que Vince ne le fait avec Ari d'*Entourage*. J'aime assez Seth et je sais qu'il prend mes intérêts à cœur (cela vaut mieux. Je lui donne presque l'équivalent d'un paiement hypothécaire chaque mois pour guider ma carrière), mais j'imagine que j'ai toujours eu l'impression de ne pas avoir *besoin* de lui. Je fais partie d'une émission à succès, alors je ne dispose pas de temps; il ne peut donc pas me faire participer à autant de projets que si j'étais une vedette de films de série A ou une musicienne.

Tout cela est sur le point de changer, n'est-ce pas?

Lorsque nous arrivons devant l'édifice à bureaux et montons à l'étage de Creative Connections, Seth et les autres employés nous attendent devant l'ascenseur. J'ai l'impression qu'un gros nuage noir flotte au-dessus de ma tête et je me demande si cela paraît sur mon visage. J'espère que Seth ne sait pas qu'on m'a obligée à venir ici. Lorsque les représentants de l'agence m'aperçoivent, ils commencent à applaudir. Je souris gentiment et j'essaie de chasser ma mauvaise volonté. Seth est debout au milieu de la foule et il affiche un énorme sourire blanchi au laser.

Si vous aviez rencontré Seth il y a six ans, vous ne le reconnaîtriez pas aujourd'hui. Seth portait des Dockers et des polos Old Navy et il mettait de grosses lunettes brunes qui glissaient toujours sur son nez quand il parlait de sa voix douce et basse. Il ne vous regardait pas souvent dans les yeux, probablement parce que ses cheveux bruns tombaient constamment devant ses yeux également bruns. Il était si pâle que parfois, quand il portait du beige, j'avais l'habitude de dire à la blague qu'il ressemblait à l'homme invisible. Il sortait tout droit de l'université et il s'agissait de sa première année à CC, alors il était empressé de travailler trois fois plus dur, ce que maman adorait. (Mon ancien agent n'arrêtait pas d'insister pour que je quitte *AF* et que je déploie mes ailes dans un «vrai roman-feuilleton» comme *Les feux de l'amour*. Je suis contente que nous l'ayons ignoré.)

Seth m'enveloppe dans une étreinte chaleureuse, me donnant à sentir une bouffée de son eau de Cologne. (Armani, peut-être?)

— J'étais inquiet à l'idée que tu m'évites, me chuchote-t-il.

— Jamais, mens-je.

Le (quasi) nouveau Seth a le vent dans les voiles. Il est bronzé à la perfection grâce à l'aérographe. Ses cheveux descendent toujours jusqu'à son menton, mais ils sont lourds de produits et, j'en suis presque certaine, éclairés de mèches. Ses vêtements (costume Armani, cravate Tom Ford, chaussures Prada) viennent exclusivement de chez Fred Segal ou Barneys. La seule chose qui manque, c'est les lunettes de soleil argentées qui sont sa marque de commerce. Habituellement, qu'il se trouve à l'intérieur ou à l'extérieur, elles sont collées à son visage — tout comme son Bluetooth.

— Bien, lance-t-il, et ses yeux, d'une vision parfaite grâce à la chirurgie Lasik, sautent d'une personne à l'autre. Allons dans la salle de conférences et choisissons ton prochain projet.

Seth passe son bras autour de moi et me guide dans le couloir.

La salle de conférences de Creative Connections me donne toujours l'impression d'être dans un aquarium. L'un des murs fait face au Wilshire Boulevard animé et les trois autres pans sont en verre, alors tout le monde du bureau peut voir à l'intérieur. La table des rafraîchissements le long du mur du fond est bien approvisionnée avec trois types d'eau, du Coke et du Coke diète, et un assortiment de cafés. J'attrape une Smartwater et je m'installe sur la chaise que Seth m'a réservée à la tête de la table. Devant chaque place, il y a un dossier rose embossé d'un K sur la couverture. À l'opposé de la table siège un grand téléviseur à écran plat. Maman et papa s'assoient de chaque côté de moi. (Laney a décidé d'attendre dans le bureau de Seth et de faire des appels.)

— Comme tu peux le voir, nous sommes excités de ta présence ici.

Seth est debout à côté du téléviseur.

— Et nous sommes totalement engagés à t'aider à passer à l'étape suivante de ta carrière.

Les lumières se tamisent et j'enfonce mes doigts dans la chaise. Oh non. Je sais ce qui s'en vient. Ma bouche me semble sèche et je fais de mon mieux pour résister à l'envie de plonger sous la table. Une chanson de Josh Groban joue pendant que des images de moi dans *Affaire de famille* défilent à l'écran.

— Même quand elle était une jeune enfant, Kaitlin Burke était destinée à la célébrité, dit un narrateur dont la voix ressemble à celle de Seth.

Ils soulignent certains des plus gros moments de Sam — son premier baiser, son premier championnat d'équitation, ses querelles avec Sara, le geste héroïque qu'elle a posé en sauvant sa mère du feu du manoir Buchanan — et ils incluent cette célèbre scène d'*AF* : j'ai cinq ans et Sam est à l'hôpital à cause de l'une des nombreuses étranges maladies qu'elle a développées au fil des ans. Paige et Dennis pleurent sur mon corps faible, et je m'assois et je dis : « Arrêtez de pleurer! Je ne meurs pas, vous savez. »

Tom a trouvé cela tellement drôle qu'il a décidé de garder la réplique.

— Les années ont défilé, l'étoile de Kaitlin a brillé de plus en plus et l'industrie du film lui a fait signe.

Des rôles comme celui dans *Faux* sont montrés, et il y a même quelques séquences d'*Adorables jeunes assassins*.

— L'appétit du public pour tout ce qui touche Kaitlin est insatiable.

Seth ajoute plusieurs couvertures de magazines, mon appui à Fever, mes prix Nickelodeon, mes apparitions à la télé et de brèves scènes de tapis rouge.

— La question, c'est : quel sera le prochain choix de carrière de Kaitlin?

L'écran devient noir.

— La réponse? Elle peut choisir tout ce qu'elle veut.

Des images de poupées Barbie, de gagnants d'Oscars, de Video Music Awards et d'autres commodités hollywoodiennes filent à l'écran.

— La décision t'appartient, Kaitlin, et Creative Connections est prêt à t'aider à la prendre.

Tout le monde applaudit. Lorsque les lumières reviennent, je vois que maman et papa ont les larmes aux yeux.

Ceci. Est. Tellement. Gênant.

— Les divisions du film, de la télévision, de la télé-réalité et du théâtre sont toutes ici, et nous avons des tas d'offres excitantes à étudier avec toi, poursuit Seth. Il est temps de laisser derrière toi la bonté saine de Sam et d'endosser un personnage différent et de prendre dans ta carrière un nouveau virage qui te détachera de ton travail dans *Affaire de famille*.

Pourquoi tout le monde doit-il sans cesse me rappeler que je ne jouerai plus Sam ? Pendant des années, la seule chose que tout le monde disait, c'était que j'avais beaucoup de chance d'incarner une fille aussi gentille adorée du public et des médias. Maintenant, tout le monde veut la jeter sous un car.

La division film est la première. Il y a un étrange film d'action tourné au Mexique, basé sur une histoire vécue. Je jouerais le rôle de la fille d'un missionnaire qui sauve à elle seule tout un village de l'extinction. Cela paraît intense. Il y a aussi une comédie pour adolescents d'un réalisateur bien connu dont les films rapportent des tonnes d'argent. J'incarnerais une fille de lycée aimant faire la fête qui prend d'assaut le bureau du principal et dirige l'école. Hum, si je dois laisser Sam derrière moi, je veux quelque chose de plus mature. C'est pourquoi le troisième film me paraît si attirant. C'est un film de filles basé sur l'un de mes bouquins préférés, *Les Manolo sont faits pour les petits pieds*. L'intrigue se passe à Londres et j'interpréterais une étudiante de première année d'université qui met au jour toute la saleté dans l'industrie télévisuelle. Aucun des films ne sera tourné avant l'été.

Ensuite, la division de la télévision promeut plusieurs pilotes. Seth me fait remarquer ce que je sais déjà et crains : si je souhaite participer à autre émission de télévision, je dois choisir un pilote tout de suite. Le premier pilote est *Je te détesterais si je ne t'aimais pas*. Seth affirme qu'ils veulent absolument me rencontrer. Je me sens mal à l'aise, sachant qu'il s'agit du premier choix de Sky. Le suivant est à propos d'un groupe d'étudiants universitaires en Alaska et il est dirigé par un producteur de films peu connu dont j'ai adoré le dernier film. Cela me paraît original et irrévérencieux et un changement complet de rythme. Le troisième pilote est un drame d'ensemble avec une distribution d'enfer (Pam Sommers est la Meryl Streep de la télévision et elle incarnerait ma mère !) et un réalisateur très respecté reconnu pour donner aux acteurs des occasions d'interprétation inoubliables. Le problème est que j'interpréterais le rôle de la fille cadette qui cause des tracas à sa famille. J'ignore si j'aimerais rejouer le rôle de la fille encore une fois dans une dramatique familiale. Comment une famille pourrait-elle se comparer à celle d'*AF* ? Je sais que je dois arrêter de penser ainsi, mais je ne sais pas si je suis encore tout à fait prête à m'engager envers une autre émission — elle pourrait occuper les dix prochaines années de ma vie si elle est un succès.

La proposition suivante de Seth m'en met plein la vue. Il veut que je tienne la vedette à Broadway.

— Jouer dans une pièce de théâtre c'est très chic, affirme-t-il. De nombreuses vedettes y font des sauts de trois mois et obtiennent des critiques très élogieuses. Ce genre d'expérience pourrait te catapulter dans les rôles d'adultes que je sais que tu souhaites avoir.

Wow. Vedette à Broadway ?

— Mais je n'ai aucune expérience de la scène, lui rappelé-je.

— Tu serais comme un poisson dans l'eau, m'assure Seth. La pièce à laquelle nous songeons vient de terminer une période de représentations à guichets fermés dans le West End de Londres. Elle s'appelle *Les grands esprits se rencontrent*. La vedette, Meg Valentine, vient aux États-Unis pour reprendre le rôle, mais elle doit l'abandonner en mai, ce qui tombe parfaitement bien pour nous. Ils veulent à tout prix faire ta connaissance.

— J'ai joué dans quelques pièces à l'université, nous apprend fièrement papa. Rien n'est plus électrisant que le théâtre devant public, Kate-Kate. Chaque soir, c'est un spectacle différent et tu réagis en fonction de la foule. Je pense que tu aimerais vraiment cela.

Je n'ai jamais vu papa si excité. Je suis sur le point de dire à Seth que je veux lire le scénario lorsque maman intervient.

— Personne n'a-t-il songé que Kaitlin pourrait enregistrer son propre CD? s'enquiert-elle.

Je ne peux pas m'empêcher de lui jeter un regard furieux. Elle ne peut pas dire cela sérieusement. Tout d'abord, elle me kidnappe et maintenant elle veut que je devienne une vedette de rock? Je n'enregistre pas d'album, peu importe à quel point elle me supplie.

La division musique attaque, et Broadway est oublié. Apparemment, plusieurs producteurs de musique, y compris le plus populaire de tous, TJ, ont demandé à me rencontrer à propos d'un album. TJ a sculpté la carrière musicale de plusieurs célébrités ayant beaucoup de succès, et il n'est que dans la vingtaine.

SECRET D'HOLLYWOOD NUMÉRO QUATRE : Ne vous êtes-vous jamais demandé pourquoi autant de vedettes de film font le saut dans le monde de la musique? Selon moi, c'est parce qu'un CD peut leur rapporter des sommes énormes. Si elles se sont déjà fait un nom en tant qu'acteur ou actrice, alors les maisons de disques croient que leurs admirateurs les suivront dans iTunes. Et de nos jours, quiconque peut fredonner un air peut réaliser un CD correct. C'est incroyable à quel point ils arrangent et changent votre voix jusqu'à ce qu'elle ne ressemble plus du tout à la vôtre.

— Il reste un projet à promouvoir, intervient une minuscule agente à l'autre bout de la table. Une télé-réalité Burke. VH1 souhaite suivre Kaitlin pendant qu'elle décide de son prochain choix de carrière d'actrice. Ils présenteraient ta mère, et quand tu serais fatiguée de tourner, ils feraient dévier l'émission sur son entreprise de gérance.

J'ouvre la bouche pour répondre non, mais maman parle en premier.

— J'adore! s'extasie-t-elle. N'est-ce pas fabuleux, Kaitlin? Je veux dire, j'ai toujours cru que j'étais destinée à la télévision. Les gens m'ont dit que j'ai du bagou. Je dois téléphoner à *Fashionistas* afin qu'ils puissent ajouter cela à leur article. *Fashionistas* fait mon portrait le mois prochain, annonce ma mère aux personnes dans la salle. C'est une excellente idée, je le sens. Nous devrions faire l'émission!

— Tu serais bonne, ma douce, dit papa à maman. Mais Meg, je ne suis pas certain qu'une télé-réalité soit la route à suivre pour la carrière de Kaitlin.

— Pourquoi pas? demande maman. Plusieurs grands noms font des télé-réalités, non?

PAS QUESTION, ai-je envie de crier. J'aime peut-être *Tori & Dean : Home Sweet Hollywood* autant que les autres, mais le monde en sait déjà trop sur moi. Je ne suis pas prête à les inviter dans ma maison sur une base quotidienne. Et d'ailleurs, cette réunion avait pour objectif de me donner des choix. On ne s'attend pas à ce que je prenne une décision aujourd'hui, n'est-ce pas? Je sens une douleur lancinante à la base de mon cou. Je suis sur le point d'avoir un mal de tête majeur, je le sens. Je me masse profondément la nuque, mais cela aide peu à relâcher la tension montante.

Je jette un coup d'œil à Seth. Heureusement, il me lance son regard «pas tant que je serai vivant» que nous avons développé ensemble pour les situations où il ne peut pas parler librement, mais où j'ai besoin de savoir ce qu'il pense.

— Je veux vous remercier de m'avoir présenté des choix si nombreux.

Je change rapidement de sujet, essayant de ne pas laisser transparaître l'angoisse qu'a suscitée en moi cette réunion. Je dois donner une impression de professionnalisme, même si j'ai envie de me recroqueviller dans un coin avec mon oreiller.

— J'aime l'idée de ce tournage de film à Londres et l'émission de télé à propos de l'université en Alaska me semble amusante. J'ai besoin de temps pour lire tous les scénarios avant de décider. Il n'y a aucune raison de m'engager trop rapidement, n'est-ce pas ?

Je ris nerveusement.

— Je pense que nous devrions en choisir un tout de suite, affirme maman avec obstination. Cette télé-réalité…

QUOI ? Maman doit plaisanter. Je ne peux pas faire un choix de carrière maintenant. Je ne peux tout simplement pas ! Mon estomac proteste d'un grondement et j'ai peur de devoir me précipiter aux toilettes. Mon cou m'élance et mon front se met de la partie aussi.

Seth me sauve.

— Kaitlin a besoin de temps pour réfléchir. Aucune de ces offres ne va disparaître dans la nuit. Nous nous rassemblerons de nouveau la semaine prochaine.

Je commence à me lever de table et mes jambes tremblent. Je me sens plus lourde qu'il y a une heure, et pas uniquement parce que j'ai bu deux Smartwater. C'est une grande décision que je dois prendre. Je réussis à remercier tout le monde encore une fois, et Seth nous raccompagne à l'ascenseur pour dire au revoir.

— Je vais t'appeler souvent, Kaitlin.

Seth semble me lancer un avertissement.

— Jusqu'à ce que tu choisisses ton prochain gros projet, je vais te coller dessus comme le blanc sur le riz.

Maman sourit jovialement et regarde dans ma direction pendant que Seth me remet une pile de scénarios.

— Je sais que tu le feras, Seth, rétorqué-je faiblement. Crois-moi.

Heureusement, les portes de l'ascenseur se referment avant qu'il ne puisse dire autre chose. Je suis libre — pour le moment.

MERCREDI 14 JANVIER
NOTE À MOI-MÊME :

Jeu matin — séance de fotos dè acteurs d'AF @ 9 h. Tournage ensuite.

14 h — 3 entrevues téléfoniques

16 h — signature d'otografes o studio avec enfants de Make a Wish

Dîner avec A. — vendredi ☺

APPELÉ LIZ! DOIT SE RENCONTRÉ.

Rappelé Ava!

Étudié Le SAT et vous, pages 48-62.

Examen SAT de Nadine vendredi é encore lundi!

Lire scénarios!

KAITLIN BURKE KIDNAPPÉE?   14 janvier

Oui, nous avons entendu les rumeurs alarmantes et vu les photos aussi. À 16 h 14, heure normale du Pacifique, plusieurs sites Web ont affiché des clichés de la vedette d'*Affaire de famille*, **Kaitlin Burke**, forcée de monter dans une Escalade inconnue au Santa Monica Pier pendant que son assistante et son garde du corps observaient la scène, frappés d'horreur. Kaitlin venait de terminer le tournage de scènes extérieures pour *Affaire de famille* au Santa Monica Pier quand l'incident s'est produit. «Kaitlin parlait dans son cellulaire et riait quand tout à coup, cette voiture a freiné brusquement devant elle, et son visage s'est figé, nous apprend un témoin. De toute évidence, elle ne connaissait pas les gens dans ce véhicule, mais pour une raison quelconque elle est partie avec eux quand même. J'étais vraiment inquiet pour elle.»

Puisque Private Hollywood Eyes.com se soucie aussi du bien-être de Kaitlin, nous avons immédiatement réagi en téléphonant à *AF*, aux policiers et à son agente de publicité. La porte-parole de Kaitlin, Laney Peters, nous a tout de suite rappelés. «C'est une accusation tellement ridicule que je ne devrais même pas daigner y répondre, mais je le ferai afin que les rumeurs cessent. Kaitlin Burke n'a PAS été kidnappée. Elle était en retard pour une réunion de dernière minute et ses parents l'ont surprise en venant la prendre au quai. Elle était très contente de les voir.» Hum... si c'est vrai, pourquoi Kaitlin avait-elle l'air si contrariée? Et pourquoi a-t-on surpris son garde du corps à dire: «Ils ne laissent jamais d'air à cette fille»? L'histoire cache-t-elle autre chose? Nous avons tous entendu dire que la mère gérante de Kaitlin, Meg Burke, peut être cauchemardesque. Ne vous inquiétez pas, lecteurs. Laissez-nous le soin de le découvrir. Restez branchés...

8. EXT. LES CASIERS DU LYCÉE DE SUMMERVILLE — JOUR

SAMANTHA est stressée. Elle a trois minutes pour attraper ses livres pour le cours de chimie et se rendre au gymnase pour son yogalates. Ses cahiers tombent pêle-mêle de son casier et elle se met à pleurer.

> RYAN
> (tombant à genou et posant une main sur son épaule) Dure journée ?

> SAMANTHA
> Je vais bien. Je suis juste… débordée. J'ai trop de devoirs.

> RYAN
> Sam, tu agis de manière bizarre depuis un moment. Sans vouloir t'offenser, trop de devoirs ne font pas en sorte qu'on évite totalement son petit ami.

> SAMANTHA
> Je ne t'évite pas. J'ai simplement beaucoup de soucis en tête.

> RYAN
> Raconte-moi ce qui se passe dans cette cervelle super brillante qu'est la tienne. Je vais comprendre.

SAMANTHA

(Des larmes coulent sur ses joues.) Je
veux te le dire, mais je ne sais pas
comment.

RYAN

Sam, tu me fais peur. Est-ce à propos…
de nous ?

SAMANTHA

Non. Enfin, oui. Je ne suis pas certaine.

RYAN

Est-ce que tu romps avec moi ?

SAMANTHA

Non ! (marque une pause) Mais tu vou-
dras peut-être me laisser tomber quand
tu entendras ce que je dois t'apprendre.
(voyant le visage de Ryan) Je ne t'ai pas
trompé, si c'est ce à quoi tu penses.
C'est à propos de ma famille.

RYAN

D'accord, c'est un soulagement. Nous pouvons gérer les affaires de famille. Bien
sûr, la tienne demande un peu plus d'attention que la plupart, mais grand-papa
Buchanan ne me fait pas peur.

SAMANTHA

J'aimerais que grand-papa soit le
problème.

SARA s'approche. Elle sirote une boisson glacée aux fruits venant du café du lycée de
Summerville.

                    SARA
   Salut, sœurette! Holà. Pourquoi les larmes?
   Est-ce que vous rompez, tous les deux?

              SAMANTHA ET RYAN
   Non !

                    SARA
   (Elle fait la grimace.) C'est logique.
   Vous êtes tellement épris l'un de l'autre
   que vous sortirez probablement ensemble
   pendant toutes vos études universitaires
   et vous vous marierez.

                    RYAN
   Et qu'y aurait-il de mal à cela, Sara?

                    SARA
   Si c'est ce qui te convient. (à Sam)
   J'imagine que ça veut dire qu'il est prêt
   pour la relation à distance, hein?

                    RYAN
   À distance? Sam et moi nous inscrivons à
   la même université.

                    SARA
   Ça va arriver plus vite que cela, Ryan.
   (à Sam) Je ne peux pas croire que tu ne
   lui as pas encore dit.

SAMANTHA

J'essayais quand tu nous as interrompus !

RYAN

Sam, de quoi parle ta sœur ?

SARA

(voyant que sa sœur a l'air bouleversée et qu'elle est incapable de parler) Nous déménageons à Miami, Ryan. Mon père est le chef de la direction de cette nouvelle entreprise qui fabrique des trucs pour la navette spatiale et nous partons dans quelques mois, fin de l'histoire.

RYAN

(regardant Sam) Depuis combien de temps es-tu au courant ?

SAMANTHA

(à voix basse) Depuis quelques semaines. Je ne savais pas comment te l'annoncer.

RYAN

Attendais-tu que les déménageurs arrivent à ta porte ? Je pensais que nous étions plus proches que cela, Sam. L'une des plus grandes épreuves de notre relation surgit et tu es incapable de trouver une façon de me le dire ? J'imagine que tu veux mettre fin à notre couple.

SAMANTHA

(pleurant) NON! S'il te plaît, comprends-moi, Ryan. J'allais t'en parler. Je veux que nous soyons ensemble. Je ne veux pas partir. Je veux rester en Californie. (Elle tend la main vers lui, mais il s'écarte.)

RYAN

Sam, tu sais que tes parents ne vont jamais le permettre. Je ne peux pas vivre cela.

SAMANTHA

Ryan!

(Ryan s'éloigne.)

CINQ : *La vie en suspend*

— C'est dans la boîte! crie Tom pendant que Ryan (incarné par Trevor Wainright) s'éloigne de Sam pour la douzième fois.

Chaque fois que nous devons reprendre une scène à répétition, c'est fatigant, mais celle-ci était mentalement épuisante. Pour me faire pleurer sur commande, j'ai fait semblant qu'il s'agissait de la dernière scène d'*AF* que je tournerais à jamais. Le tour était joué. Maintenant, je ne peux plus arrêter mes larmes.

— Est-ce que ça va? me demande Sky alors que nous quittons le plateau.

Elle porte une tunique audacieuse à rayures de zèbre de Michael Kors et ses cheveux noirs sont retenus par une queue de cheval sur le côté de la tête. J'aimerais que mon cou soit dégagé. Paul a laissé ma chevelure retomber librement parce qu'il disait que c'était beau avec le mignon haut paysan jaune pâle de Bebe et le pantalon à jambes larges de Gap composant ma tenue, mais j'ai vraiment chaud.

— Tu n'as pas encore fait une surdose de Sudafed, n'est-ce pas? reprend-elle d'un ton accusateur.

Ce n'est arrivé qu'une seule fois et Sky ne m'a jamais permis de l'oublier. Je souffrais d'un mauvais rhume et j'ai pris deux gélules de Sudafed au travail, pensant que la dose était la même que pour le Tylenol. J'avais tort. Avec le Sudafed, il suffit d'un cachet. Au début, j'ai paniqué, mais Nadine a dit que j'allais bien. La seule chose, c'est que j'agissais de manière un peu fofolle — et que j'étais beaucoup trop affectueuse avec Sky, ce qui la rendait folle.

— Je suis simplement fatiguée, dis-je à Sky en essuyant mes larmes.

C'est en partie vrai. J'ai rencontré Nadine pendant le lunch et elle m'a mis la pression à propos des scénarios que je lis en ce moment *et* elle a ajouté à mon horaire un autre examen de pratique SAT. Nadine s'est transformée en mini maman/Laney avec sa façon de tourner autour de moi, et cela commence à m'épuiser. Merci mon Dieu pour mon rendez-vous avec Austin plus tard. Mais d'abord, je dois m'arrêter à ma loge et donner une rapide entrevue téléphonique, puis appeler Liz et attraper mes pages de scénario pour demain. Ensuite, je m'en vais.

— Tu mens, déclare Sky avec un air soupçonneux. Tu as une tête de déterrée, tu as de profonds cernes sous les yeux, ta peau est marbrée et tu as un énorme bouton sur le menton.

Je sursaute.

— Un bouton? Où?

Je me touche le menton, mais je ne sens rien.

— Tu es tellement facile à berner, K.

Sky s'étrangle de rire.

— Mais je ne mentais pas à propos de ton teint et des vilains cernes. Tu dois aller dans un spa sans tarder. Qu'est-ce qui cloche? Est-ce que tu dors?

Pas vraiment, veux-je répondre. J'ai été comme cela toute la semaine. Je suis fatiguée, mais chaque fois que je ferme les yeux, je ne peux pas m'empêcher de penser à *AF* ou à ma réunion avec Seth et mes parents; du coup, je ne fais que tourner et me retourner toute la nuit.

— Je vais bien, insisté-je.

C'est sa façon de se soucier de moi, ce qui est vraiment gentil, mais si je lui dis cela, elle le niera.

— Si tu le dis.

Sky hausse les épaules.

— Alors, est-ce que tu as passé l'examen de conduite?

Mes épaules se contractent. Les leçons de conduite ont plus ou moins été mises en veilleuse, ce qui est un sujet délicat pour moi. Je suis la seule adolescente de dix-sept de ma connaissance sans permis de conduire. Mais entre le travail et toutes mes autres activités en ce moment, je n'ai pas eu le temps de suivre plus d'une ou deux leçons depuis l'incident avec Wheel Helpers l'automne dernier.

— Non, admets-je d'un air penaud.

Sky semble sur le point de répliquer, mais elle aperçoit Trevor. Elle s'approche de lui par-derrière, puis elle enroule son corps autour du sien comme une chatte autour d'un poteau pour se gratter.

— Hé, Trevvie! Tu as été épatant dans cette scène. Quand tu avais les larmes aux yeux, j'ai eu la chair de poule.

— Merci, répond-il nonchalamment. J'ai quelques appels à faire.

Il me décoche un clin d'œil en passant, et Sky et moi le regardons s'éloigner avec désinvolture dans son denim foncé Levis et son t-shirt gris du concert de The Strokes. Il passe une main dans ses cheveux blonds avant de laisser ses bras musclés se balancer le long de son corps en marchant.

En secret, je donne des conseils à Trev sur la façon de rendre Sky de nouveau amoureuse de lui, et cela semble fonctionner. La première fois que ces deux-là sont devenus un couple, Trev était le jouet de Sky. À présent que Sky s'intéresse de nouveau à lui, Trev fait semblant de ne pas être attiré par elle, ce qui la rend folle. C'est très amusant à observer.

— Je ne comprends pas, déclare Sky, sidérée. Je porte son parfum favori et un soutien-gorge pigeonnant. Comment peut-il partir ainsi, K.? Je pensais qu'à tout le moins, il offrirait d'aller me chercher un café au lait chez le cuistot.

J'essaie de ne pas rire.

— Je ne serais pas offensée. Il a dit qu'il devait faire quelques appels.

— Tu as raison.

Sky n'a pas l'air convaincue.

— Penses-tu que cela paraîtrait bizarre si moi, je lui apportais un café au lait ?

Elle quête mon approbation et j'en tombe presque à la renverse.

— Je crois qu'il aimerait vraiment cela.

Sky part à grands pas vers le service de traiteur avec un sourire niais sur le visage.

Je me dirige vers ma loge, ouvrant l'œil au cas où j'apercevrais Nadine. Je ne pourrais pas supporter un autre sermon sur le bien-être de Kaitlin dans la vie et le travail aujourd'hui. Elle se transforme en Dr Phil. Heureusement, ma loge est vide. Le journaliste appelle à l'heure et mon entrevue est terminée en quinze minutes. Je regarde ma montre princesse Leia. Liz devrait être en route pour le kick-boxing, alors je pourrai peut-être la joindre sur son cellulaire avant le début du cours. Liz est la seule à qui je peux confier tous ces sentiments que j'éprouve depuis un moment. Nous ne nous sommes pas parlé de la semaine, ce qui ne nous ressemble pas. Liz ne m'a jamais rappelée pour faire des plans après la fête Cinch et je ne lui ai parlé qu'une fois depuis. Aujourd'hui, elle répond à la première sonnerie.

— Hé, Kates, lance Liz distraitement.

— Hé, étrangère, blagué-je. As-tu perdu mon numéro ?

Elle ne rit pas.

— Je suis désolée. J'ai été tellement occupée.

C'est tout ? Elle a été occupée ? Ce n'est pas une raison pour ne pas téléphoner à sa meilleure amie. Nous nous parlons habituellement tous les jours !

— Moi aussi.

Je suis légèrement sur la défensive.

— Mais tu m'as vraiment manqué alors maintenant, je te traque.

Cette fois, elle rit un peu.

— Je suis désolée, dit-elle en ayant l'air d'être de nouveau elle-même. Je suis fatiguée. Tu n'as aucune idée de la somme de travail que j'ai. Cette demande d'inscription pour le programme d'été du NYU me demande beaucoup d'efforts.

J'ignore totalement de quoi elle parle.

— Quel programme d'été?

— C'est un atelier d'été pour les étudiants du lycée intéressés par les arts, m'apprend Liz. Mikayla pense que je serai admise à coup sûr si je réalise une demande d'enfer sur vidéo. Merci mon Dieu pour elle. Je ne sais pas comment je me débrouillerais si elle ne m'aidait pas avec cela.

Donc, Liz part pour l'été et elle n'a pas cru important de m'en parler?

— C'est formidable.

J'essaie très fort de lui apporter mon soutien.

— Je vais tout te raconter lorsque nous nous verrons, reprend Liz. J'aimerais vraiment, vraiment beaucoup déjeuner avec toi. Peux-tu caser le Cheesecake Factory et un tour des boutiques au Grove samedi?

Je souris. De la nourriture et des boutiques. C'est exactement ce dont nous avons besoin toutes les deux. Je pourrai lui dire ce qui se passe avec tous mes projets et elle pourra me parler davantage de ce programme du NYU. Je regarde mon agenda dans mon Sidekick et je soupire de soulagement. Je suis libre!

— Ça me semble génial. J'ai tellement de choses à te raconter. Le travail a été…

— Kates, je suis désolée, mais je dois partir, m'interrompt Liz. Mikayla est ici et je suis en retard pour le kick-boxing. Je te rappelle plus tard.

Clic.

Est-ce que Liz vient réellement de me raccrocher au nez? Cette journée ne fait qu'empirer.

J'attrape mes choses et me précipite vers la porte pour rejoindre Rodney. Je prends quelques profondes respirations et je me rappelle à moi-même que la voiture sera agréable et silencieuse. Dans vingt minutes, je verrai Austin et je pourrai oublier tout le reste.

Je me glisse sur la banquette arrière et je me cogne directement sur Matty et Nadine.

— Que faites-vous ici, les amis? demandé-je, alarmée.

Je pensais que Nadine était déjà partie.

— Ne te bile pas, me répond Matty. Rod va d'abord te déposer pour ton rendez-vous et ensuite il me ramènera à la maison. Je suis resté parce que j'avais quelque chose à te dire : j'ai obtenu le rôle pour le pilote de Scooby Doo!

Pendant un quart de seconde, je suis abasourdie. Enfin, mon frère cadet a déjà un autre emploi qui l'attend et moi non? Je suis instantanément inquiète, mais je me souviens que c'est le moment de Matty, non le mien. Ma peur devra attendre.

— C'est génial!

Je le serre dans mes bras. Pour une fois, Matty me laisse faire. Il se plaint généralement que je le fais paraître plus jeune qu'il ne l'est quand je deviens tout affectueuse.

— Je jouerai le petit ami de Velma, m'apprend-il. Il est nouveau dans la bande.

— Si nous pouvions *t'*amener à choisir quelque chose, les Burke seraient parés, me dit Nadine.

Je sens ma peau se hérisser, mais je souris. Je suis déjà assez paniquée; Nadine doit-elle empirer les choses?

— Je croyais que tu devais aller quelque part, dis-je.

— J'y suis allée et je suis revenue, m'explique-t-elle. Seth avait d'autres scénarios pour toi.

Elle les laisse tomber sur mes genoux.

— As-tu réfléchi davantage à cette pièce de théâtre à New York ? Seth affirme qu'ils se meurent d'envie de te payer le voyage en avion afin de pouvoir discuter du rôle avec toi. Et ils veulent que tu aies une discussion téléphonique avec Meg Valentine, la vedette originale, pour en entendre encore plus sur le spectacle.

— Je suis intéressée, admets-je. Mais je suis nerveuse, car je n'ai jamais joué au théâtre.

— Tu dois laisser le stigmate de Sam derrière toi, et ce serait une façon d'y arriver, déclare Nadine. Je n'arrive toujours pas à croire que tu n'as pas aimé *Je te détesterais si je ne t'aimais pas*.

Je dois y regarder à deux fois. Est-ce Nadine qui parle ou ma mère ? Le stigmate de Sam ? J'ai lu le pilote de *Je t'aime* que Sky aime et je l'ai détesté.

— Nadine, on voulait que je joue des scènes de nudité dans cette émission ! lui rappelé-je.

— Vrai, acquiesce-t-elle. Il y a d'autres trucs à prendre en considération, n'est-ce pas ? Tu as d'autres réunions et Seth a une nouvelle offre pour toi. Chili's souhaite que tu fasses la voix hors champ de leurs publicités d'automne à la télévision.

Matty et moi crions tous les deux. Je n'ai même pas besoin de réfléchir à celle-là.

— Dis OUI !

SECRET D'HOLLYWOOD NUMÉRO CINQ : La plupart des grandes vedettes ne voudraient jamais être vues dans des publicités à la télévision — à moins qu'il ne s'agisse d'une bonne cause célèbre. Mais le travail de narration est différent et la rumeur prétend que beaucoup de grandes vedettes s'y sont adonnées, de George Clooney à Julia Roberts. La raison est simple : vous pouvez gagner des tonnes d'argent en aussi peu que deux ou trois heures. La meilleure partie ? La plupart des vedettes indiquent dans leur contrat que l'entreprise ne peut pas confirmer ni infirmer qu'elles sont la voix derrière le petit lézard vert ou l'abeille chantante. Les publicités télévisées sont le filet mignon des voix hors champ.

— Tu vois comme c'était facile de dire oui? me demande Nadine. Tout ce que tu as à faire maintenant, c'est de choisir un film ou un pilote de télévision et de faire la même chose.

Mon sourire s'efface. Je commence à avoir chaud, puis je me sens moite. Je ne peux plus supporter d'être harcelée de la sorte. Heureusement, Rodney a stoppé la voiture, ce qui signifie que nous devons être à Clark High School, où je rencontre Austin après sa pratique de crosse.

— C'est mon arrêt, dis-je rapidement. On se voit plus tard, les amis.

— Kates, attends, me supplie Nadine. Je voulais seulement te demander quelques petites choses encore…

Je fais semblant de ne pas l'entendre, je claque la portière et je marche aussi vite que possible sur le terrain de crosse. Mon téléphone commence à sonner immédiatement. Il vaudrait mieux que ce ne soit pas Nadine. Je plonge la main dans les tonnes de trucs que j'ai fourrés dans mon sac Cinch ce matin — des Bubble Yum, mon journal Coach, des Altoids — et je regarde l'afficheur. Des messages vocaux. J'ai reçu six messages au cours de la dernière heure. C'est seulement à Los Angeles que l'on peut traverser en voiture suffisamment de zones sans service pour manquer autant d'appels.

Les deux premiers viennent de Seth.

— Hé toi, l'étoile filante. C'est Seth. J'espère que tu profites de cette merveilleuse température de janvier et que tu passes un peu de temps dans ton jardin à lire *Les Manolo sont faits pour les petits pieds*. On se parle bientôt.

Je pensais qu'il avait dit que j'avais jusqu'à la semaine prochaine. Et encore un autre.

— Kaitlin? C'est encore Seth. Tu devrais peut-être attendre de lire *Manolo* jusqu'à ce que tu aies lu *Les grands esprits se rencontrent*, d'accord? Amuse-toi, mon étoile filante!

Clic.

Je me sens un peu dans les vapes quand j'entends la voix de Laney.

— KAITLIN. *SURE* VEUT RÉALISER UNE PAGE COUVERTURE AVEC TOI SIMULTANÉMENT AVEC LA FIN D'*AF*. JE DIS QUE NOUS DEVRIONS ACCEPTER. NOUS POUVONS ENCORE OBTENIR *ALLURE* ET JE PENSE — QUOI ? NON ! J'AI DIT DU CALCAIRE POUR LA DOUCHE PRINCIPALE. PAS DU MARBRE ! EST-CE QUE PERSONNE N'ÉCOUTE MES...

Clic.

J'ai l'impression qu'on m'étouffe. Je ne peux pas supporter qu'ils me harcèlent tous. Je commence à me sentir légèrement étourdie et je cherche quelque chose à quoi m'accrocher. Je secoue la tête pour m'éclaircir les idées et je rate presque mon prochain message, qui vient de maman.

— Kaitlin, la rédactrice de *Fashionistas* veut te parler du fait que je suis ta mère. Je sais que tu es sortie avec Austin, mais je lui ai dit qu'elle peut te téléphoner ce soir. Je ne voulais pas être impolie. Donne une bonne impression de moi, ma douce !

Clic.

— AAAAAHHHHHHH ! rugis-je en laissant tomber le cellulaire.

Je marche dessus avec mes talons aiguilles et je frappe du pied en tournant en rond et en criant.

— Ils me rendent dingue ! hurlé-je au ciel. Je n'en peux plus !

Je crie encore une fois, puis je m'arrête et prends quelques profondes respirations. Je baisse les yeux sur mon téléphone. L'écran est craqué. Oups. J'imagine que je ne recevrai plus d'appels ce soir. Pour une raison quelconque, cela me fait rigoler.

— Burke ?

Je pivote. Oh mince.

Quand j'ai décidé de piquer une crise, je n'ai pas réalisé que je me tenais debout devant le terrain de crosse. Toute l'équipe de Clark High a cessé de jouer et me fixe. Mon visage est brûlant.

Austin court vers moi. Il a retiré son casque et je vois son visage couvert de saleté. Ses cheveux blonds sont collés sur son crâne. Il a l'air inquiet.

— Qu'est-ce qui se passe ? Est-ce que ça va ?

— Hum, ouais, dis-je, sachant que tous les yeux sont sur moi. Juste une défaillance temporaire de mon jugement.

J'agite la main en direction de l'équipe.

— Salut, les gars ! Désolée. Je ne faisais qu'évacuer un peu de pression.

— Ne te fais pas de bile, me crie le bon ami d'Austin, Rob Murray, qui sort avec ma copine Beth.

J'ai rencontré Beth et Rob grâce à Liz quand je fréquentais Clark le printemps dernier.

— Nous avions fini de toute façon, m'informe Austin. Es-tu certaine que tout va bien ?

Les gars qui quittent le terrain me regardent et je continue de rougir.

— Tu dois être affamé. Nous pourrons en parler plus tard. Je ne veux pas être en retard pour notre réservation, lui dis-je.

Nous essayons ce nouveau restaurant appelé Helios. J'ai entendu dire que c'était totalement romantique.

— Si nous la perdons, nous la perdons, déclare Austin. Il y a dix millions de restaurants à Los Angeles. Je suis certain que nous en trouverons un autre. Je viens juste de te voir détruire ton téléphone cellulaire en mille morceaux.

Austin me lance un sourire en coin.

— Dis-moi ce qui se passe.

Il est tellement gentil. Je me penche pour lui donner un baiser. Sa bouche goûte la sueur et le Gatorade. Quelqu'un siffle derrière nous. Le simple fait d'être ici avec lui me fait me sentir mieux. J'ai vu Austin il y a un peu plus d'une semaine seulement, mais j'ai l'impression que cela fait beaucoup plus longtemps. Mon amie Gina dit que c'est le problème quand on sort avec quelqu'un qui n'est pas célèbre. Les acteurs sont au chômage régulièrement (des journées où l'on ne tourne pas une émission, entre deux films, etc.), alors la plupart des petits amis acteurs peuvent traîner dans votre loge à longueur de journée. Malgré tout, j'aime qu'Austin ait sa propre vie et qu'elle soit aussi occupée que la mienne. Je ne voudrais pas que les choses soient différentes.

Nous nous assoyons dans les gradins.

— Je suis juste frustrée, lui expliqué-je.

C'est bon de tout laisser sortir. Dernièrement, j'ai l'impression d'être dans une bulle. Nadine est devenue bizarre, Liz est préoccupée, mon amie Gina est partie la semaine dernière tourner un film en Australie, et la seule personne à qui je peux parler est Austin. Je remercie Dieu de l'avoir.

— J'ai plus de difficulté que je ne le pensais avec la fin d'*AF*, admets-je, et personne ne semble le remarquer ou s'en soucier. J'ai l'impression d'arriver à la cérémonie des diplômes, mais de ne pas en mériter un.

— Tu es simplement effrayée, déclare Austin. C'est normal. J'ai bien pensé que tu serais un peu paniquée après ta rencontre avec Seth et avoir entendu toutes ces offres.

Il sourit largement.

— Sans vouloir t'offenser, c'est vrai que tu as tendance à t'emporter parfois.

C'est difficile d'être insultée quand c'est vrai.

— Tu as simplement besoin de temps pour tout digérer, ajoute Austin, et te faire à l'idée que l'émission se termine, à ta façon.

— C'est ça le problème, me plains-je. Je n'en ai pas le temps. Tout le monde veut que je réponde immédiatement et je ne sais pas du tout quel est le bon projet. La seule chose qui m'a excitée jusqu'à maintenant, c'est notre invitation à la fête de *Vanity Fair*.

Le visage d'Austin se décompose.

— J'allais te parler de cela ce soir. J'ai de mauvaises nouvelles. Je ne peux pas y aller. L'entraîneur a organisé une partie de crosse hors-concours pour nous à Phoenix, et c'est le soir des Oscars. Je l'ai appris seulement cet après-midi.

Une moitié de moi est déçue par la nouvelle, mais l'autre est impressionnée qu'Austin soit plus intéressé par la crosse que par la possibilité de rencontrer Jessica Alba. Je ne pense pas que j'avais vraiment réalisé à quel point Austin aime ce sport. À présent que la saison approche, il pratique tout le temps. Si je l'appelle avant l'école, sa mère dit qu'il travaille son lancer dans le jardin. Après les cours, qu'il y ait une pratique officielle ou non, il est sur le terrain. Et les week-ends, s'il ne joue pas, lui et Rob critiquent leur performance en regardant une de leurs parties de l'an dernier sur vidéo. Et les gars disent que les filles sont obsessionnelles.

— Je comprends, dis-je d'une petite voix.

— Pourquoi n'invites-tu pas Liz? me suggère Austin. Je suis certain qu'elle aimerait draguer Katie Holmes avec toi.

— J'imagine que je pourrais.

Ce n'est pas la même chose, par contre. La fête *Vanity Fair* est la version hollywoodienne du bal de fin d'année. Tout le monde veut amener son petit ami au bal de fin d'année. Mais j'imagine que si je ne peux pas amener Austin, la meilleure solution de rechange est de m'y rendre avec Liz. Elle désire depuis toujours assister à la fête de *Vanity Fair*.

— Je vais me rattraper, je te le promets.

Austin m'embrasse.

— Maintenant, revenons à tes problèmes. Parle-moi des scénarios que tu lis.

— Bien, le premier est…

Je marque une pause.

Le téléphone cellulaire d'Austin se met à sonner et il plonge la main dans sa poche pour le sortir. Il me regarde curieusement.

— C'est Nadine, dit-il, et il répond. Allô. Ouais, elle est juste ici.

Il me tend l'appareil.

Pendant un instant, j'ai l'impression que je pourrais le lancer.

— Il vaut mieux que ce soit important, grommelé-je au lieu de dire allô.

Je n'arrive pas à croire que Nadine, entre tous, ait le culot d'appeler le numéro d'Austin pour me joindre. Je verrais maman faire cela, mais pas Nadine.

— Je n'ai pas cessé de t'appeler, se plaint-elle sans un mot d'excuse. Les appels vont tout de suite dans ta boîte vocale, alors j'ai dû téléphoner à Austin.

Je ne lui parle pas de mon appareil brisé parce que je suis déjà agacée. Qu'y a-t-il de si important que Nadine doive me traquer jusqu'à mon rendez-vous *en passant* par mon cavalier?

— Que se passe-t-il? dis-je.

— Des tas de choses, déclare Nadine. Rodney revient tout de suite avec la voiture. Tu dois rencontrer le producteur délégué du pilote du drame d'ensemble ce soir. Il embarque dans l'avion demain pour Vancouver pour dénicher des lieux de tournage et il doit prendre sa décision concernant les membres de la distribution immédiatement. C'est ce soir ou jamais. Tu dois y aller.

— Tu blagues, n'est-ce pas? gémis-je.

C'est l'émission qui m'intéressait le moins et maintenant on me traîne à une réunion sans même me consulter d'abord? C'est dément! Je suis avec la seule personne qui se soucie de mes émotions et à présent je dois partir. Je ne le ferai pas!

— Oublie l'émission, lui déclaré-je d'un ton de défi. Si ce doit être ce soir, je ne veux pas y aller.

— Ne m'oblige pas à rappeler ta mère et Seth pour leur annoncer cela, me prévient Nadine. Sois raisonnable. Tu pourras dîner avec Austin après. Si tu penses que tu pourrais peut-être vouloir faire cette émission, la réunion doit avoir lieu maintenant.

Je veux piquer une autre crise, mais si je me laisse aller je pourrais aussi briser le téléphone cellulaire d'Austin. Je couvre l'appareil avec ma main, je fixe le ciel et je crie. Je me tourne vers Austin et je lui explique avec mauvaise humeur ce qui se passe.

— Que penses-tu que je devrais faire ? lui demandé-je.

— Le dîner peut attendre, dit-il en insistant. Burke, et si cette émission était la bonne ? Va à la rencontre. Je vais me doucher, Rod viendra me prendre et ensuite, s'il n'est pas trop tard, nous irons manger. Tu ne veux pas rater une occasion simplement parce que nous avons une réservation pour dîner, non ?

Une partie de moi le souhaite. Je me sens si impuissante. Mais je n'ai pas vraiment le choix pour cette réunion, n'est-ce pas ? Si je n'y vais pas, maman me tuera. Et Laney aussi. Et Seth. Et, il semble, Nadine. Si j'y vais, je perds du temps avec Austin. C'est tellement injuste. Ava a raison. Quand ai-je l'occasion de faire ce que je désire ?

Je retire ma main de l'appareil et je soupire profondément.

— Je serai dans le stationnement de l'école dans cinq minutes, dis-je d'un ton cassant à Nadine, et je raccroche sans même dire au revoir.

Je suis sur le point de mettre ma vie personnelle en attente. Encore une fois.

MERCREDI 21 JANVIER
NOTE À MOI-MÊME :

Organisé essayage de la robe Jay Godfrey pr Vanity Fair !
Commandé voiture pr la fête VF.
Choisir lè suites de cadeaux à visité.
Répondre oui o dîner Gucci.
Rappelé J.J. Abrams.
Rappelé Seth. Annoncé gentiment la nouvelle à propos du pilote.

SUJET CHAUD

Affaire de famille : ce que feront ensuite vos membres préférés de la famille
par Kathleen Pearl

Ils nous ont fait rire, ils nous ont fait pleurer et à présent, ils laissent un vide dans nos cœurs et dans notre case horaire du dimanche soir à la télévision. Heureusement, la vie continue après le départ du clan Buchanan. Vous pourrez encore voir vos vedettes favorites à l'écran, le petit et le grand, au cours de l'année qui vient. Voici ce que prévoient les vedettes d'*Affaire de famille* une fois la fête terminée.

Melli Ralton (Paige, fille de grand-papa Buchanan, mère de Sam et de Sara, femme de Dennis)

Après une pause estivale, Melli sera vue au grand écran dans *Vengeance*, un film à propos d'une héroïne féminine. Interprétant un rôle à l'opposé de son image, Melli y tiendra la vedette en tant que mère de deux jeunes enfants qui découvre que son mari est recherché par le FBI.

Spencer Hirsch (Dennis, le séduisant mari de Paige et le papa de Sam et de Sara — et la raison du départ de la bande de Summerville !)

Il montera cet été sur les planches dans le célèbre West End de Londres pour interpréter une version moderne de la pièce *Comme il vous plaira*. Ensuite, il prendra l'avion pour la Yougoslavie pour tourner le suspense *Dites-moi à quelle heure je dois mourir ?*

Sky Mackenzie (Sara, la mauvaise graine, fille de Paige et de Dennis et jumelle de Samantha)

Sky doit faire la promotion d'*Adorables jeunes assassins* avec sa collègue d'*AF* Kaitlin Burke (voir ci-dessous) et elle a reçu des offres pour plusieurs pilotes. Nous avons entendu dire qu'elle était à deux doigts d'en choisir un pour le réseau CW à propos de filles gâtées demeurant dans un hôtel de Chicago et qui font de la trahison en douce leur activité favorite. J'imagine que notre mauvaise graine préférée continuera de jouer la vilaine en ville. Nous adorons cela !

Trevor Wainright (le petit ami de Samantha)
Le beau gars de service améliore son quotient de charme incandescent en retirant sa chemise pour endosser le rôle d'un surfeur insoumis dans *Mordu de la plage* du réalisateur de comédies à ne pas manquer, Jus Apple. « C'est le film qui propulsera Trevor du statut de faire-valoir à celui d'une grande vedette de cinéma », nous dit Apple.

Tom Pullman (créateur et producteur délégué d'*Affaire de famille*)
On dit qu'il est en demande pour plusieurs séries télévisées. Tom vient de signer une entente pour produire un pilote pour le réseau CW basé sur Scooby Doo. L'intrigue à la *Buffy*, pleine de sarcasmes et de cerveaux trop brillants pour l'école, suit la bande de Scooby et leurs camarades dans leur chasse aux monstres. Ne soyez pas étonné si vous voyez plusieurs vedettes d'*Affaire* passer dans la série si jamais elle est reprise à l'automne. Matt Burke, le frère de Kaitlin et le plus récent membre de la distribution d'*AF*, vient de signer pour jouer le rôle du petit ami de Velma. Ce qui nous amène à…

Kaitlin Burke (la presque parfaite Samantha, fille de Paige et de Dennis, jumelle de Sara)
Voici où les choses deviennent intéressantes. La remarquable adolescente d'*Affaire de famille* et la chouchoute des médias n'a pas encore signé pour un seul projet ! Son agente publicitaire, Laney Peters, dit qu'elle réfléchit aux offres, mais une personne dans le secret nous a révélé que Kaitlin a refusé jusqu'à maintenant de s'engager envers tout ce qui lui a été proposé. L'unique chose que nous avons récemment entendue sur Kaitlin est cette histoire bizarre selon laquelle elle aurait démoli son téléphone cellulaire pendant la pratique de crosse de son copain. (As-tu reçu de mauvaises nouvelles, Kates ? Oh oh.) Cela signifie que nous ne verrons pas Kaitlin pendant un moment, mis à part ses apparitions pour promouvoir *Adorables jeunes assassins* cet été. Décide-toi, Kaitlin ! Tu nous manques déjà.

SIX : *Kaitlin Burke — vedette de la musique?*

— OUI! hurlé-je après que la portière de la voiture se soit refermée derrière moi.

Je commence à sautiller d'excitation sur la banquette.

Nous sommes samedi matin et Seth, maman et moi revenons tout juste d'une réunion avec le réalisateur de *Les Manolo sont faits pour les petits pieds*. J'ai lu le scénario et je l'adore. C'est comme un mélange de *Le diable s'habille en Prada* et de *Blonde et légale*. Qu'est-ce qui pourrait être mieux? J'ai déclaré à Seth que je devais obtenir le rôle. C'est le seul scénario qui m'a emballée jusqu'à présent. Le pilote du drame familial pour lequel j'ai assisté à une réunion la soirée où je sortais avec Austin s'est avéré trop semblable à *Affaire de famille*. (Au moins, la rencontre n'a pas duré trop longtemps et j'ai quand même pu dîner avec Austin après coup.) Je ne veux pas refaire ce que j'ai déjà fait. Ce film sur la jungle constituerait certainement un territoire nouveau à explorer, mais lorsque j'ai rencontré le réalisateur hier, sa vision — une technique de jeu nécessitant que nous vivions réellement dans la jungle pendant le tournage — m'a paru trop intense pour moi. *Manolo* est peut-être exactement ce que je cherche. Je me sens plus en sécurité en choisissant un film plutôt qu'une autre série télévisée pour poursuivre ma carrière. Dans mon esprit, un film est un projet que j'entreprendrais pendant la pause estivale de toute façon, alors je peux prétendre que c'en est un de plus, tout simplement. Même si ce n'est pas vraiment le cas.

— Dean était tellement drôle et intelligent, m'extasié-je, pleine d'admiration envers le réalisateur du film. J'ai vraiment aimé quand il a dit que ce rôle était ma chance d'être vue comme autre chose qu'une adolescente frivole de plus.

Seth hoche la tête.

— Il a raison. C'est exactement le type de projet dont nous avons besoin pour toi si tu veux passer au prochain niveau. Je vais le rappeler dès que nous arriverons au bureau pour savoir ce qu'il a pensé de toi, mais je suis certain qu'il t'a adorée. Nous pourrions obtenir une réponse d'ici la fin de la semaine prochaine.

Je crie et maman se bouche les oreilles.

— Arrête cela, se plaint-elle. Et pour vous avouer la vérité, je n'ai pas vraiment aimé Dean. Ou son scénario.

— Quoi? lançons-nous à l'unisson, Seth et moi, sous le choc.

Maman hausse les épaules.

— J'ai trouvé qu'il était arrogant et son scénario prétentieux.

— Meg, c'est un réalisateur très respecté, commence à dire Seth.

Maman agite la main avec désinvolture.

— Je ne pense pas que Kaitlin veut une offre pour ce film. Il ne lui convient pas.

— MAMAN, dis-je un peu trop sèchement.

Je commence à me lasser de la manière dont elle méprise mon opinion, particulièrement quand elle le fait devant Seth.

— Je *veux* une offre. C'est le premier projet qui me plaît. Tu n'as aucune idée comme tout ceci est difficile pour moi…

— Tu *penses* que ce projet te plaît parce que tu n'as pas encore rencontré d'autres réalisateurs, m'interrompt maman. Nous devons voir le réseau à propos des autres pilotes et de l'émission de télé-réalité. Tu dois prendre une décision sans tarder, Kaitlin. Je ne veux pas avoir à gérer un autre article comme celui dans *Hollywood Nation*.

— Meg, ce papier était ridicule, lui dit Seth. Kaitlin fait la même chose que tout le monde de la série, réfléchir à des offres.

Nous ne sommes pas en retard — encore. Nous devons simplement trouver un projet qu'elle aime vraiment. J'ai déjà demandé à Laney de téléphoner à *Nation* et de leur parler des projets que Kaitlin prend actuellement en considération.

Je lui lance un grand sourire. J'adore la façon dont il protège mes intérêts contre maman. Seth ne l'a pas exprimé ainsi, mais Nadine dit que le style de gestion de maman l'irrite.

— Plusieurs des projets que Kaitlin prend au sérieux sont très prometteurs.

Seth me décoche un clin d'œil.

— J'ai fini de lire le pilote sur l'émission en Alaska et j'ai trouvé qu'il était remarquable, leur apprends-je.

L'auteur est phénoménal. Même si l'idée d'une nouvelle émission me fait peur, le scénario était tellement bon que je n'ai pas pu le poser avant de le terminer.

— J'essaie de t'obtenir une rencontre pour la semaine prochaine, m'informe Seth. Es-tu d'accord?

— Je l'ai détesté, intervient maman. Une émission située en Alaska me paraît ennuyeuse. C'est le seul pilote de la télévision que j'ai exécré.

Seth et moi la regardons. Si maman tente de m'empêcher de voir ce réalisateur, je vais piquer une crise de nerfs. Ma mère, plus que quiconque, devrait savoir le genre de rôles qui plaît à sa fille et celui qui ne l'attire pas.

— Je suis impatient d'entendre ton opinion sur la pièce de théâtre lorsque tu l'auras lue.

Seth essaie de changer de sujet.

— J'ai commencé ma lecture hier et elle est vraiment bonne, admets-je.

Je suis encore terrifiée par l'idée d'une performance théâtrale devant public, mais je pense qu'être sur scène pourrait être très libérateur. Papa a raison. Chaque soir, le jeu est différent et chaque soir, le public réagit différemment. Cela me paraît être une excellente formation d'acteur. Et une pièce de théâtre pour-rait m'aider à passer d'une simple actrice adolescente à une comé-dienne plus mature.

Quand j'y songe, c'est vrai que j'ai beaucoup de bonnes options. Je dois me faire à l'idée que l'une d'elles deviendra mon nouveau travail (si je reçois une offre, bien entendu). Je peux aimer le scénario tant que je le veux, mais l'idée de m'engager me donne envie de respirer dans un sac en papier.

— Je pense encore que la télévision est la voie à suivre, reprend maman avec obstination. C'est beaucoup plus stable.

— C'est faux, Meg, intervient Seth encore une fois, ayant l'air un peu tendu. Les pilotes sont risqués. Kaitlin pourrait travailler avec un réalisateur brillant et des acteurs talentueux et le pilote pourrait quand même ne pas être repris.

Seth connaît le SECRET D'HOLLYWOOD NUMÉRO SIX : Très tôt au cours de la saison des premières télévisuelles, l'excitation est toujours centrée sur les pilotes qui ont un aspect prestigieux quelconque. Si une émission est l'œuvre d'un créateur de renom, si elle a été créée à partir d'une autre émission populaire, si elle est basée sur un film ou un livre à succès, ou si une vedette y interprète un rôle, alors tout le monde est très enthousiaste à son propos et l'on écrit que le pilote sera le prochain *Friends* ou *Sex and the City* ou *Gossip Girl*. Malheureusement, cela fonctionne rarement ainsi. En fin de compte, l'auteur du pilote, la vedette ou le livre qui a servi de base n'ont aucune importance : pour être sélectionnée, l'émission doit être bonne. C'est aussi simple que cela.

— Ce qui explique que je veuille viser large, rétorque maman avec raideur. C'est pourquoi j'ai pris le prochain rendez-vous.

— Quel rendez-vous ? demandons-nous encore simultané-ment, Seth et moi.

— Maman, je dois rencontrer Liz dans une heure, gémis-je. Tu le savais.

— Kate-Kate, il n'était pas question de laisser passer une occasion de rencontrer TJ de Jay Street Records parce que tu vas faire les boutiques avec Liz, m'indique maman. Informe Liz que tu seras là lorsque tu le pourras.

— Maman, tu dois cesser de prévoir des choses pour moi sans m'en parler! me plains-je.

J'ignore à propos de quoi je devrais paniquer en premier : le fait que maman gâche le premier rendez-vous que j'ai avec Liz depuis avant Noël ou qu'elle m'oblige à voir un célèbre producteur de disques, ce que je ne souhaite pas.

Je n'ai jamais fait la connaissance de TJ, mais je sais tout sur lui. Il est connu simplement comme TJ. Son prénom est Troy, mais personne ne semble connaître son nom de famille ni même s'il commence par la lettre J. Il est le jeune prodige de la musique. Il a reçu son premier album triple platine à dix-sept ans, il a créé sa propre maison de disques à dix-neuf et il a pillé un rival en lui volant tous ses clients à vingt ans et maintenant, à vingt-deux ans, il possède sans conteste l'un des meilleurs catalogues de musique en ville. Il est aussi célèbre pour son mode de vie centrée sur la fête continuelle. Comment il réussit à travailler même un tant soit peu me dépasse. Il n'y a pas un soir où cet homme n'est pas photo-graphié pendant une sortie en ville.

— Maman, je ne vais pas avoir une carrière musicale, déclaré-je en montant le ton. Cela ne m'intéresse pas. Pas du tout. Dis à TJ que nous ne venons pas.

— Donne-nous une raison valable pour que tu ne sois pas une vedette dans deux domaines? me demande calmement maman. Tu as l'allure, le bon âge et tu as une voix correcte. Avec TJ derrière toi, ton son pourrait être excellent.

— Kaitlin ne veut pas enregistrer d'album, s'interpose Seth avec colère. Elle nous l'a dit à maintes reprises. De plus, si elle le désirait, j'aurais organisé la rencontre, Meg, pas toi. Comment as-tu pu faire cela sans m'en parler?

— Je ne fais pas d'album! lancé-je par-dessus leurs voix fortes. Tu ne peux pas m'y obliger!

Pourquoi personne ne m'écoute-t-il? Je me sens comme un animal retenu en cage contre son gré. Mon visage me semble chaud, et pas seulement parce que je suis furieuse, et j'ai de la difficulté à respirer normalement. Je sens une douleur dans mon cou qui se manifeste de nouveau en signe de protestation. Pas un autre mal de tête! Je plonge ma main dans mon sac à la recherche de ma bouteille de Tylenol de plus en plus vide.

— Tu vois ce que le stress me fait, maman? ai-je envie de crier.

Mes mains tremblent, mais pendant que maman et Seth se disputent, j'envoie un rapide message texte à Liz. Comme elle ne me répond pas immédiatement, je l'appelle sur son cellulaire et je suis tout de suite redirigée vers sa boîte vocale.

— Liz, si tu entends ce message, j'arriverai peut-être en retard. Maman m'oblige à assister à une réunion dont elle ne m'a jamais parlé. Je suis tellement désolée. Je t'en dirai plus lorsque nous nous verrons. J'y serai dès que possible.

Notre voiture s'arrête devant un édifice quelconque.

— Oh, regardez! Nous sommes arrivés et il y a un Starbucks! lance maman avec joie.

Elle semble entrer dans un Starbucks à chaque coin de rue. Pas étonnant qu'elle soit toujours aussi survoltée. Maman se tourne vers moi.

— Rencontre TJ, d'accord? Il aime vraiment ton allure.

Tout à coup, je me sens très fatiguée. Trop pour argumenter. Maman a encore gagné et je n'ai pas l'énergie de la combattre.

— Bien.

Maman sourit largement.

— Parfait. Nous avons dix minutes avant le rendez-vous, alors je vais faire un saut chez Starbucks pour prendre un double cappuccino au lait de soya et rappeler la rédactrice de *Fashionistas*. J'ai pensé à une autre citation pour elle.

Maman enfile ses lunettes de soleil et enroule une écharpe autour de sa tête, puis se glisse hors de la voiture.

— J'ignore comment tu fais, Kaitlin, me dit doucement Seth quand maman est partie. Ta mère est une rude négociatrice.

Je ferme les yeux pour empêcher la voiture de tourner.

— Je sais.

— J'imagine que puisque nous sommes ici, tu devrais rencontrer TJ, déclare Seth en soupirant. Il déteste qu'on lui pose un lapin. Même si tu ne désires pas réaliser d'album, tu veux rester dans ses bonnes grâces.

Je hoche la tête.

— Mais je ne te laisse pas y aller seule. TJ s'avère parfois tout un requin et je ne veux pas que tu signes un accord autorisant ta mère à produire ton premier album sans mon consentement.

— D'accord.

J'ignore pourquoi, mais je sens mieux de savoir que Seth est avec moi.

Dix minutes plus tard, je suis face à face avec TJ, en chair et en os.

— Kaitlin Burke.

TJ me serre la main chaleureusement et s'assoit en face de moi dans son grand bureau avec une vue presque circulaire sur Los Angeles. TJ est plus petit que je ne l'imaginais, mais sur tous les autres points, il est exactement comme je m'y attendais. Il me rappelle Kanye West. Il est petit, il n'enlève jamais ses lunettes de soleil, même à l'intérieur, et il parle d'une voix douce et suave.

— Je me demandais quand nous t'aurions enfin ici. Meg et moi discutons de ce moment depuis des semaines.

Maman s'éclaircit la gorge.

Des semaines, hein ?

— Je te suis reconnaissante d'avoir attendu pour me voir, lui dis-je poliment. J'ai été submergée de travail.

TJ me fixe en prenant ses aises dans l'autre chaise.

— Pas pour longtemps, hein? Cette émission est de l'histoire ancienne!

Il rit et le son me frappe de plein fouet. Si TJ n'était pas si important, je répliquerais sèchement que mon émission restera dans la tête des gens aussi longtemps que leur paraîtra s'éterniser la présence de son plus récent artiste sans envergure, Rocco, au top dix du palmarès.

— De toute façon, la raison pour laquelle je t'ai convoquée, comme je l'ai dit à Meg, est que je pense que tu as un talent inexploité et que si nous pouvons le maîtriser, tu pourrais devenir une grande vedette de la musique, déclare TJ. Tu aurais tout dans cette ville. Peu de gens peuvent dire la même chose.

C'est le cas de le dire! Savez-vous combien de vedettes de la musique ont tenté de percer à Hollywood et inversement? Ce n'est probablement pas le moment de le mentionner.

— J'ai déjà toute une stratégie en tête pour toi si tu es prête à te lancer, nous informe TJ. Nous enregistrerions tout de suite plusieurs chansons pour ton album et nous le terminerions après la fin du tournage de ton émission. Tu devrais achever le travail les soirs ou les week-ends, et nous nous occuperions du graphisme de la couverture de ton album aussitôt que possible. Nous songeons à un look de femme fatale. Le contraire de Sam. Des bas filets, un bustier ou un corset. Quelque chose comme cela.

Des bas filets? Un corset? Je ne porterais même pas cela à l'Halloween!

— C'est un changement plutôt radical pour Kaitlin, intervient Seth. Elle est idolâtrée par beaucoup de jeunes filles et nous ne voulons pas qu'elle perde ses admiratrices.

TJ rit.

— Kaitlin ne me paraît pas trop inquiète de cela, déclare-t-il en me regardant. Tu es un as des médias, si tu veux savoir mon opinion. Tout d'abord, tu pars en vacances avec le duo de la fête et ensuite tu mets en scène ton propre kidnapping. J'ai vu toutes ces photos de toi avec Lauren Cobb et Ava Hayden aussi. Ces deux-là ne sont pas exactement un exemple pour les préadolescentes, si tu vois ce que je veux dire.

— Je n'ai pas tout à fait été kidnappée, informé-je TJ. Et Lauren, Ava et moi commençons tout juste à nous fréquenter. Ce n'est pas ce que les journaux donnent à penser.

Je suis abasourdie de constater à quel point les médias sont à côté de la plaque à propos de mes déplacements et de ma vie sociale déchaînée. Cela prouve simplement qu'on ne peut pas croire tout ce qu'on lit.

— J'ai passé quelques bons moments avec Lauren et Ava, se souvient TJ. Quand tu les verras, dis-leur que j'ai dit holà. Et demande-leur si elles se souviennent de cette nuit à Cabo.

Je jette un regard en coin à Seth.

— Je pense que c'est formidable que vous vous fréquentiez. J'aime la nouvelle toi, ajoute TJ. Nous songeons à certaines chansons vraiment coquines qui montreront au monde à quel point tu as grandi. Nous désirons qu'ils voient que tu ne ressembles pas du tout à cette petite fleur bleue que tu as incarnée pendant des années. Il s'agit d'une Kaitlin mature, prête à secouer le monde. Nous parlons de chansons à propos de gars qui en exigent plus, de conduire des voitures, de gérer des ruptures pénibles et de mecs qui te mènent en bateau. Nous voulons de l'angoisse existentielle, de la colère et de l'énergie sexuelle.

— Wow.

Sérieusement, c'est tout ce que je réussis à dire en ce moment.

— Je suis certain que Meg serait d'accord avec moi pour dire que l'angoisse existentielle, la colère et l'énergie sexuelle ne sont pas la voie que nous voulons suivre avec Kaitlin, déclare Seth en regardant maman, qui semble sur le point de s'évanouir.

Je pense qu'elle vient juste de réaliser qu'elle est dépassée par la situation.

Moi aussi. J'ai l'impression que les murs se referment sur moi. Une Sam pleine d'énergie sexuelle ne me ressemble pas. Je m'imagine avec une chevelure gonflée et un fouet sur la couverture d'un CD.

— Ce n'est pas vraiment moi, dis-je à TJ.

Il hausse les épaules.

— Nous pourrons discuter de la façon de jouer avec ton look. Une chose sur laquelle nous ne ferons pas de compromis, c'est la tournée. Nous parlons de quelques arénas et de tonnes d'émissions de radio. Nous t'enverrons à l'ouverture d'un Walmart si nous pensons que cela t'attirera des admirateurs.

TJ rit.

— Mais qu'est-ce que je dis là? Walmart n'offrira même pas ton CD à cause de son contenu. Ce bébé sera trop sulfureux pour s'y frotter.

Je souris faiblement. Trop sulfureux pour s'y frotter? Je regarde maman. Elle semble nerveuse elle aussi. Au moins, elle est enfin attentive, même si cela n'a rien à voir avec mes propos. Je me demande si maman a parlé de quoi que ce soit avec TJ avant cette réunion ou si elle était tellement excitée par Kaitlin Burke, vedette de la musique, qu'elle voulait juste m'amener ici. Je jette un coup d'œil vers la porte. Qu'arriverait-il si je me sauvais à toutes jambes?

— Bien entendu, nous ferions de la publicité à la tonne pour faire valoir ton album, ajoute TJ. Nous sommes très forts de ce côté-là. Nous refilerons en douce au public ta chanson la plus offensante et la plus sexuelle en premier afin de savoir ce qu'il en pense avant de nous engager pour un premier simple.

— Merci pour ton temps, TJ, dit Seth en posant une main sur mon épaule et en m'aidant à me lever.

Maman vient rapidement se placer à côté de lui.

— Nous allons y penser et te rappeler.

Je regarde l'horloge. J'ai encore quinze minutes pour me rendre au Grove. Si Rodney passe par les rues secondaires, j'arriverai peut-être à l'heure. Je jette un regard discret à mon Sidekick. Je n'ai pas de nouveau message. J'espère que Liz a pris le mien.

— Ho, ho ! lance TJ en levant ses mains en signe de paix. Cette offre n'est valable que si je peux l'entendre chanter. Meg a dit qu'elle avait une voix d'enfer et je veux l'entendre jouer de ses cordes vocales.

Ma poitrine se contracte.

— Ici ? Maintenant ? Je n'ai rien préparé, lâché-je brusquement.

Je regarde Seth et maman. Maman transpire, une chose que je n'ai jamais vue auparavant.

TJ me remet une feuille de papier.

— Ça va. Nous t'avons déjà écrit une chanson. Notre salle de mixage se trouve sur cet étage. J'ai un groupe qui attend pour l'enregistrer. Une fois que nous t'aurons entendue chanter, nous pourrons aller de l'avant.

OK, cela va trop vite pour moi. Je baisse les yeux sur la feuille. La chanson s'intitule *Princesse des paparazzis*.

— TJ, je ne pense pas que Kaitlin soit prête à chanter aujourd'hui, lui dit maman. Nous pourrions peut-être revenir un autre jour.

— Qui vient à une réunion à propos d'un enregistrement d'album sans être préparé à chanter ?

TJ rit.

— Tu as dit qu'elle pourrait chanter et j'ai libéré mon agenda pour qu'elle puisse le faire.

La pièce est silencieuse. TJ nous tient. Seth tire sur le col de sa chemise blanche bien repassée, qu'il porte sous un élégant complet marine qui, je suis sûre, est de Ralph Lauren. Maman s'évente avec la feuille de musique.

— C'est juste que… les cordes vocales de Kaitlin sont un peu fatiguées, commence à dire maman.

Puis, elle aperçoit le visage de TJ. Il pourrait faire fondre du caoutchouc.

— Mais j'imagine qu'elle pourrait faire un essai rapide. Nous n'avons pas le temps pour une séance en studio. Kaitlin pourrait chanter quelques mesures pour toi juste ici si tu le désires. As-tu un magnétophone à cassettes ?

— Maman, sifflé-je.

— Cela ne prendra que quelques minutes, dit-elle sur un ton dédaigneux alors que TJ tend la main vers son bureau et sort un minuscule appareil de poche.

Je lis les paroles de la chanson et je ne sais pas si je devrais rire ou pleurer.

Vous croyez savoir qui je suis,
mais suis-je vraiment ainsi ?
Je suis fatiguée d'être une princesse.
Je ne veux pas gagner votre cœur,
c'était bien, au début, pour mon bonheur,
mais la vérité c'est que :

(Refrain)
Cette fille à papa est prête à s'émanciper,
surveillez-moi de près, je monte en selle.
J'ai une nouvelle façon de jouer.
Cette fois, je vais tirer les ficelles.
Lumières ! Caméra ! Action !
Vous n'avez jamais rien vu avant comme la nouvelle moi.
Et ce sera probablement, gens ennuyants, la dernière fois.

Je suis une mauvaise fille piégée dans le rôle d'une bonne fille,
mais à présent que l'émission est terminée,
j'ai un nouvel objectif.
Je veux être votre princesse des paparazzis.
Je veux votre attention.
Surveillez mon ascension.

Quand vous ne regardez pas, je suis une fille différente.
Je ne suis pas Sam. Je suis prête à faire
danser la nouvelle moi provocante.
DJ, à toi !

(Refrain)
Cette fille à papa est prête à s'émanciper,
surveillez-moi de près, je monte en selle.
J'ai une nouvelle façon de jouer.
Cette fois, je vais tirer les ficelles.
Lumières ! Caméra ! Action !
Vous n'avez jamais rien vu avant comme la nouvelle moi.
Et ce sera probablement, gens ennuyants, la dernière fois.

Elle est plus longue, mais je suis incapable de lire une phrase de plus. TJ ne peut *pas* être sérieux.

On essaie de me piéger, c'est ça ? Ceci fait assurément partie d'une émission quelconque visant à faire vivre un cauchemar à des célébrités. Mais alors, je regarde TJ. Son visage est lisse et calme. Maman m'observe nerveusement et Seth transpire.

Je suis votre princesse des paparazzis ? Vous n'avez jamais rien vu avant comme la nouvelle moi et ce sera probablement, gens ennuyants, la dernière fois ? Beurk. J'ai envie de déchirer cette feuille de papier en mille morceaux et de les fourrer dans la gorge de TJ. Je fixe des yeux coléreux vers maman. Le mot fureur manque encore de vigueur pour décrire ce que je ressens en ce moment.

— Plutôt solide, hein ? s'enquiert TJ. Nous avons pensé que tu aimerais cela.

— Les mots ne peuvent pas exprimer ce que j'éprouve, lui réponds-je calmement.

Le téléphone de TJ sonne et il nous prie de l'excuser. À ce moment-là, nous nous tournons tous les trois les uns vers les autres avec fougue.

— Meg, j'en ai assez, murmure Seth avec emportement. Tu dois lâcher prise et me donner la latitude pour accomplir mon travail. À quoi as-tu pensé ?

Wow. Je n'ai jamais entendu Seth s'adresser de cette manière à maman. Si n'importe qui d'autre lui parlait ainsi, elle le congédierait sur-le-champ.

— Je vois à présent mon erreur, déclare maman, la voix rauque. Son visage est rouge.

— Mais j'ignore comment sortir Kate-Kate de cette situation. Elle me regarde.

— J'ai promis que tu chanterais et TJ connaît trop de gens pour que tu ne respectes pas cet engagement. Tu n'es pas obligée de réaliser le CD. Je t'en donne ma parole. Chante seulement une fois et nous partirons.

— Je veux juste partir d'ici, leur dis-je à tous les deux. Je me sens totalement humiliée ! Avez-vous lu les paroles ? La princesse des paparazzis ? Qui désire être la princesse des paparazzis ? Cela ne me ressemble pas ! Je veux que l'on brûle cette chanson une fois que je l'aurai interprétée !

— Kaitlin a raison. Seth est plus calme.

— Nous devons reprendre le démo à TJ une fois que Kaitlin aura chanté pour lui. Il est réglo, alors je sais qu'il ne l'utilisera pas contre elle quand nous lui dirons qu'elle ne réalisera pas d'album, mais je me sentirai quand même mieux avec la cassette entre les mains.

— Je chanterai et tu demanderas l'enregistrement, continué-je avec lassitude. Ensuite, je sors d'ici. Je ne veux plus entendre parler de réunions ni de travail pendant tout le reste du week-end, informé-je maman.

— Et toute réunion future devra avoir été approuvée par moi avant de l'organiser, d'accord ? lance Seth en regardant maman. Maman est atterrée.

— Je sais que j'ai merdé avec celle-ci, mais mon cœur est à la bonne place, déclare maman. Kate-Kate a besoin de moi!

— J'ai besoin de Seth, maman, dis-je doucement. Il s'agit de son domaine d'expertise.

— Elle a raison, Meg, dit Seth. C'est pourquoi tu m'as embauché. Tu dois me faire confiance pour savoir ce dont Kaitlin a besoin.

— Je sais de quoi Kaitlin a besoin, réplique maman avec défi. Je suis sa mère!

— Oui, tu es sa mère, répète Seth. Tu n'es pas un agent!

Double wow. Je suis en colère autant que Seth et probablement plus de son côté que de celui de maman, mais si je ne les ramène pas tous les deux à l'ordre, TJ va revenir et paniquer. Je me sens un peu étourdie et je dois m'asseoir. Ma poitrine est oppressée, mais je dois parler.

— On se calme, tout le monde, dis-je. Je vais chanter. Seth récupérera l'enregistrement et maman, tu me laisseras tranquille pour le week-end. Nous discuterons de l'avenir ensuite.

— D'accord, acquiesce maman. Tout ce que tu veux, ma douce. Je sais que tu vas au Grove. Tu peux prendre ma Amex noire.

Je lui lance un regard furieux. Même une thérapie par les achats ne compensera pas la façon dont je me sens en ce moment. Je suis fatiguée d'être tyrannisée.

La porte s'ouvre et TJ entre avec son magnétophone à cassettes. Il le tend vers moi.

— Prête à chanter pour moi? s'enquiert-il. Ou devrais-je dire, prête à raper? Nous pensons que cela sonnera mieux si tu es en colère.

Je prends l'appareil glacé de ses mains moites.

— Ce ne sera pas un problème, lui réponds-je d'une voix douce.

SAMEDI 31 JANVIER

PRINCESSLEIA25 : Liz, où è tu? Si tu lis ceci, je suis en route!

SEPT : *Dis-moi ce que tu ressens vraiment*

— Rodney, ne peux-tu pas aller plus vite ? le supplié-je en regardant ma montre Movado pour la centième fois en quelques minutes.

Maman s'est sentie tellement coupable après m'avoir entendue chanter cette horrible chanson qu'elle m'a laissée partir avec Rodney pendant qu'elle attendait une autre voiture pour elle et Seth. Ces deux-là ne s'adressaient toujours pas la parole quand je les ai quittés devant l'édifice de TJ. Seth était livide parce que j'ai dû interpréter cette chanson. (Il a dit que c'était mauvais pour les affaires de décliner l'offre de TJ sur-le-champ, alors il a prévu de l'appeler demain pour le laisser tomber gentiment — et insister pour récupérer le démo.)

— Kates, Liz comprendra, m'assure Rodney. Tu avais des réunions.

Une réunion affreuse et une excellente. J'ai vraiment aimé le réalisateur de *Manolo*. Ce film serait un levier extraordinaire pour moi, mais j'éprouve de la culpabilité à trop y penser. Je sais que cela paraît idiot, mais une partie de moi s'imagine encore que choisir un nouveau rôle, c'est trahir Sam. D'un autre côté, il y a maman qui croit le projet complètement inadéquat pour moi. Comment pouvons-nous être en désaccord aussi total sur ce qui est bon pour mon avenir ? Je suis tellement désorientée. Peut-être que je me sentirai mieux après en avoir discuté avec Liz. J'ai très hâte de lui parler de la fête *Vanity Fair* !

Mon téléphone cellulaire sonne et je réponds sans même vérifier d'abord l'afficheur.

— Liz?

— Kates! Où es-tu?

C'est Liz et elle semble un peu agacée.

— Je croyais que nous avions dit 11 h 30.

— Je sais, je suis désolée! Je t'ai appelée et appelée, l'informé-je. N'as-tu pas reçu mes messages? Maman m'a surprise avec cette stupide rencontre et cela a pris plus de temps que j'aurais cru. C'était atroce, Liz.

— Dis-lui que nous allons perdre notre place si elle n'arrive pas bientôt, entends-je quelqu'un se plaindre en arrière-plan.

— Qui est-ce? demandé-je.

— Mikayla, dit Liz, mal à l'aise. Nous étudiions ensemble plus tôt et elle a entendu mon père dire que je venais au Cheesecake.

Elle a presque l'air de s'excuser. Presque.

— Oh.

Mon cœur se serre.

— J'avais juste pensé…

Cette journée devait être uniquement pour nous, veux-je lui dire. Ce n'est pas que je ne veuille pas rencontrer Mikayla, mais j'étais impatiente d'avoir Liz pour moi toute seule aujourd'hui. J'avais cru qu'elle avait autant envie que moi d'avoir du temps « juste pour nous ».

— Je sais, dit Liz, même si je n'ai pas fini ma phrase.

Elle soupire.

— Écoute, ne t'inquiète pas de ton retard. Je vais dire à l'hôtesse que tu es en route. Combien de temps crois-tu que cela te prendra?

Je regarde par la vitre. Nous quittons l'autoroute.

— Dix minutes.

— D'accord. Rejoins-nous en haut.

Rodney s'immobilise devant le Grove et il me laisse près du restaurant pour aller garer la voiture. Je pars en courant, m'arrêtant seulement deux fois pour gribouiller un autographe rapidement et je file ensuite à toute vitesse au Cheesecake Factory. Je baisse les yeux vers mon sac Cinch à motif léopard pour essayer de trouver mon Sidekick, et c'est à ce moment-là que je me cogne en plein sur une fille debout en face de moi.

— Je suis désolée! dis-je en m'excusant. Est-ce que ça va?

Nous levons les yeux en même temps.

— Hé!

C'est Lauren.

— Que fais-tu ici? demande-t-elle d'une voix perçante. Ava, viens ici!

Ava bavarde dans son téléphone cellulaire, mais elle raccroche au milieu d'une phrase et se précipite pour me serrer dans ses bras.

— Je pensais que tu avais des réunions, lance-t-elle d'un ton accusateur.

— C'était le cas, toute la matinée, les informé-je. Maintenant, je rencontre ma meilleure amie Liz pour déjeuner. Je ne l'ai pas vue depuis avant Noël.

— Toute une meilleure amie, ronchonne Lauren.

Elle porte un chandail vert d'enfer et un legging noir avec des bottes à mi-cuisse. Elle semble sortir tout droit de *InStyle*. Elle observe ma tenue et elle braque son regard directement sur mon sac.

— Tu utilises le sac Cinch! Ne t'avons-nous pas dit qu'il était génial? Comment a réagi ta mère?

Je rougis.

— Je ne lui ai pas encore révélé combien il a coûté, admets-je.

— Ça, c'est ma fille, lance Ava avec admiration.

Ava est vêtue d'un très grand chandail beige, d'un haut Dolce et d'un jean à jambes larges qui ressemble au mien. J'ai assorti ce dernier à un col roulé Tahari et à des talons Chloé. Par-dessus, je porte une veste légère North Face d'un blanc crémeux avec un capuchon orné de fourrure. Pas tout à fait approprié pour

Los Angeles, mais puisque je ne vais pas à Sundance cette année pour skier, aussi bien la mettre tout de suite.

— Alors, est-ce que tu dois déjeuner avec ton amie? gémit Ava. Nous sommes plus amusantes.

— Laisse-la tomber! l'appuie Lauren.

Nous rions.

— Sérieusement, par contre : quand allons-nous nous retrouver? Nous aurions tellement de plaisir.

— Je sais, me lamenté-je.

Fréquenter ces deux filles m'apparaît vraiment comme une excellente évasion.

— Peut-être cette semaine?

Clic. Clic. Clic.

Je pivote et aperçois Gary, le paparazzi préféré d'Ava et de Lauren. Le gars est partout! Ava se tourne pour lui faire face.

— Souris! dit-elle.

Les deux filles lèvent leur butin de chez Barneys.

— Qu'avez-vous acheté? leur demandé-je entre deux grands sourires.

— Quelques chandails, un mignon col roulé, m'apprend Ava. C'est moche lorsqu'on doit cracher le plein prix.

SECRET D'HOLLYWOOD NUMÉRO SEPT : Je vous ai déjà révélé que les célébrités reçoivent gratuitement beaucoup de leurs vêtements, mais quand nous faisons nos courses dans les boutiques, nous payons nos choses comme tout le monde. Oui, plusieurs compagnies comme Gap m'envoient des vêtements, mais quand j'essaie un jean au Grove, aucun employé ne vient vers moi pour me dire : « Tu peux l'avoir gratuitement. » Les cadeaux arrivent directement de la maison-mère. Certains magasins plus petits comme Becky in Bloom distribuent des cartes de rabais à leurs clients privilégiés (c'est-à-dire, selon leur degré de célébrité), mais d'autres vont un pas plus loin. Si j'emporte une brassée de vêtements au comptoir d'une boutique et que le grand couturier est présent, on me dira souvent que c'est la maison qui offre. Je suis habituellement tellement gênée que j'insiste pour payer quelques articles.

Quand Gary a terminé de prendre des photos, je me tourne vers Ava et Lauren. J'entends les secondes s'égrener dans ma tête.

— Les filles, je dois partir.

Elles grognent toutes les deux.

— Annule! gémit Lauren.

— Je vous appelle! leur promets-je.

Je regarde ma montre. Je suis maintenant une demi-heure en retard. Mince! Je pousse les portes du restaurant et scrute la pièce à la recherche de Liz. L'hôtesse me voit et sourit.

— Kaitlin Burke, n'est-ce pas? Je vais vous montrer où vos amies sont assises, dit-elle.

Parfois, c'est vraiment utile que les étrangers sachent qui vous êtes.

Liz et Mikayla sont installées dans un box à l'arrière du restaurant. Liz m'aperçoit et agite la main. Elle porte l'une de ses écharpes qui font sa marque par-dessus ses longs cheveux sombres, et sa peau olivâtre ressort joliment contre le chandail Chanel pêche que nous avons acheté chez Fred Segal juste avant son départ pour Hawaii. Mikayla est assise à côté d'elle.

Je ne peux pas nier que Mikayla est jolie. Elle a de longs cheveux roux bouclés et une peau blanche qui me rappelle une poupée de porcelaine. Son visage légèrement rond est parsemé de taches de rousseur. Je ne vois pas sa tenue dans son ensemble, mais elle a l'air très J. Crew de l'endroit où je me tiens. Son chandail vert à torsades et sa jupe plissée kaki tranchent dans la mer de J. Brands et de Stella McCartney qu'arborent en général les clients du Grove. Je regarde Mikayla et souris.

— Tu dois être Mikayla, lui dis-je aussi chaleureusement que possible. C'est un plaisir de te rencontrer.

— C'est moi, dit-elle, puis elle serre ma main.

Je remarque qu'elle me détaille des pieds à la taille pendant que je m'installe.

— Comment étaient tes réunions ?

Je rougis.

— Je suis vraiment désolée d'avoir autant de retard.

Je leur raconte rapidement mes deux rencontres et Liz rugit quand je lui parle de la chanson que j'ai dû interpréter pour TJ. Ma mauvaise humeur disparaît. C'est bon de voir Liz, même si nous avons de la compagnie.

— Oh, Kates, c'est impayable ! Tu dois être prête à tuer ta mère.

— Je l'étais, mais elle se sent plutôt honteuse, admets-je. Elle m'a même donné sa carte de crédit pour mes courses.

— Alors, elle se sent assurément coupable.

Liz rit.

Je jette un coup d'œil à Mikayla. Je ne devrais probablement pas trop en ajouter sur ma mère ni sur le travail en sa présence. Je sais que Liz aime Mikayla, mais je ne connais pas cette fille. J'ai appris à la dure à me montrer prudente sur ce que je dis devant certaines personnes.

— J'imagine que la carte me sera utile, déclaré-je. Je dois me procurer une nouvelle pochette pour la fête des Oscars de *Vanity Fair*.

La mâchoire de Liz se décroche.

— Tu blagues ! Comment as-tu réussi à remporter une invitation ?

— Grâce à Laney, dis-je, un peu étourdie. Austin a une partie hors-concours à l'extérieur de la ville, alors j'ai pensé que tu pourrais être mon invitée. Qu'en dis-tu ?

Liz fait la grimace.

— Oh, Kates, je ne peux pas. Je me trouverai sur la côte est. Papa m'y amène pour visiter quelques écoles de rechange. Il ne veut pas que je mette tous mes espoirs sur NYU. Mikayla a offert d'aller les voir avec moi puisqu'elle sera de retour à NYU à ce moment-là.

— Je sais que c'est important de trouver des écoles de rechange, commencé-je avec précaution en essayant de ne pas avoir l'air trop maladroite, même si je sais que les yeux de Mikayla sont fixés sur moi, mais n'y a-t-il pas encore beaucoup de temps pour cela? Dois-tu te rendre à New York ce week-end-là? Lizzie, nous désirons assister à la fête de *Vanity Fair* depuis que nous avons douze ans!

— Je sais, dit Liz avec regret, mais papa a déjà pris son week-end de congé pour y aller avec moi, et Mikayla a libéré son agenda. Je ne peux pas annuler. Je t'accompagnerai l'an prochain.

Elle m'offre un pauvre sourire.

— Bien sûr.

J'essaie de ne pas paraître trop bouleversée. S'il y a une chose à laquelle je pensais que Liz acquiescerait, c'est cette fête. Tout à coup, j'ai l'impression que la fille assise devant moi est une étrangère. Nous nous parlons très rarement à présent, et elle organise des voyages et elle fait des plans pour l'été sans moi. Que nous est-il arrivé?

Le silence est gêné. Je décide de changer de sujet.

— Alors, racontez-moi plus en détail la façon dont vous vous êtes rencontrées.

Le visage de Mikayla s'illumine, et elle et Liz se regardent et gloussent.

— Je pratiquais la planche à voile, et Liz s'est approchée et elle a dit qu'elle n'en avait jamais fait et qu'elle désirait essayer. Le centre de villégiature ne possédait qu'une planche, alors nous avons dû alterner.

Les yeux verts de Mikayla sont écarquillés.

— Je n'ai pas informé Liz que je venais tout juste d'apprendre à en faire ce matin-là et que j'étais aussi mauvaise qu'elle.

Liz rit.

— Nous n'arrêtions pas de tomber et de nous frapper les genoux. Nous étions tellement couvertes d'ecchymoses après une heure que nous avons abandonné et nous sommes plutôt allées au spa.

— Après cela, nous étions inséparables, me dit Mikayla en attrapant le bras de Liz et en lui offrant un sourire éclatant.

— Liz m'a appris que ta famille venait juste d'aménager ici en provenance de New York, mentionné-je.

— Mon père a accepté un nouvel emploi ce printemps à la University of Southern California, ce qui est parfait pour lui, mais mon frère, ma sœur et moi étions en colère.

Mikayla secoue la tête.

— Los Angeles est bien et tout, mais qui souhaiterait quitter la ville de New York? C'est la meilleure ville au monde. Sans vouloir blesser personne.

Elle sourit.

— En tout cas, mon père se sentait mal et il nous a amenés en voyage à Maui pendant que nos affaires étaient acheminées ici depuis New York.

— Je suis native de Los Angeles et je l'adore, lui dit Liz. Tu l'aimeras aussi. Promis. Los Angeles est épatante.

— Ouais, interviens-je à mon tour. Songes au climat. Tu seras toujours bronzée, ta pelouse sera toujours verte. Tu n'as pas besoin de composer avec la neige. Nous avons le soleil presque à longueur d'année. Tu peux nager en janvier!

— Vous avez aussi des glissements de terrain, des tremblements de terre et des incendies de forêt, nous fait remarquer Mikayla. Sans parler d'une obsession majeure avec tout ce qui touche Hollywood et qui possède le plus d'argent ou la meilleure voiture. C'est pathétique la façon dont les gens vénèrent les vedettes ici.

Ses joues se colorent quand elle me regarde, comme si elle venait juste de se rappeler à qui elle parlait.

Ouais, cela m'inclurait, Mikayla. Je ne lui demande pas de s'expliquer, par contre.

— De toute façon, il me tarde de retourner à New York, ajoute-t-elle.

— Mikayla est étudiante de première année à NYU, m'informe Liz pour la énième fois.

— Tu le seras aussi dans deux ans, déclare Mikayla avec confiance. Tes résultats au SAT étaient vraiment bons et avec le programme d'été, tu obtiendras une place à coup sûr.

Elle me regarde.

— Et toi, Kaitlin? Quelle université veux-tu fréquenter?

J'ouvre la bouche, espérant qu'il en sortira quelque chose d'intelligent et de vif, quand Liz répond pour moi.

— Oh, Kates ignore encore si elle ira. Elle décrochera peut-être une nouvelle émission ou elle tournera d'autres films.

— Au lieu de l'université?

Mikayla semble étonnée.

— Je pensais que ton émission avait été annulée.

— Elle n'a pas été annulée, me hérissé-je. Nous *choisissons* de quitter les ondes.

— D'une manière ou d'une autre, on dirait que c'est le bon moment de songer à l'université, déclare Mikayla. Mes parents et moi discutons de l'université depuis mon douzième anniversaire. Si tu désires de l'aide pour voir quelques écoles, je serais heureuse de te guider comme je le fais pour Liz.

L'offre est gentille, mais si une personne m'aide dans ce domaine, ce sera Nadine.

— Merci, mais...

— Quels résultats as-tu obtenus pour ton SAT? m'interrompt-elle. Il est essentiel qu'ils soient bons.

Je rougis.

— Je n'ai pas encore passé les examens. Je le ferai pour la première fois en mars.

— Tu ne les as pas encore passés?

On dirait que la tête va lui éclater.

— Mais comment auras-tu le temps de les passer trois fois avant d'envoyer tes demandes d'admission dans les universités?

— Je l'ignore, admets-je. Je ne sais pas encore ce que je ferai. Je suivrai peut-être des cours à temps partiel ou je remettrai l'université à plus tard.

— C'est dément! me lance Mikayla. Et si ta carrière tombe à l'eau? Ne veux-tu pas avoir une carrière sur laquelle te replier?

Liz lui donne de petits coups de coude et Mikayla semble sortir de sa transe. Elle prend une profonde respiration.

— Écoute, tu m'apparais comme une fille intelligente. Suis les conseils d'une personne qui s'y connaît; de bons résultats au SAT sont importants. Je sais que tu es une célébrité et tout, et je suis certaine que des tas d'écoles t'accepteraient uniquement pour cette raison, mais tu ne devrais pas attendre leurs faveurs.

Aïe. Mes épaules se contractent.

— Ma carrière ne va pas tomber à l'eau, réponds-je avec raideur, sentant la colère bouillonner en moi. Je sais que tu ignores tout d'Hollywood, mais la vérité, c'est que si je fréquente l'université à temps plein, *alors* je cours le risque de voir ma carrière tomber à l'eau. Je te suis reconnaissante de ton aide, mais je sais ce que je fais.

Étudie pour le SAT! Choisis un film! Choisis une émission de télévision! J'en ai marre que tout le monde pense savoir ce qu'il y a de mieux pour moi. J'ai besoin de temps pour prendre la bonne décision par moi-même et j'ai besoin que les gens cessent de me harceler avec cela.

Liz et Mikayla se contentent de me regarder. Notre serveuse tourne autour de notre table avec nos boissons, mais elle semble craindre de s'approcher. Je sens que mes joues sont en feu. Je ne peux pas croire que je viens de me montrer aussi sèche avec l'amie de Liz.

— Je suis désolée.

Je baisse les yeux.

— L'avenir est un sujet plutôt délicat pour moi en ce moment.

— Ça va, dit Mikayla en ayant l'air de penser tout le contraire. Je crois simplement que c'est bon de prévoir un plan B.

Elle se tourne vers Liz.

— Je vais aux toilettes.

— Mince, Kates, qu'est-ce qui te prend? s'enquiert Liz quand Mikayla est hors de portée de voix.

— À moi?

Je suis abasourdie.

— Elle peut paraître insistante parfois, mais elle est très gentille, s'entête Liz. Mikayla m'a vraiment aidée avec cette histoire d'université. Elle a déjà planifié toute sa vie. Et elle adore NYU presque autant que moi. Elle a pratiquement grandi sur le campus.

— Et tu as grandi près de Beverly Hills. C'est beaucoup mieux, blagué-je, essayant de détendre l'atmosphère.

— C'est sérieux, dit Liz dans tous ses états. L'université est importante pour moi. Si tu étais plus présente, tu le saurais.

— C'est toi qui es portée disparue dernièrement, lui fais-je remarquer. Tu ne rappelles jamais. Nous ne nous sommes pas vu depuis avant Noël.

— Et c'est ma faute? demande Liz, l'air furieuse. C'est toi qui avais réunion sur réunion et qui ne pouvais pas sortir avec moi avant le 1er février. J'avais une envie folle de te parler, mais tu es injoignable! Tu ignores tout de ce qui se passe dans ma vie.

J'ai l'impression que la pièce se referme sur moi.

— Et tu ne sais pas du tout ce qui se passe dans la mienne, me plains-je. Je subis tellement de pression. Chaque fois que je réussis à te parler, tu m'interromps. Tu ne me dis plus rien et tu écoutes encore moins.

— C'est parce que je ne te trouve pas que je ne peux pas te parler! m'accuse Liz. Mikayla a été là pour moi. Elle sait ce que je traverse. Toi et moi savons toutes les deux que l'université n'est pas une priorité pour toi. Ma prochaine étape, c'est l'université. Je veux entrer à NYU. *Tu* ignores complètement comme c'est stressant de réfléchir aux universités et tout sur la pression que *je* subis cette année pour bien réussir. Nos priorités divergent maintenant. Je ne peux pas faire la fête tout le temps comme toi et Ava et Lauren.

J'ai l'impression d'avoir reçu un coup dans l'estomac.

— Je ne fais pas la fête tout le temps, répliqué-je. Et tu sais que ces histoires sont fausses! Même si j'assistais à des événements plus souvent, le fait de suivre des priorités différentes n'a jamais constitué un problème pour toi avant.

Je m'étrangle en essayant de retenir mes larmes. Qu'est-ce qui se passe ici, exactement? Comment cette conversation a-t-elle pris cette tournure amère aussi vite?

— Que nous est-il arrivé? demandé-je en craignant la réponse. Il me semble que nous vivons dans des mondes différents.

— Peut-être est-ce le cas, dit doucement Liz.

Elle ne me regarde pas.

— Les choses ne sont plus pareilles. Peut-être que nous... nous éloignons simplement peu à peu.

Les mots restent suspendus entre nous et cette pensée me coupe le souffle. Je cligne des yeux plusieurs fois, chassant les larmes.

— Je pensais que nous pouvions nous parler de tout, murmuré-je.

— Hé, lance joyeusement Mikayla en se glissant dans le box et en interrompant notre querelle.

Elle aperçoit nos visages.

— Est-ce que tout va bien?

— Oui, répondons-nous à l'unisson, Liz et moi.

Le silence à notre table, au milieu du restaurant bondé, est épais comme la soupe aux pois du restaurant.

L'une de mes larmes coule sur mon poignet et j'essuie rapidement mes yeux avec ma serviette de table. Tout va mal. Comment ai-je pu perdre mon emploi, ma meilleure amie et ma capacité à faire des choix en l'espace d'un mois? Je dois m'en aller.

— Je dois partir, dis-je sans regarder Liz. J'ai oublié que je dois donner une entrevue à *Self* cette après-midi à propos d'*AJA* et d'*AF*.

— Ah effe? demande Mikayla, l'air perplexe.

— C'est ainsi que tout le monde appelle *Affaire de famille*, lui explique sèchement Liz.

— Oh, je n'écoute pas la télévision diffusée sur l'ensemble du réseau.

Mikayla hausse les épaules.

— Uniquement History Channel, Bill Maher et un peu de CNN.

— En tout cas, l'interromps-je, c'était censé avoir lieu à 16 h 30, mais Laney vient de me laisser un message pour m'informer qu'elle était devancée et je dois y être dans quarante-cinq minutes.

— Kates, attends.

Liz semble hésitante. Je suis incapable de la regarder directement, sinon je vais fondre en larmes.

— Es-tu certaine de devoir partir ? Laisse-moi au moins te raccompagner à la sortie, dit-elle.

Elle affiche une étrange expression.

— Non, merci, lui réponds-je, et je passe la sangle de mon sac Cinch par-dessus mon épaule. Je pense que je me débrouillerai à partir d'ici. C'était un plaisir de te rencontrer, Mikayla.

Et ensuite, je me tourne pour quitter le restaurant bondé, les yeux débordant de larmes. Je ne donne même pas l'occasion à Mikayla de me dire au revoir.

SAMEDI 31 JANVIER
NOTE À MOI-MÊME :

Apelé Laney. Voir si je peu avoir article ds *Self*.
Étudié pr SAT.
Fête VF : dimanche 8 fév
Essayage final Jay Godfrey : mar @ 7 h
Suites de cado : samedi tte la journé.
R-v avec A. : sam soir av qu'il parte pr entraînement.
Dim : Tina vient @ 12 h, Paul me coiffe @ 14 h, Shelly vient @ 14 h 30.
Trouvé invité pr fête *VF*. ☹

HUIT : *Tout est permis avec les amis comme à la fête*

C'est le jour J. Je suis sur le point d'assister à l'événement de l'année dont on parle le plus, ce qui, pour certains, pourrait être un prix en soi.

Je ne parle pas des Oscars, idiots. Qui veut rester assis pendant plus de quatre heures dans une salle de spectacle mal aérée pour faire partie du public en direct? Savez-vous dire eeennuyeux? Je parle de la fête *Vanity Fair* chez Morton's à West Hollywood. Et cette année, j'ai mon invitation personnelle, ce qui signifie que je peux partager les plaisirs qui se dérouleront sous mes yeux. Allons-y…

— Nous sommes à quelques minutes de parler avec George Clooney! lance Matty d'une voix rauque. Et Julia Roberts! Et peut-être Robert Redford. Je ne peux plus respirer.

Je lui évente le cou avec ma petite pochette.

— Matty, tu dois te calmer, ordonné-je à mon frère alors que la limousine s'approche lentement de la fête *Vanity Fair*.

Oui, Matty est mon cavalier ce soir. Avec Austin et Liz à l'extérieur de la ville, Matty semblait mon meilleur choix dans les circonstances. Inutile de préciser qu'il est très excité. Maman était un peu incertaine, par contre. Elle et Laney paraissaient un peu préoccupées par le fait que mon frère m'accompagne à la plus grande fête de l'année. Elles ont passé en revue les avantages et les désavantages pendant une heure, jusqu'à ce que, finalement, Matty et moi intervenions pour leur dire que nous y allions ensemble, point à la ligne. Mince. Nous n'allons tout de même pas nous comporter comme Angelina Jolie et son frère. Beurk.

Une semaine s'est écoulée depuis ma querelle avec Liz au Cheesecake Factory et heureusement, toutes les fêtes pour les Oscars et les préparations m'ont empêchée de penser au fait que ma meilleure amie et moi ne nous parlons plus. Je veux lui téléphoner, mais je suis encore tellement blessée. Comment peut-elle affirmer que je n'ai pas été là pour elle ? Elle n'a pas non plus été là pour moi. Ma vie est une grosse boule de stress. Je ne dors toujours pas très bien et je ne l'ai encore dit à personne, mais je crois avoir développé un problème d'ouïe. Chaque fois que je réfléchis à tout ce que je dois faire — Seth n'a pas eu de nouvelles du réalisateur de *Manolo*, maman et papa m'interrogent sur le choix d'un autre projet, le SAT a lieu dans quelques semaines, je panique à propos de mon avenir sans *AF* —, j'ai l'impression de commencer à faire de l'hyperventilation et j'entends un bruit de vague dans mes oreilles.

— Je ne sais pas si je suis prêt pour cela, dit Matty.

À présent, c'est lui qui respire trop vite.

— Rodney, fais faire demi-tour à la voiture ! Je ne peux pas continuer !

L'invitation précise tenue de soirée, alors Matty porte un smoking noir Armani. Sa chemise, sa cravate et son veston ont l'air impeccables, mais son visage n'est pas présentable. Il est rouge et il transpire, et s'il ne cesse pas bientôt, ses cheveux parfaitement coiffés au gel vont friser.

— Kates, je ne peux pas, me dit-il en respirant bruyamment. David Beckham est ici ! Et Clooney ! Et Angelina ! Kates, Angelina est ici. Je ne peux pas bavarder de tout et de rien avec Angelina et Clooney. Je ne sais même pas exactement où se situe le Darfour.

Je le secoue.

— Reprends-toi, lui crié-je presque. Tu peux y arriver.

Je n'ai jamais vu Matty aussi vulnérable. Habituellement, il est monsieur Affable (ou du moins il essaie), mais aujourd'hui, il est dans tous ses états. Maman et papa n'ont pas aidé les choses. Ils étaient tellement nerveux pour nous, ils n'ont pas mangé de la journée. Maman nous a simplement suivis dans la maison pendant que Tina peaufinait nos tenues et que Paul et Shelly s'occupaient de la coiffure et du maquillage. Cela fait vingt-quatre heures qu'on nous bichonne — maman m'a obligée à aller au sauna et à recevoir des soins pour le visage hier, et ensuite nous sommes allées nous faire bronzer à l'aérographe ensemble à l'endroit habituel avec notre préposée, Eva.

Je pense que tout cela a valu la peine. Cette robe de soirée Jay Godfrey me donne l'impression d'être Cendrillon.

SECRET D'HOLLYWOOD NUMÉRO HUIT : Ce n'est pas un hasard si la robe qu'une vedette porte pour une remise de prix lui va comme un gant. Presque toutes les célébrités que je connais travaillent avec un styliste, mais certaines poussent un peu plus loin : elles collaborent avec un grand couturier. Quand vous faites cela, vous êtes pratiquement assuré d'une création unique qui enchantera la foule et les tabloïds. Plusieurs grands couturiers m'ont envoyé des robes pour que je les porte ce soir et certains ont même conçu le vêtement en pensant à moi, mais Jay a été le premier à créer la robe de mes rêves. Voici comment cela s'est passé : tout d'abord, j'ai visité le bureau de Jay et j'ai discuté avec précision de ce que je me voyais porter. J'ai feuilleté quelques livres de design de Jay pour y puiser des idées. Une semaine plus tard, Jay m'a présenté quelques esquisses basées sur les silhouettes et les couleurs que j'avais préférées. Il a choisi des tissus et après que nous sommes tombés d'accord, son équipe a cousu la robe à la main pour que je l'essaie. La minute où je l'ai enfilée, j'ai su que c'était la bonne.

La robe marine est serrée jusqu'aux hanches, puis elle ondule en plusieurs étages de tissus minces qui retombent en une courte traîne que je peux rassembler pour danser. La robe est si jolie que

Jay a dit que je n'avais pas besoin de collier. J'ai seulement emprunté un bracelet jonc en diamants de dix carats et des boucles d'oreilles pendantes de trois carats à Harry Winston. (Je serai attendue à la sortie de la fête *VF* par la sécurité pour rendre les joyaux.) Je suis pas mal excitée par mes cheveux également. Nous les avons lissés au fer plat et Paul a coupé quelques petites mèches folles. Shelly m'a fait un regard charbonneux, des lèvres naturelles et des joues roses.

Maman a tellement aimé notre allure à Matty et à moi qu'elle a pris des tas de photos, comme si nous allions au bal de fin d'année. Sauf que si j'allais au bal de fin d'année, ce serait avec Austin. J'aimerais qu'il soit ici au lieu de voir tout cela en photos demain.

— Prêts, les enfants ? demande Rodney alors que nous arrivons devant Morton's Steakhouse.

Matty et moi nous regardons.

— Es-tu prêt ? demandé-je.

— Ouais.

Il tamponne la sueur sur son front.

— Ne me laisse pas, d'accord ?

Mignon.

— Je ne te laisserai pas. Nous resterons ensemble.

Je ne le dis pas à Matty, mais j'ai besoin de lui autant qu'il a besoin de moi ce soir. Aussi excitant que soit tout ceci — et même si j'avais très hâte — je me sens aussi étrangement seule au monde. Mes collègues acteurs assistent à d'autres fêtes et mon amie vedette de la télévision, Gina, est en Europe. Lauren et Ava seront ici, mais nous ne sommes pas suffisamment intimes pour que je suggère sans gêne que nous nous y rendions ensemble.

La portière de la voiture s'ouvre et Rodney est là pour nous aider. J'entends le clic des appareils-photo et les photographes nous crient des choses comme : « Regardez ici ! » Maintenant, je deviens nerveuse.

Matty descend en premier et je le suis immédiatement. Le restaurant Morton's a été transformé en publicité pour *Vanity Fair.*

Le logo du magazine est en lumières jaunes au-dessus de l'édifice blanc et il y a une sculpture d'une topiaire de myrte de dix mètres de hauteur. Il y a des gens vêtus de noir partout et j'aperçois le rédacteur en chef du magazine, Graydon Carter, loin là-bas, près de la porte, placé près d'une personne tenant une planchette à pince pour vérifier les noms. Avant même d'arriver à la porte, nous devons passer sur le long tapis rouge.

— KAITLIN! KAITLIN! REGARDE PAR ICI!

— HÉ, KAITLIN, EST-CE TON PETIT AMI?

— C'EST SON FRÈRE!

— EST-CE LE FRÈRE DE KAITLIN? YO, REGARDE ICI!

— KAITLIN BURKE! TOURNE PAR ICI! PAR ICI, MAINTENANT!

— PRENONS-EN UNE DE VOUS DEUX ENSEMBLE!

— À PRÉSENT, KAITLIN SEULE!

— Wow, c'était intense, murmure Matty après que nous sommes passés, que nous avons salué le rédacteur en chef de *Vanity Fair* et que nous nous sommes glissés à l'intérieur.

Le Morton's de West Hollywood accueille la fête *Vanity Fair* depuis plus d'une décennie maintenant (enfin, sauf l'année où il y a eu la grève des auteurs, mais il n'y avait aucune fête cette année-là de toute façon). Matty et moi assistons au dîner, où environ 150 personnes sont invitées et qui commence à 17 h. Il se déroule pendant la remise des prix, que l'on peut regarder sur de grands écrans. C'est lorsque l'émission se termine que les invités se mêlent sérieusement entre eux. L'après-fête a lieu dans une immense tente derrière le restaurant. Elle peut contenir jusqu'à 800 convives. Avec une foule hollywoodienne aussi importante, on m'a dit qu'on peut tomber sur à peu près n'importe quelle personne de ses rêves — qu'il s'agisse d'un ancien d'Hollywood comme Martin Landau, de politiciens, d'athlètes ou de vedettes du rock. Vous pourriez apercevoir Kid Rock bavardant dans un coin avec Larry King. Qu'est-ce qui pourrait être plus étrange?

Un groupe de tables avec numéros est installé, et Matty et moi nous frayons nerveusement un chemin vers la nôtre. Je sais que les invités ont été placés de manière à éviter un drame majeur. Dans les années passées, il y a eu quelques échauffourées, des boissons lancées à la tête des gens et des personnes bousculées. La dernière chose que je désire, c'est de me retrouver dans une mêlée et d'être jetée hors de la fête *VF* à ma première apparition. J'ai entendu dire qu'il y a une liste de grandes vedettes qui n'ont jamais été réinvitées parce qu'elles se sont mal comportées ou n'ont pas été gentilles avec le personnel de service. Mince.

Je regarde autour de moi. Les tables sont peu décorées; des nappes blanches, de minuscules lampes et des roses couleur liqueur de cerise. Sur la table, il y a des biscuits portant une image au pochoir de la couverture annuelle Young Hollywood de *Vanity Fair*, ainsi que des pages couvertures remontant aux années 1920. Mon unique objectif de publicité est d'apparaître sur la couverture Young Hollywood. C'est comme le bottin des personnalités en vue. Ils ont à l'occasion présenté une vedette de la télévision, mais c'est habituellement les filles avec des carrières cinématographiques montantes qui font la une.

Avec *AF* qui achève, ce pourrait être ma chance de faire exactement cela. C'est-à-dire si je cesse de me sentir coupable et de paniquer assez longtemps pour choisir un projet et m'y tenir. Mais que se passera-t-il si *Manolo* ne fonctionne pas? Et si je n'aime pas les autres pilotes? Et si les gens de la pièce de théâtre me détestent? Est-ce que je pourrais être finie à dix-sept ans? Ma première année à la fête *VF* pourrait-elle également être ma dernière?

— Regarde les briquets, dit Matty en interrompant mes pensées.

Ce sont des Zippo fabriqués sur mesure avec une citation gravée dessus : *J'ai assisté à une fête fabuleuse*.

— Je dois en prendre un, ajoute-t-il.

Je lui lance un regard. Je ne suis pas certaine que nous ayons le droit de les piquer.

Le dîner et la cérémonie d'un peu plus de quatre heures filent en un clin d'œil. Cela ne nuit pas que chaque service, préparé par le chef de Morton's, est plus délicieux que le précédent : burrito avec salade de tomates jaunes et rouges, bifteck de surlonge coupe New York avec épinard et frites, thon en croûte de thym avec une fondue de poireaux et riz, ravioli à la courge musquée avec sauce à la sauge, et tarte aux pommes avec sauce caramel et crème glacée à la vanille.

La compagnie est encore mieux. La personne qui a alloué les places a dû lire une de mes entrevues : je viens de passer quatre heures assise à côté de Carrie Fisher. LA princesse Leia !

Je suis sûre qu'elle a cru que j'étais folle, car je n'arrêtais pas de la fixer. Je voulais lui demander de réciter une réplique de *La guerre des étoiles* ou quelque chose, mais j'étais trop gênée. J'étais impatiente de m'échapper de la table pour le raconter à Austin. J'ai même pris une photo de nous ensemble avec mon Canon Sure Shot (l'appareil parfait pour un minuscule sac à main métallique). Je vais devoir la faire agrandir à la taille de mon mur de chambre.

Mais savez-vous ce qui était encore plus génial que d'avoir la photo ? Carrie Fisher savait qui j'étais ! J'aurais pu mourir sur-le-champ. Nous avons commencé à parler d'arc narratif et, le temps de dire ouf, elle a prononcé dix petits mots qui ont fait battre mon cœur comme celui d'un athlète après quatre Red Bull.

— Je ne peux pas croire qu'*AF* quitte les ondes.

Et encore pire :

— Que comptes-tu faire une fois l'émission terminée ?

Même le soir des Oscars, quand tout le monde pense à l'ensemble du travail de quelqu'un d'autre et à qui gagnera le petit homme en or, je ne peux échapper à mes angoisses professionnelles. Même le fait d'être assise à côté de la princesse Leia ne suffit pas à les oublier. Je donne la réponse type que j'ai développée à la perfection maintenant :

— Je suis excitée par l'avenir et j'explore mes choix.

— Kates, puis-je te parler ? me demande Matty après le dessert, lorsque tout le monde s'est déplacé dans la tente de 650 mètres carrés pour l'après-fête.

On dirait un salon géant. C'est tranquille à présent, mais pas pour longtemps. Une foule de visages célèbres entrent en file derrière nous, embrassant l'air, se félicitant les uns les autres à propos des films récemment sortis et brassant discrètement des affaires. Je suis en admiration devant la suite de vedettes de premier plan passant devant moi. Je n'ai jamais vu autant de mes vedettes préférées en un seul endroit auparavant. Matty a raison : c'est un peu difficile pour les nerfs. Merci mon Dieu, je ne suis pas seule.

— Tiens mon bras afin que nous ne soyons pas séparés, murmuré-je.

— Euh, c'est à ce propos, m'explique Matty. Je me demandais si ça irait pour toi si je te laissais seule un peu.

— Quoi ?

Je suis étonnée.

— Où vas-tu ?

— Il y a quelques acteurs du pilote Scooby Doo ici et ils m'ont invité à m'asseoir avec eux.

Matty a l'air désespéré.

— Je veux vraiment faire une bonne impression puisque nous tournons la semaine prochaine.

Tom est le réalisateur, et lui et Matty se sont libérés quelques jours pour filmer l'autre émission. Comme Scooby est entièrement à propos de chasse aux monstres, ils tournent une grande portion du pilote la nuit de toute façon.

— Je vais t'accompagner, lui dis-je.

Je ne veux pas dire que je ne désire pas qu'il me laisse seule, mais je commence à paniquer. Orlando Bloom vient juste de me décocher un clin d'œil. Et, oui, j'ai déjà rencontré Rihanna, qui est debout à un mètre de moi, mais nous n'avons jamais échangé plus de trois mots. De quoi discuterions-nous ?

— Ouais, rétorque Matty, mais son visage lance un autre message. C'est simplement que si tu viens, les gens ne parleront que de toi et de la fin d'*AF*. Si j'y vais seul, je ne serai pas le petit frère de Kaitlin, tu comprends ?

Ses yeux me supplient.

Je comprends.

— Vas-y, le rassuré-je. Je vais me mêler aux autres et tu me rejoindras lorsque tu auras terminé.

Matty m'embrasse sur la joue.

— Je n'en ai que pour dix minutes.

*   *   *

Quarante-cinq minutes plus tard, j'ai rencontré Shakira, mangé des brochettes de poulet avec Kelly Clarkson et supplié Hayden Panettiere de me révéler en primeur ce qui va se passer dans *Les Héros*. Je n'ai pas encore aperçu Sky, qui a été invitée à l'après-fête (« Je ne voulais pas aller à leur dîner de toute façon. Qui veut manger devant d'autres personnes ? » m'a-t-elle déclaré), mais cela ne signifie pas qu'elle n'est pas ici. Cette tente est bondée et il y fait tellement sombre, je vois à peine plus loin que le sofa crème de blé le plus près. La pièce est doucement éclairée et vraiment jolie. Les murs de la tente sont faits de deux couches de jute avec de l'éclairage entre les deux toiles. Des triangles de 60 centimètres sont suspendus au plafond très haut au-dessus des sofas et des ottomanes posés sur le sol couvert de bambou.

Je jette un coup d'œil à la table comble où Matty est entouré de sa cour et je la regarde avec envie. Si j'avais cru me sentir seule avant, ce que j'éprouve maintenant est dix fois pire. Si les choses étaient différentes, Austin serait à mon bras ou Liz se tiendrait à côté de moi.

Liz et moi nous serions follement amusées à nous lancer le défi d'aller nous présenter à Pam Anderson ou à Bono. Elle serait celle qui me dirait d'ignorer tous ces gens qui parlent de la fin d'*AF* et de me concentrer sur la soirée. Nous nous serions extasiées sur les robes des invitées et nous nous serions inquiétées d'avoir été photographiées en train de manger. Tout à coup, ma meilleure amie me manque cruellement. C'est idiot. Bon, nous avons eu une petite prise de bec. Nous sommes meilleures amies depuis toujours ! Je vais lui téléphoner.

Je me fraye un chemin dans la foule jusqu'aux toilettes et je me dirige vers un coin (plus) tranquille à l'extérieur de l'entrée. La file est longue, mais je ne crois pas que quelqu'un s'intéresse à mon appel. Je compose le numéro de Liz. Elle décroche à la deuxième sonnerie.

— Allô ?

Il y a de la friture au téléphone et j'ignore si c'est sa connexion ou la mienne qui est en cause.

— Liz, c'est moi, lui dis-je. Écoute, je suis à la fête *Vanity Fair* et tu ne devineras jamais qui je viens juste de rencontrer.

La friture augmente.

— J'aimerais vraiment…

— Entends. Pas.

Les mots de Liz sont embrouillés et elle raccroche.

— …que tu sois ici.

Je termine la phrase à voix haute pour moi-même et j'attends qu'elle me rappelle. Je suis certaine que mon numéro s'est affiché sur son appareil et qu'elle sait que c'était moi. Si elle est hors de portée, elle va simplement trouver un endroit où la réception est meilleure pour me rappeler. Elle sait où je suis ce soir, alors je suis sûre qu'elle va me rappeler. Tout à coup, j'aimerais pouvoir téléphoner à Austin, mais il est en plein milieu de sa partie hors-concours. Je donnerais n'importe quoi pour entendre sa voix maintenant. Mais j'attends plutôt l'appel de Liz. Et j'attends. Et j'attends.

Mais elle ne rappelle pas. Je reste là pendant quinze minutes, mais mon téléphone ne sonne pas du tout et comme j'ai quatre barres, je sais que j'ai une réception parfaite.

J'essaie de combattre mes larmes. Je ne peux pas pleurer devant tous ces gens. Cependant, c'est la seule chose dont j'ai envie : pleurer. Je veux oublier ma querelle avec Lizzie. Oublier la fin d'*AF*. Oublier la pression à laquelle je suis soumise par maman et papa et Laney et Nadine et Seth pour que je trouve mon prochain gros projet. J'en ai marre d'entendre tout cela. Et maintenant, je ne suis pas seulement stressée, je commence à ressentir de la colère. Je ne sais pas combien de temps je pourrai encore supporter tout cela.

— Kaitlin ? Est-ce que ça va ?

Je lève les yeux. Ava est devant moi, serrant une pochette dorée. Elle est jolie dans sa robe de soirée turquoise Dina Bar-El ajustée à sa minuscule silhouette. Ses longs cheveux blonds sont super bouclés et elle porte tellement de bijoux brillants que mes yeux font mal à les regarder. Lauren l'accompagne et elle a l'air formidable dans une robe mini dorée et avec les cheveux relevés très hauts sur la tête.

— Qu'est-il arrivé ? demande Lauren en plaçant un bras autour de moi. Nous t'avons cherchée partout.

— J'ai mal à la tête et je veux juste rentrer à la maison, réponds-je en pleurant.

— Hé, dit Ava sévèrement. Reviens sur terre. Tu as dit toi-même que tu mourais d'envie d'obtenir une invitation à cette fête. Tu ne rentres pas. Qu'est-ce qui se passe ?

— Tu peux nous parler, déclare gentiment Lauren. Nous sommes tes amies.

Mes amies. J'aime entendre cela. J'ai vraiment besoin d'amies en ce moment.

— Voulez-vous sincèrement savoir ce qui se passe ? leur demandé-je d'un ton sceptique.

C'est habituellement l'instant où tous ceux que je connais m'interrompent.

— Nous ne le demanderions pas si ce n'était pas le cas, répond simplement Ava.

Clic. Clic. Clic.

Je lève les yeux. Gary et Larry le menteur prennent des photos de nous.

— Allez-vous-en! lance Ava d'un cri perçant.

Gary semble inquiet.

— Mais tu as dit que tu désirais que nous prenions des photos.

— Ne voyez-vous pas que notre amie est bouleversée? se plaint Lauren. Partez. Nous vous reverrons sur le plancher de danse.

Je souris à Lauren avec gratitude quand elle me tend un mouchoir froissé.

— Je suis vraiment contente que vous soyez ici toutes les deux.

Je sens mon téléphone cellulaire vibrer dans mon sac à main, mais je ne m'arrête pas pour regarder. Si c'est Matty, nous nous retrouverons plus tard.

— Trouvons une table tranquille où nous pourrons parler, suggère Ava.

Elle et Lauren passent chacune un bras autour de moi et nous nous dirigeons vers un petit box éclairé aux bougies à l'arrière. Des gens tentent de nous arrêter en chemin, mais Ava et Lauren les ignorent, tout simplement.

— Dis-nous ce qui se passe, demande Ava une fois que nous sommes installées.

Lorsque je me lance, je ne peux plus me retenir. Ava et Lauren écoutent réellement. Elles ne m'interrompent pas du tout, sauf pour l'occasionnel « va chez le diable! » ou « ils sont fous! » Je me décharge de ma colère à propos de mes parents, de Seth, de Nadine qui m'embête, de ma querelle avec Liz, du fait que mon petit ami me manque énormément et de la peur et de l'atermoiement qui m'affligent en parts égales par rapport à la recherche d'un prochain projet. Je ne cache rien. C'est bon de tout mettre sur la table. Quand j'ai terminé, Ava est la première à parler.

— Tu dois te débarrasser de tous ces gens! déclare-t-elle. Ils t'affaiblissent. Enfin, sauf ton séduisant copain. Il semble correct.

Je lui lance un petit sourire satisfait.

— Je le garde, c'est certain, mais, bien, je ne peux pas renier mes parents. Cependant, c'est bon de savoir dans quel camp vous êtes.

— Bien sûr que nous sommes avec toi, déclare Lauren. Je pense que tout le monde te tyrannise. Qui se soucie que tu aies une nouvelle émission ou un film à tourner ce printemps? Ava et moi n'avons rien fait depuis l'an dernier et les médias nous adorent encore. Tu n'as pas besoin de t'acharner au travail pour obtenir les avantages de la célébrité, tu sais.

Je hoche la tête. Sauf que je ne désire pas être une célébrité. Je veux être une actrice. Et la vérité, c'est que j'aime travailler. Je pense que je m'embêterais énormément si j'étais à la maison tous les jours. J'avais l'habitude de rêver de congés, mais quelques mois pendant les pauses de tournage sont vraiment tout ce dont j'ai besoin.

— Je suis contente que vous compreniez, les filles. Personne d'autre ne semble conscient de ce que je traverse, me plains-je.

— Tu sais ce dont tu as besoin? s'enquiert Ava. Tu dois prendre le contrôle de ton propre destin. C'est comme je n'arrête pas de te le dire : personne ne te respectera comme tu le mérites à moins que tu n'imposes toi-même ce respect. Je n'arrive pas à croire qu'ils t'ont obligée à produire un démo de chanson! Ne les laisse plus diriger ta vie et te forcer à faire des choses stupides. Tu dois prendre les décisions. Que savent-ils de toute façon?

— Bien, Seth est un agent estimé, admets-je. Et Laney est l'une des meilleures agentes de publicité en ville.

Lauren tousse.

— Tu pourrais embaucher une agente publicitaire pour la moitié du prix pour le même travail. Je n'en emploie même pas en ce moment et regarde-moi. Je me débrouille bien.

— Ta dernière agente publicitaire t'a quittée, lui rappelle Ava.

Elles rigolent.

— Pour une bonne raison.

— Pourquoi ? demandé-je.

— Ce n'est pas important, lance Ava d'un ton dédaigneux. En ce moment, nous nous inquiétons pour toi. Tu es complètement déboussolée ! Il est temps pour Kaitlin Burke de s'accorder une pause pour s'occuper d'elle-même. Arrête de permettre aux autres de mener ta vie.

Je sens la colère remonter en moi.

— Vous avez raison ! leur dis-je. C'est vrai que je mérite de prendre du temps pour moi-même.

Je me sens plus forte juste à prononcer les mots à haute voix.

— Bravo, me félicite Lauren. Sois libre.

Tout à coup, elle sursaute et s'empare de ma main.

— J'adore cette chanson !

Il s'agit d'un tube de Ne-Yo et je connais les paroles par cœur. Nous commençons toutes les trois à chanter à pleins poumons et je m'en fous si les gens nous fixent du regard. C'est bon de se laisser aller.

— Ooh ! Allons danser, suggère Ava. Nous pouvons danser et nous moquer des autres en même temps.

Lauren glousse.

— Sérieusement, c'est l'un de nos passe-temps favoris, dit-elle d'un ton de conspiratrice. As-tu vu ce que certaines de ces personnes portent ?

Je dois afficher un air surpris, car elle ajoute :

— Nous le faisons pour nous amuser. Nous ne sommes pas vraiment méchantes, tu sais. Tout le monde le fait.

Je hoche la tête.

Elles m'entraînent hors de notre petit coin où nous avons passé presque une heure à bavarder pour aller danser. Il y a un animateur formidable à cette fête. Nous nous trémoussons en cercle en nous tenant les mains et en chantant toutes les paroles. Nous nous arrêtons régulièrement afin qu'Ava ou Lauren puisse baver d'admiration devant une vedette qui essaie de s'introduire dans notre petit groupe. Je jure qu'elles doivent connaître tout le monde ici. Je m'amuse tellement, je ne regarde pas l'heure. Ce n'est que lorsque Matty se joint à nous que je réalise qu'il est très tard.

— Rodney nous attend devant avec la voiture, crie Matty pardessus la musique tonitruante. Il est 1 h 30.

1 h 30 ?

— Les filles, je dois partir, dis-je tristement à Ava et à Lauren. Elles grognent.

— Nooooooon, gémit Ava. Dois-tu t'en aller maintenant ? Il y a cette après-après-fête géniale à Valley après ceci.

— Je dois rentrer au travail à 7 h demain matin, les informé-je d'un ton d'excuse.

— Prends un congé pour maladie, suggère Lauren. Combats la tyrannie !

Je ris.

— Je ne peux pas. Merci encore pour ce soir, par contre. C'était bon de me défouler.

— Nous sommes contentes que tu l'aies fait, déclare Ava alors que Matty commence à me tirer par le bras. Nous t'appellerons demain.

Ce n'est que lorsque nous sommes enfin installés dans la voiture et que je regarde le numéro de Carrie Fisher sur mon Sidekick que je constate que j'ai manqué un appel sur mon cellulaire. De Liz. Elle a rappelé il y a environ vingt minutes. Pendant un instant, je suis excitée. Si elle se trouve sur la côte est, il n'est pas trop tard pour lui téléphoner et lui raconter ma soirée. Mais alors, pourquoi devrais-je l'appeler ? Liz n'a pas essayé très fort de me joindre plus tôt. Elle aurait pu laisser un message dans ma boîte vocale, mais elle ne l'a pas fait. Liz n'était pas présente pour moi quand j'avais besoin d'elle. Ava et Lauren, si. Je ferme le téléphone et je me repasse le film magique de ma première fête *VF* dans ma tête.

DIMANCHE 8 FÉVRIER
NOTE À MOI-MÊME :

H de convoc lundi : 7 h

APERÇUS LE SOIR DES OSCARS, LA SUITE... 9 février

Sky Mackenzie parlant à l'oreille d'**Elton John** à la fête de *In Style*. J'imagine que Sky était plutôt seule. Sa flamme, **Trevor Wainright**, l'a essentiellement ignorée. Il a plutôt passé la soirée entre deux blondes inconnues. Comme elle était furieuse. Hi hi...

L'actrice rejetée par *Affaire de famille*, **Alexis Holden**, refusée à la porte de la fête *Entertainment Weekly*. Nous sommes certains que la rumeur négative autour de son prochain film, *Paris brûle* (qui a déjà changé une fois de vedette principale), en était principalement responsable...

Drew Thomas faisant sa cour à la plus récente fille « branchée » d'Hollywood, Piper Long, au bal du gouverneur. Hum... Drew est-il sincèrement attiré par Piper ou s'accrochait-il à son bras uniquement pour la publicité ? Il était tout feu tout flamme devant les appareils-photo, mais quand les projecteurs quittaient le couple, il nous semblait s'ennuyer ferme...

Mac Murdoch et son groupe de célébrités prenant la scène d'assaut à la fête d'*Hollywood Nation*. Les gars jouaient si mal que la salle s'est vidée en quelques minutes. Accorde-nous une faveur et contente-toi de sonner les méchants dans tes films d'action, Mac. Bisou !

Repérée à la fête *Vanity Fair* dans une délicieuse robe de soirée marine Jay Godfrey : nulle autre que notre gentille fille préférée, **Kaitlin Burke**. Mais nos yeux nous trompaient-ils ou a-t-elle vraiment passé la soirée avec les deux héritières notoires pour leur mode de vie débridé **Ava Hayden** et **Lauren Cobb** ? Ces trois-là semblent se fréquenter beaucoup en ce moment. Tu ferais mieux de te méfier de ces deux-là, Kaitlin. Sauf si tu vises à devenir une habituée de la chronique du mauvais comportement, reste loin...

AF2020 «Désolée ne fait pas partie
de mon vocabulaire»
(SUITE)

7. INT. DU MANOIR BUCHANAN — CHAMBRE DE SAM
SAMANTHA est devant sa fenêtre de chambre et regarde le domaine Buchanan. Elle porte un survêtement, ses cheveux sont décoiffés et son visage est dénué de maquillage. Elle ouvre sa fenêtre et agite la main vers quelqu'un en bas. Elle tire une corde de sous son lit et la lance par-dessus le rebord de la fenêtre. Elle commence à passer à son tour par-dessus le rebord de la fenêtre quand la porte s'ouvre.

PAIGE
(inquiète) Samantha! Qu'est-ce que tu fais? (attrape le bras de sa fille)

SAMANTHA
Je sors. Lâche-moi.

PAIGE
Tu ne vas nulle part. Tu es privée de sortie, jeune fille! (regarde par la fenêtre) Et tu n'iras certainement nulle part avec Nick Masters. C'est un arnaqueur.

SAMANTHA
Nick est le seul qui me comprenne.

PAIGE
Comprendre quoi, Sam? Que tu ne veux pas déménager? Ce n'est pas une façon

de présenter tes arguments. Tu n'es plus avec Ryan. Tes professeurs n'arrêtent pas de téléphoner à propos de devoirs non remis. Tu as été en retenue la semaine dernière pour avoir été impolie avec le principal. Cela ne te ressemble pas, Sam.

SAMANTHA
Il s'agit peut-être de ma nouvelle personnalité, maman. Y as-tu déjà pensé?

PAIGE
Sam, je sais que tu as de la difficulté à accepter la nouvelle de notre déménagement, mais cela ne te donne pas le droit d'agir ainsi. Te battre contre les événements n'y changera rien.

SAMANTHA
Peut-être, mais voir la peine que cela t'inflige me fait assurément me sentir mieux.

Paige commence à pleurer et Sara entre dans la chambre.

SARA
Wow. Sam, quelle façon nonchalante de t'habiller! Pourquoi maman pleure-t-elle?

SAMANTHA
J'en ai fini avec ces drames. Je pars d'ici et je ne reviens pas. Amusez-vous à Miami!

Sam glisse lentement le long de la corde et court vers la voiture de Nick. Ils partent tous les deux en faisant rugir le moteur pendant que Paige et Sara les observent depuis la fenêtre de la chambre.

NEUF : *Quelqu'un est en déni et c'est si bon*

— Merci, Pete, grommelé-je d'une voix endormie alors qu'il me remet mon deuxième double expresso au lait glacé de la journée. Tu me sauves la vie.

Ai-je mentionné qu'il n'est que 10 h 30?

Si nous ne bénéficiions pas d'un service de traiteur au travail, j'ignore comment je survivrais à certains jours. Pete garde en réserve tout ce qu'on pourrait désirer pour recevoir une bonne dose d'énergie (y compris des mélanges de cafés glacés) ou pour se consoler après une crise majeure (des M&M'S et des carrés au chocolat pour vous servir). C'est un champion pour savoir ce dont vous avez besoin au moment opportun — comme le matin après les Oscar, quand tout le monde sur le plateau est fatigué et susceptible. Téléphoner pour dire qu'on est malade ne passerait pas. Tom sait que nous étions sortis hier pour faire la fête. Il a toutes les photos des paparazzis dans les magazines importants et sur les sites Web pour le prouver.

Les choses avancent plus lentement qu'à l'habitude, par contre. Nous avons seulement filmé une scène de trois minutes à l'intérieur de Summerville Breads (un endroit où les élèves traînent) et nous devons encore réaliser la scène où Sam s'enfuit de la maison. (Tom promet que Sam reprendra ses esprits avant le dernier épisode. Entre-temps, la méchante Sam est amusante à incarner.) J'ignore si nous nous rendrons à cette scène aujourd'hui. Nous trébuchons tous sur nos répliques. Heureusement, Tom aussi est sorti hier soir, alors il ne peut pas être trop en colère.

Sky arrache son propre café au lait des mains tendues de Pete.

— Il ferait mieux de contenir une dose supplémentaire d'expresso.

— C'est la façon de Sky de dire merci, déclare Trevor à Pete.

Au lieu d'un café, il prend un autre Red Bull.

— Comment saurais-tu ce que j'ai voulu dire? demande Sky, l'air furieuse. Les gens doivent passer du temps avec les autres gens pour savoir ce à quoi ces derniers pensent. On ne peut pas ignorer les gens et ensuite s'attendre à ce que ces mêmes personnes s'occupent de vous.

Sa voix monte et Pete recule de quelques pas pour éviter d'être dans la ligne de feu.

— N'est-ce pas exact, K.?

Sky me regarde en désespoir de cause. Ses cernes sont énormes, comme les miens le sont j'en suis certaine. Tous les acteurs sur le plateau en arborent et je suis sûre que le personnel au maquillage videra au moins une douzaine de tubes de cache-cernes aujourd'hui pour tenter de les dissimuler.

— Oui? réponds-je, même si je ne sais pas trop pourquoi Sky est tellement remontée.

— Donc, tu dis que les gens ont besoin des gens?

Trevor commence à chanter la vieille chanson de Barbara Streisand en s'éloignant et je ne peux pas m'empêcher de ricaner.

La poitrine de Sky se lève et s'abaisse comme si elle venait de courir un marathon. Elle grogne bruyamment en signe d'exaspération.

— Je ne le comprends pas, se plaint-elle à moi. Il m'a demandé si j'assistais à la fête de *In Style* et j'ai dit oui. Et quand il est arrivé là-bas, il m'a ignorée toute la soirée. J'ai laissé tomber la fête *Vanity Fair* à cause de lui et il ne m'a quand même pas adressé la parole!

Elle a l'air si bouleversée que je me sens vraiment mal pour elle. Peut-être devrais-je dire à Trevor de la snober un peu moins. Ça pourrait se retourner contre lui.

— As-tu déjà songé que Trevor essayait peut-être simplement de te rendre jalouse ? lui demandé-je.

Le visage de Sky s'éclaircit.

— A-t-il dit cela ? s'enquiert-elle avec espoir.

— Non, mens-je.

Je ne peux pas complètement trahir Trevor.

— Mais c'est peut-être sa façon de te rendre la monnaie de ta pièce pour la manière dont tu l'as traité l'été dernier.

Elle roule les yeux.

— Il n'en est pas encore revenu ?

— Nous ne surmontons pas tous l'humiliation aussi facile-ment que toi, lui rappelé-je. Peut-être que si tu continues à te mon-trer gentille à son égard, sans t'accrocher à lui, il se montrera plus attentif avec toi. Donne-lui du temps.

— D'accord, grommelle-t-elle. Maintenant, plus de conseils de toi. Cela me donne des démangeaisons. Comment était ta soirée ?

Je bois une gorgée de mon café au lait.

— Amusante. J'ai passé mon temps avec Ava Hayden et Lauren Cobb.

Ses yeux s'assombrissent.

— Encore ? Qu'est-ce qui se passe entre vous trois et les paparazzis ?

— Nous sommes sorties ensemble quelques fois, réponds-je.

C'est avec Ava et Lauren que j'ai été le plus détendue depuis un moment.

— Elles sont gentilles.

Sky émet un son non identifiable.

— Tu ne dirais pas cela si tu les connaissais vraiment.

Tout me revient à présent que mon esprit ensommeillé s'éveille. Lauren a mentionné Sky ! Apparemment, elles étaient un trio inséparable jusqu'à l'an dernier, quand elles ont eu une querelle majeure à propos d'un garçon. Elles se détestent à présent.

— Les filles, avez-vous parlé à Melli? nous interrompt Matty en s'approchant du cuistot.

Il prend une barre muesli et une pomme sur la table.

— Elle s'est désistée pour le film *Vengeance*.

— Es-tu sérieux?

Je suis sous le choc. Melli était incapable de s'arrêter de parler du rôle entre les prises toute la semaine dernière.

— Elle adorait ce rôle!

— C'est dans le *Variety* de ce matin, déclare Matt.

— Tu as assisté à la fête *Vanity Fair* et tu t'es tout de même levé assez tôt pour lire *Variety*? s'informe Sky.

Matty hausse les épaules.

— En tout cas, je viens de croiser Melli qui discutait avec Tom et elle a dit avoir réalisé ne pas souhaiter accepter un nouveau rôle aussi vite. Elle veut passer du temps avec sa famille.

— Quelle est la raison officielle selon *Variety*? demandé-je.

Matty fait un sourire sournois.

— Divergences d'opinions en matière de création.

Ah. C'est toujours une bonne raison.

SECRET D'HOLLYWOOD NUMÉRO NEUF : Même après qu'une célébrité a annoncé publiquement son intention de tourner un film, cela ne signifie pas que le projet va devenir réalité. Je vous ai déjà parlé de vedettes qu'on laisse tomber brusquement parce que le réalisateur a compris que son enfant chéri n'était pas si précieux après tout. Mais que se passe-t-il quand c'est la vedette, et non le réalisateur ou le studio, qui se retire d'un rôle pour lequel elle s'est déjà engagée? Vous pourriez probablement vous désister lorsque vous recevez un nouveau scénario et que vous le détestez, ou si le film change de réalisateur, mais si aucune de ces choses ne se produit? Si vous ne voulez pas vous retrouver avec une poursuite en justice réclamant des millions de dollars pour avoir retardé le film, alors vous devez jouer de prudence. La plupart des vedettes qui agissent ainsi rejettent le projet dans les semaines entre l'accord verbal et la signature du contrat officiel. Évidemment, le studio est furieux, mais on ne peut pas vraiment vous poursuivre pour cela. Et si le studio a déjà annoncé ou fait savoir discrètement aux médias que vous tiendriez la vedette dans le prochain film à voir absolument l'été venu, c'est à eux de nettoyer leur gâchis.

— Donc, Melli n'a aucun projet après *Affaire de famille*?

Sky paraît abasourdie.

— À quoi pense-t-elle? Les gens l'oublieront!

— Je doute fortement que quelqu'un oublie Melli, lui dis-je patiemment. Elle est une immense vedette.

Sky hausse les épaules.

— Aujourd'hui, mais quelques mois ou un an sans voir son visage à la télévision ou dans les cinémas et on ne la retiendra pas pour les films Hallmark. Tu sais comment cette ville fonctionne : un mauvais rôle et vous êtes de l'histoire ancienne.

Sky secoue tristement la tête.

— Je sais que Melli a gagné beaucoup d'argent avec cette émission, mais il ne durera pas toujours. Elle n'aura plus les moyens de garder sa maison si elle ne signe pas pour de nouveaux films.

— Tu as tort, lui dis-je.

Je tremble et je croise mes bras sur ma poitrine. C'est plutôt froid dans le studio quand on porte seulement un haut à bretelles Juicy et un survêtement. Sky arbore une jupe verte Zac Prosen avec des bottines et une blouse de soirée dénudant le nombril criante de vulgarité.

— Tout le monde n'a pas besoin d'aligner un projet après l'autre, rappelé-je à Sky. Peut-être Melli veut-elle s'accorder du temps avant de prendre une décision. Peut-être qu'elle ne peut plus supporter d'être menée à la baguette! Ou encore elle n'a pas reçu de nouvelles du projet qu'elle désire vraiment.

Je pense au film *Manolo*. Le réalisateur est à l'extérieur de la ville depuis deux semaines et Seth ne l'a pas joint. Je commence à perdre espoir.

Mal à l'aise, Matty change de position ; il porte le pantalon d'entraînement et le chandail molletonné de Summerville High de la scène précédente.

— Es-tu certaine de parler de Melli, K.? me demande Sky d'un ton léger. Arrête de paniquer. C'est mauvais pour ton teint.

Elle avale bruyamment une gorgée de café, sourit à Matty et se dirige presque en sautillant vers sa loge pour se préparer pour la scène suivante.

— HÉ!

La voix de Nadine est tellement forte et pétillante, je tombe pratiquement à la renverse sur le chariot du traiteur. Pete, qui s'activait à préparer une boisson aux fruits pour Matty, échappe le couvercle du mélangeur, qui s'écrase au sol avec fracas.

— Qu'est-ce que tu fais? As-tu terminé la scène? demande-t-elle.

Elle serre un livre de poche surdimensionné par-dessus sa bible, ce qui ne peut que signifier qu'elle souhaite...

— Cours, me murmure Matty à l'oreille.

— J'espérais que nous pourrions faire un autre examen SAT, déclare Nadine. Je n'ai pas été enchantée par ton dernier résultat.

Je gémis.

— Nadine, j'ai étudié tous les jours, me plains-je. Je ne pense pas pouvoir réussir un autre examen de pratique. Pas aujourd'hui. Je suis épuisée.

— Que feras-tu si tu dois travailler tard le soir avant l'examen? veut savoir Nadine. Tu devras y aller même si c'est pénible. C'est un bon exercice !

Ses bracelets de perles cliquettent à son poignet. Elle porte un mignon chandail brun avec un pantalon kaki. C'est un look chic pour Nadine.

— Vas-tu quelque part après le travail? lui demandé-je.

Elle me regarde comme si j'étais folle.

— Nous ne quitterons pas le plateau avant au moins 22 h.

— Alors, pourquoi es-tu sur ton trente-et-un? demandé-je.

Nadine baisse les yeux sur sa tenue.

— J'essaie de m'habiller de manière plus professionnelle, répond-elle. Mais ce n'est pas important. Ce qui est important, c'est ton SAT. L'examen est…

— Dans quelques semaines, finissons-nous à l'unisson, Matty et moi, d'une voix aussi unie que le ventre plat d'un mannequin.

— Exactement.

Nadine hoche la tête, inconsciente de notre ton.

— Nous devrions vraiment caser un examen par jour jusque-là. Oh! Et j'ai encore parlé à Seth.

Elle feuillette son cartable et remet quelques feuilles de papier volantes à Matty.

— Depuis quand parle-t-elle à Seth? me demande Matty à voix basse.

— Depuis qu'elle a commencé à se métamorphoser en Laney et en maman, murmuré-je.

J'adore Nadine à mort, mais je ne sais pas combien d'autres de ses rallyes d'encouragement à propos du SAT et de ma carrière je pourrai supporter. Je veux que ma véritable Nadine revienne dans son corps. Je ne comprends pas ce qui s'est passé. Nadine est rentrée à la maison pour les vacances de Noël et elle est revenue en monstrueuse maîtresse des tâches.

— Il semble que le réalisateur de *Manolo* est encore à l'extérieur de la ville.

Nadine fronce les sourcils.

— Seth me paraît un peu inquiet que tu n'obtiennes pas le rôle, mais c'est uniquement mon avis. Les gens de la pièce de théâtre prennent l'avion cette semaine pour venir te rencontrer. Mais cela ne fonctionnera pas. Tu dois étudier pour le SAT. Je vais devoir reporter ce rendez-vous.

Elle commence à composer un numéro sur son téléphone.

— Nadine, attends! la supplié-je. S'ils font le voyage pour moi, je ne peux pas remettre la rencontre.

— Nous devrons nous assurer que la réunion reste courte, alors, insiste Nadine. Ta mère ne désire pas que tu joues dans la pièce de toute façon. Elle dit qu'elle ne te mettra pas suffisamment en vue.

Je penche la tête en arrière et je grogne. Dans quel univers parallèle suis-je tombée? Voilà la seule explication qui me vient à l'esprit pour expliquer comment Nadine a été endoctrinée par maman. Je fais rouler mon cou comme me l'a enseigné Austin. Il pense que cela aidera à soulager la tension que je semble accumuler dans mon cou et mes épaules. Ma poche commence à vibrer et je tends la main pour prendre mon cellulaire. Enfin de bonnes nouvelles : c'est Austin!

— Hé!

Je me détourne de Nadine et de Matty, qui parle avec Pete pour avoir une deuxième boisson aux fruits à rapporter avec lui à sa loge.

— Comment était la partie? J'ai essayé de t'appeler...

— Je sais, je suis désolé. Nous avons gagné et l'entraîneur nous a amenés dîner pour célébrer.

J'entends beaucoup de bruit en arrière-plan et je comprends qu'il est dans le car en route vers l'école. La partie hors-concours avait lieu à 20 h hier et elle durait deux heures, l'équipe a donc couché là-bas.

— C'est formidable! lui dis-je. Y avait-il des dénicheurs de talent?

— En fait, l'un d'eux connaissait mon nom et il a dit qu'il communiquerait avec moi, m'apprend Austin. Et j'ai rencontré l'un des entraîneurs du camp où Rob et moi désirons aller au Texas.

— Tu sembles avoir passé une excellente soirée.

Je souris. Le simple fait de parler avec Austin améliore mon humeur. J'aimerais qu'il soit ici maintenant. Il me manque vraiment.

— Va pour vendredi. J'espère que je pourrai attendre aussi longtemps.

Aaaah.

— Je t'appelle après le travail, lui promets-je.

— Cela vaut mieux, déclare-t-il avant de raccrocher.

J'ai la tête tellement ailleurs après cela que je ne remarque pas Tom debout devant moi.

— Hé, ma vieille, lance-t-il avec un sourire.

Son visage est hagard et sa peau est presque jaune.

— T'es-tu amusée hier soir? Excellente photo de toi dansant sur un sofa à la fête *Vanity Fair*.

— Comment se fait-il que tout le monde ait vu ces clichés sauf moi? me plains-je.

— Ils sont affichés sur Private Hollywood Eyes, m'informe Matty en buvant sa boisson aux fraises.

— En tout cas, je me demandais ce que tu fabriquais maintenant, s'enquiert Tom.

Je suis perplexe.

— Je pense que je tourne la prochaine scène, n'est-ce pas?

Tom secoue la tête.

— Nous en filmons une avec Melli et Spencer en ce moment. Tu n'en joues pas une autre avant 14 h environ.

— Tu veux dire que je suis en pause jusqu'à 14 h?

Je peux à peine contenir mon excitation. Cela signifie que je pourrai dormir!

— Oh parfait! Tu as le temps d'étudier, intervient immédiatement Nadine.

Je l'ignore.

— En fait, j'espérais que Kaitlin pourrait réaliser son entrevue pour la rétrospective d'*AF*, déclare Tom. Je ne sais pas si tu as entendu la nouvelle, mais nous en faisons une qui sera diffusée en mai. Tout le monde tourne des interviews individuelles. On te demandera de raconter tes premiers souvenirs de l'émission, ta plus grande erreur en matière de mode vestimentaire, qu'elle est ton épisode préféré. Rien de compliqué. Tu auras terminé en moins d'une heure et il te restera du temps pour déjeuner.

Je sens la moiteur envahir mes paumes et j'entends le bruit de vague dans mes oreilles. Tourner l'émission de rétrospective ? C'est déjà le bon moment ? Cela signifie que nous approchons vraiment de la fin maintenant.

— Je ne sais pas, Tom, réponds-je nerveusement. J'ai de si gros cernes aujourd'hui. J'ignore si Shelly a suffisamment de cache-cernes pour retoucher mon maquillage.

— Tu as l'air bien, insiste Tom. Kaitlin, je sais que c'est difficile de dire adieu, mais…

— Je n'ai pas de difficulté à dire au revoir, mens-je. Je suis simplement fatiguée.

— Tu t'en sortiras bien, m'assure Tom. Je vais revenir dans quinze minutes pour savoir si tu es d'attaque.

Il s'éloigne.

— Je refuserais, me dit Nadine. Il t'a prise par surprise ! Tu pourras le faire plus tard. Maintenant, nous devrions faire un examen.

Son téléphone sonne.

— Oh ! Salut, Laney. Meg. Que se passe-t-il ? Quoi ? Non, je n'ai pas vu les photos. Qui sont Lauren et Ava ?

Je n'écoute même pas les propos de Nadine et c'est parce que de l'autre côté du studio, je vois une équipe d'accessoiristes démanteler le décor de Summerville Breads. Au début, je pense qu'ils le redressent, mais je les aperçois ensuite en train de démonter planche par planche le mur du fond, et je repère une autre personne qui emporte le box où s'assoient toujours Sam et Sara.

— Que fabriquent-ils ? demandé-je à Matty, alarmée. Pourquoi emportent-ils mon box ?

— Kates, tu n'écoutais pas ? s'enquiert Matty en me regardant comme si j'étais folle. C'était la dernière scène que nous tournions ici. Ils se débarrassent du décor. Il ne reste que quelques semaines de tournage, tu sais.

Je tiens fermement le poignet de Matty en observant deux hommes transporter le juke-box ailleurs. Savez-vous combien de pièces de vingt-cinq cents Sam a laissé tomber dans cet appareil? Combien de fois Sam et Ryan ont dansé lentement sur Robin Thicke? C'est à Summerville Breads que les Jonas Brothers ont joué la saison dernière et que Joe m'a donné l'un de ses médiators de guitare. Et maintenant, l'endroit a disparu. L'un des accessoiristes a démarré une petite scie à chaîne et il découpe la porte par laquelle Sam est passée en courant quand elle a su qu'elle était en nomination pour le prix de la pomme dorée de Summerville, le concours d'écriture auquel elle avait participé. Je cligne des yeux pour chasser mes larmes.

— Kates, est-ce que ça va?

Matty semble inquiet.

— Tu n'as pas l'air bien.

Je dois partir d'ici. Tout à coup, j'ai très chaud. Je ne peux plus respirer. Je suis sur le point de paniquer lorsque j'entends la sonnerie de mon téléphone.

— Allô?

Ma voix est enrouée de larmes.

— C'est nous! s'écrie Ava.

Je prends une profonde respiration.

— Hé.

— Où es-tu? Nous venons de nous lever et nous cherchons une place pour nous garer afin d'aller déjeuner, ajoute Ava. Rejoins-nous et nous irons faire les boutiques ensuite. Es-tu partante?

— Je ne peux pas, leur dis-je, grimaçant lorsque je remarque que la machine à maïs soufflé est le prochain article à disparaître. Je suis au travail.

— Dois-tu y rester? gémit Ava. Est-ce que tu tournes en ce moment?

— Pas tout à fait, l'informé-je. Ma prochaine scène est à 14 h.

— Ta mère veut te parler, articule Nadine en silence.

— Kaitlin! Viens alors! me supplie Ava. Sors de ce studio sombre et rejoins-nous. Reprends le contrôle! Tu as promis. Nous passerons te prendre et nous te ramènerons vitement au studio avant ton heure de convocation.

La scie à chaîne devient de plus en plus bruyante. Nadine continue à jacasser en arrière-plan. Chaque fois que je jette un œil vers elle, elle lève le cahier SAT et le pointe. Nadine note quelque chose sur un bout de papier et me le remet. Il y est écrit : *Ta mère est furieuse. Elle veut abandonner l'idée de* Manolo. *Elle pense que l'émission de télé-réalité est le bon choix.*

J'ai l'impression de ne plus pouvoir respirer. Ma poitrine est comprimée. Matty me regarde d'une manière étrange. Je dois partir d'ici.

— Pouvez-vous être ici dans dix minutes? chuchoté-je rapidement.

— Sans problème, dit Ava. Elle vient, l'entends-je annoncer à Lauren, qui applaudit. Donne-moi juste les indications pour me rendre.

Je lui indique la route à suivre et je bondis vers la porte. Le son des travailleurs démantelant Summerville Breads résonne dans mes oreilles.

— Kaitlin? Où vas-tu? entends-je Nadine crier par-dessus la scie à chaîne.

Je ne lui réponds pas.

Je m'en vais.

LUNDI 9 FÉVRIER
NOTE À MOI-MÊME :

Je reviens @ 14 h.

164

DIX : *Jouer les absentes*

La compagnie d'Ava et de Lauren est tellement amusante. Elles se foutent de savoir si je rencontre Paramount ou Universal. Elles ignorent totalement ce que mon cachet devrait être pour mon prochain film. Elles ne s'intéressent pas du tout au fait que je passe mon SAT ou non. Elles ne veulent que parler de vêtements et de garçons, dans cet ordre.

— Tu dois les acheter ! roucoule Ava quand je sors de la cabine d'essayage du Belladonna vêtue d'un chandail kaki Chunky Sweater de Juicy Couture (300 $) et d'un jean à jambe droite Birkin de Citizens of Humanity (188 $).

Nous arrivons tout juste de notre déjeuner au restaurant The Blvd du Beverly Wilshire, et même si je ne dispose que d'une heure et demie, Lauren et Ava ont déclaré que je méritais de faire les boutiques rapidement après avoir quitté le plateau comme je l'ai fait. Voilà comment nous avons atterri au Belladonna, propriété de la correspondante de *Celebrity Insider*, Taylor Ryan. Elle est la propriétaire de cette petite chaîne californienne de boutiques de vêtements chics et on peut toujours trouver des pièces uniques ici.

SECRET D'HOLLYWOOD NUMÉRO DIX : Vous savez que je vous ai déjà révélé que les vedettes ne mettent pas la main à la pâte dans leurs restaurants ? Bien, lorsqu'il s'agit de vedettes qui sont proprié-taires de boutiques de vêtements ou qui possèdent leur marque personnelle, c'est habituellement une tout autre histoire. Plusieurs de mes amis célèbres ont leur marque et ils surveillent tout depuis les premières esquisses, les tissus, les choix de couleurs jusqu'aux essayages, assistant aux réunions et organisant les défilés de mode. Si j'avais ma propre étiquette, je pense que j'aimerais fabriquer des vêtements à prix raisonnable et mignons selon la mode. J'aurai peut-être ma propre collection chez Target. Ce n'est pas parce que je dépense beaucoup pour des vêtements que parfois je ne grimace pas devant le prix de la facture.

— Dis-moi que tu achètes cette tenue, insiste Ava.

Elle porte une blouse noire transparente Joie Sugar qui ressort bien avec ses cheveux blond pâle. Elle a le même jean que moi, mais on ne dirait pas tant il a l'air différent sur elle.

— Tu l'aimes vraiment ? lui demandé-je en me mordant la lèvre inférieure.

J'ai déjà décidé qu'il me faut les ballerines argentées Scoop Metallic (coût : 165 $) et la robe graphite Sweetheart de Rachel Pally (248 $) et si je prends aussi cet ensemble, je dépasserai les mille dollars. C'est bien au-dessus de ma limite. (Maman me permet un maximum de 300 $ par mois et je ne lui ai pas encore parlé du coût du sac Cinch.) Je pense que je me laisse un peu emporter, mais c'est tellement facile avec ces deux-là. Elles emportent une pleine cargaison de vêtements dans la cabine d'essayage, ne se limitant pas à une tenue ou deux comme moi et Liz le faisons habituellement. (Liz n'a peut-être pas de limite sur sa Amex, mais elle essaie de réduire les ronchonnements de son père en maintenant ses transactions à un minimum.) Lauren et Ava pensent aussi que tout est splendide et elles ne regardent jamais le prix. Cette séance dans les boutiques va m'attirer beaucoup d'ennuis. Mais... je sens le chandail contre mon menton et il est tellement doux et laineux, je pourrais m'endormir. Et puis flûte. Je l'achète !

Clic. Clic. Clic.

Je pivote brusquement en serrant mon sac contre ma poitrine. Je suis complètement habillée, mais chaque fois que l'on prend une photo de moi dans une boutique, je me sens nue. La plupart des magasins ne permettent pas aux paparazzis de prendre des clichés chez eux, mais le faire-valoir d'Ava et de Lauren, Gary, est debout juste devant moi et il est accompagné de Larry le menteur. Larry me lance cet étrange petit sourire et je frissonne.

— Que font-ils ici ? me plains-je.

— Détends-toi, lance Ava. Nous les avons invités.

— Pour faire les boutiques ? protesté-je. Je ne veux pas de photos prises de moi pendant ma période de déjeuner.

Larry prend quand même un autre cliché de moi et je le fusille du regard. Cela ne fait que l'inciter à continuer.

Ava m'attire à l'écart.

— Lau et moi avons conclu une entente avec cette boutique. Nous leur donnons de la publicité ; ils nous offrent des tas de trucs gratuits. Je suis certaine qu'ils te feront aussi cadeaux de quelques articles si tu arrêtes de gémir. Qu'est-ce que ça peut faire, de toute façon ? S'ils n'étaient pas à l'intérieur, ils prendraient ta photo à travers la vitrine. Dans ce cas, elle serait embrouillée et ce genre de photos nous fait paraître grosses.

Je n'aime pas ce que j'entends. Je sais que certaines vedettes invitent les paparazzis partout où elles vont, mais je ne suis pas comme elles. Je n'ai pas besoin d'être plus en vue que je ne le suis déjà et je ne veux certainement pas utiliser la publicité pour obtenir des choses gratuitement. Malgré tout, je ne veux pas être une plaie. Ava me regarde comme si j'essayais de gâcher la fête et je ne veux pas cela, particulièrement après qu'elles se sont montrées si épatantes avec moi. J'imagine que ça ira pour les photos, juste cette fois.

— D'accord, ils peuvent rester.

Clic. Clic. Clic. Gary et Larry recommencent immédiatement à nous immortaliser.

Lauren pousse un cri de l'autre côté de la boutique. .

— Nous devons toutes nous procurer celle-ci !

Lauren sort en se déhanchant comme un mannequin, rejette ses cheveux bruns en arrière et fait un tour complet sur elle-même vêtue d'une robe mini noire Tibi imprimée de marguerite blanche et orné de volants. Gary s'en donne à cœur joie. L'ensemble est vraiment mignon, et Ava et moi applaudissons.

— Nous pourrions les porter à la boîte de nuit LAX ce week-end pour la fête de Simon Barter! suggère Lauren. Elle n'est que trois cents dollars.

— Kaitlin, tu assistes à la fête de Simon à Vegas, n'est-ce pas? demande Ava.

Je veux répondre que je n'ai jamais rencontré Simon et que ma mère ne me permettra probablement plus jamais de remettre les pieds à Las Vegas après ce qui s'est passé lorsque je m'y suis rendue avec les acteurs d'*AF* pour notre voyage d'équipe à l'automne dernier, mais je sais ce qu'Ava aura à dire à ce sujet. Donc, je dis plutôt :

— Quand?

— Vendredi soir, m'informe Lauren en empilant un nouveau tas de jean sur son bras.

— J'ai un rendez-vous avec Austin ce soir-là, déclaré-je.

Je ne raterais *jamais* un rencard avec Austin pour une fête.

— Bouh, gémissent-elles à l'unisson.

Bouh semble être un de leurs mots favoris.

— Je déteste qu'elle ait un petit ami et pas nous, lance Ava avec une moue en se cachant la tête dans le capuchon bordé de fourrure du chandail Juicy pour lequel elle ne s'est pas encore décidée. C'est amusant seulement si nous avons toutes un copain en même temps.

C'est une chose étrange à dire. Liz et moi, cela ne nous a jamais dérangées quand l'une sortait avec un gars et l'autre pas. Nous n'avons jamais permis que cette situation perturbe notre amitié.

— Bien, si tu ne viens pas à la fête vendredi soir, alors tu dois nous accompagner chez Shelter jeudi soir, déclare Lauren. Nous arrivons vers 22 h. Nous pourrons porter les robes! Les médias adoreront cela!

Lauren nous attire Ava et moi pour une photo de nous trois collées ensemble, et Gary et Larry s'exécutent.

Je ne veux pas le dire, mais à 22 h un soir de semaine, si je ne suis pas encore sur le plateau, je suis habituellement en pyjama devant un épisode enregistré de *Dre Grey, leçons d'anatomie*.

— Euh…

Je suis sauvée par la sonnerie de mon téléphone. Je regarde l'afficheur et j'en laisse presque tomber l'appareil.

— Les filles, je dois le prendre dehors. C'est, euh, mon agent.

Je fais un signe à la vendeuse à propos de mon appel et elle hoche la tête. J'imagine qu'elle ne pense pas que je suis sur le point de m'enfuir sans payer.

J'inspire profondément. Puis, je réponds.

— Allô?

J'utilise ma voix la plus gaie.

— Kates? C'est Liz.

Sa voix semble petite et tremblante.

Peut-être que cela signifie qu'elle est aussi inquiète du fait que nous ne nous parlons pas que je le suis moi-même. Je me souviens de tout ce qu'elle a dit. Même si elle est bouleversée, elle pense encore que nous nous sommes éloignées l'une de l'autre.

— Salut. Comment vas-tu? réponds-je sèchement.

— Bien, dit-elle. Et toi?

— Bien, mens-je.

— Formidable, reprend Liz d'une voix nerveuse.

Il y a ensuite une longue pause.

Cela ne s'est jamais produit entre nous auparavant. Habituellement, c'est plutôt que nous parlons trop et Nadine doit m'arracher le téléphone de sur l'oreille pour que je ne sois pas en retard pour mes tâches du moment. Tout à coup, même les chaussures Scoop et le joli chandail Juicy ne m'excitent plus. Penser à Liz et à notre querelle me rend triste.

169

— Je me sens mal à propos de ce qui s'est passé au déjeuner, déclare Liz.

Vraiment ?

— Moi aussi, admets-je.

Et brusquement, je reprends espoir. Il ne s'agissait peut-être que d'un simple malentendu.

— Je ne voulais pas te peiner, mais j'ai cru que tu devais savoir ce que je ressentais. Tu as été tellement distante dernièrement, cela m'a réellement vexée.

Ma vague d'espoir se brise instantanément.

— Tu n'étais pas très présente non plus, répliqué-je d'un ton léger.

J'ai peur d'empirer les choses, mais je ne vais pas mentir non plus. Je prends une profonde respiration. Je dois le dire.

— Je ne vois pas pourquoi je serais la seule responsable du fait que nous nous soyons éloignées l'une de l'autre, comme tu le dis.

Quand Liz ne rétorque pas, je commence à divaguer.

— Je ne dis pas que nous nous *sommes* éloignées l'une de l'autre. Enfin, peut-être est-ce le cas ; je ne l'ai pas vu ainsi. J'ai simplement pensé que nous étions toutes les deux occupées et…

— C'est ce que j'ai essayé de te dire, mais je ne sais pas très bien comment m'expliquer, dit Liz, paraissant aussi gênée que moi.

Mon bavardage inutile semble avoir déteint sur elle.

— Je n'ai pas l'habitude que nous… et… je veux dire…

Liz semble incapable de trouver les mots et pendant un moment, je souhaite simplement attendre et écouter. Je veux lui dire que tout va bien. Nous avons fait les imbéciles toutes les deux. Je songe à lui dire précisément cela quand…

— MA POULETTE, que fiches-tu dehors ?

Lauren sort un peu la tête du magasin et crie après moi.

— Nous devons essayer d'autres chaussures et nous ne pouvons pas continuer sans toi, ajoute-t-elle. Gary attend !

Elle voit mon téléphone et me lance un regard soupçonneux.

— À qui parles-tu ?

— Liz, articulé-je en silence, et je lui fais signe de m'accorder deux secondes.

— BEUH ! Raccroche tout de suite ! Elle ne vaut pas les minutes, se plaint Lauren.

Mon visage s'enflamme et je suis morte de honte. J'espère que Liz n'a pas entendu.

— À qui parles-tu ? veut savoir Liz.

— Mon amie Lauren, réponds-je lentement. En fait, je fais des courses avec des amies.

— Je te croyais au travail, déclare Liz.

Sa voix me paraît étrange.

— Je l'étais, mais je suis en pause. Lauren et Ava sont venues me prendre pour déjeuner.

— Kaitlin, gémit Lauren. Arrive ! Je t'ai dit que Gary attendait. Il vient de recevoir un appel et il doit partir. Nous devons prendre la dernière photo. Termine ton appel avec cette perdante. Elle ne te mérite pas !

J'en reste bouche bée. Je sais que Lauren essaie seulement de prendre ma défense, mais Liz n'est pas une perdante. Elle a sûrement entendu Lauren. J'en suis sûre. Et maintenant, j'ai le sentiment que la conversation que nous venons d'avoir a empiré les choses entre nous. Je suis trop lasse pour être en colère. Je veux simplement que notre querelle cesse.

Avant que je puisse dire quelque chose, Liz déclare sèchement :

— Je vois que tu es occupée avec tes nouvelles amies. Je te rappellerai une autre fois.

— Je suis désolée. Pouvons-nous nous reparler bientôt ? lui demandé-je maladroitement.

J'essaie de ne pas paraître trop triste lorsque Liz raccroche sans dire quand.

Je pousse les portes du Belladonna et mon téléphone sonne de nouveau avant que j'aie eu le temps de comprendre ce qui vient de se passer. Liz a tenté de se réconcilier avec moi, je pense, et j'ai commencé à divaguer, et Lauren nous a interrompues et je le lui ai permis. Pourquoi ai-je donné la priorité à Lauren ? Pourquoi ne lui ai-je pas dit que je devais d'abord m'occuper de mon appel ? Cette discussion était importante et je crois avoir tout fait rater. Et si je venais de gâcher ma seule chance de conserver notre amitié ? Je pense que je vais vomir. Qu'est-ce qui cloche chez moi ? Mon téléphone sonne encore. Est-ce Liz qui rappelle ? Je regarde l'afficheur et je vois « numéro privé » sur l'écran.

Oh mon Dieu. Qui cela peut-il être ? Mon souffle devient court et rapide. Quelqu'un d'autre que Nadine et Matty sait que je ne suis pas au travail, n'est-ce pas ? J'ai évité tous les appels de Nadine, mais j'ignore qui est au bout du fil. Tom ? Devrais-je le laisser passer dans ma boîte vocale ? Je prends une profonde respiration et je réponds.

— Kaitlin à l'appareil.

Je tente de paraître super professionnelle. Si c'est maman ou Tom, je peux essayer de prétendre que j'avais un rendez-vous chez le dentiste. Si c'est Nadine, je suis dans les ennuis jusqu'au cou.

— Hé, ma belle, entends-je Austin me dire.

J'expire.

— Austin, salut !

J'entre dans la boutique et j'oublie tout ce qui vient de se passer.

— C'est étrange la façon dont ton numéro s'est affiché.

— Mon téléphone cellulaire est mort. J'ai oublié de te demander quelque chose plus tôt, alors j'utilise l'appareil de Rob, m'explique-t-il. Où es-tu ?

Je suis certaine qu'il entend tout le brouhaha en arrière-plan. Lauren vient de découvrir une paire de chaussures Scoop qu'elle cherchait, et elle et Ava sautillent sur place en criant pendant que Gary et Larry prennent encore d'autres photos même si Lauren a prétendu qu'ils étaient sur le point de partir.

— Je fais les boutiques, admets-je d'une voix coupable.

J'articule le mot « Austin » à Ava et elle sourit largement.

— Un jour de travail?

Il rit.

— J'ignore comment tu arrives à tout faire.

— Bien, j'avais une pause, alors je suis sortie avec Ava et Lauren. Ce sont les filles avec moi sur les photos à la fête *Vanity Fair*...

— Salut, Austin!

Lauren arrache le téléphone de mon oreille et Ava se colle sur elle pour entendre elle aussi.

— C'est Lauren.

— Et Ava!

Ava me décoche un clin d'œil.

— J'ai vu ta photo et je dois avouer que tu es vraiment mignon.

Lauren glousse.

— Très séduisant. Tu n'es pas un abruti, j'espère? demande Ava.

— Ava! la réprimandé-je.

Elles le bombardent de questions embarrassantes avant que je ne leur arrache le téléphone.

— C'est moi, dis-je en chassant les filles en pointant un sac génial que j'ai repéré.

— Donc, c'est Lauren et Ava.

Il paraît amusé.

— Elles me semblent... intéressantes.

Je ne suis pas certaine qu'il s'agisse d'un compliment, mais je crains de poser la question.

— Elles le sont, lui promets-je, et elles meurent d'envie de te rencontrer.

— Alors, quand dois-tu retourner au travail? s'enquiert-il. C'est la première fois que j'entends dire que tu fais les boutiques pendant ton heure de lunch.

— Ouais, bien.

Je ne peux pas lui mentir.

— Tom voulait que je tourne une entrevue pour la rétrospective et Nadine me rendait dingue, alors je me suis enfuie.

— Burke, cela ne te ressemble pas, me gronde Austin.

— Je sais, réponds-je d'une voix coupable.

— À quelle heure dois-tu y retourner ? redemande-t-il.

Je regarde ma montre. Il est 14 h 15. 14 h 15 ! Je devais être de retour au boulot il y a quinze minutes !

— Je suis en retard, hurlé-je. Je te rappelle plus tard.

— Vas-y, me dit Austin. Tu me manques.

— Tu me manques aussi, murmuré-je.

J'aimerais pouvoir en dire plus, mais le fameux « je t'aime » ne se formule pas au téléphone. Particulièrement avec Larry le menteur tout près.

— Les filles, je dois partir !

Je fais signe à Lauren et Ava de venir vers moi avant qu'elles ne se dirigent de nouveau vers la cabine d'essayage avec une autre pile de vêtements.

— Je suis en retard.

Lauren lève les yeux.

— Ce n'est pas grave. Je suis certaine qu'ils seront compréhensifs. Nous partirons bientôt.

Elle m'attire plus près pour une photo supplémentaire.

La vendeuse s'approche et propose de prendre mes affaires, puis se tourne vers Ava.

— Je viens de parler à Taylor. Nous pouvons vous offrir un rabais de trente pour cent aujourd'hui, mais je ne peux rien vous donner. Nous avons eu un mois maigre. J'espère que vous comprenez.

— Bien sûr, pas de problème, répond Ava avec un sourire tendu.

Puis, elle nous entraîne, Lauren et moi, dans la cabine et fait une grimace.

— Formidable. J'étais certaine qu'elle nous donnerait la moitié de nos trucs pour avoir amené Gary ! Elle le fait toujours !

— Quelle déception, gémit Lauren.

— Je vais trier mes affaires et payer, les informé-je pendant qu'elles continuent de se plaindre.

En me rendant à la caisse, j'entends encore Ava et Lauren murmurer dans la cabine d'essayage. Hum… j'en ai pour combien? Je commence à séparer les vêtements en deux piles pendant que Gary et Larry continuent à prendre des photos. Quand partent-ils?

— Qu'est-ce que tu fiches? me demande Ava en arrivant derrière moi. Tu adorais tous ces trucs.

— Je sais, mais c'est plus que je ne devrais dépenser.

Je lève mes bien-aimées ballerines Scoop et je fronce les sourcils. Ava tousse.

— Allô? Si tu ne prends pas soin de toi, qui le fera?

Je fixe de nouveau la pile. Une partie de moi se sent coupable, mais l'autre partie est d'accord. C'est vrai que je mérite ces trucs. Je sors ma carte de crédit de mon porte-monnaie Chanel et je la fais claquer bruyamment sur le comptoir. Ha! Je me sens bien.

J'ai l'impression d'être libre lorsque je dépense ainsi. Personne n'est ici pour m'arrêter ni douter de mon choix de couleur (vert) pour cette robe Alice and Olivia. J'ai pris toutes les décisions moi-même. J'ai le contrôle!

La vendeuse me tend la facture de la carte de crédit à signer et me sourit poliment.

Le total monte à 1 584,58 $.

Je ravale ma salive.

C'est un *peu* plus que je ne l'avais cru. Quand j'ai additionné les articles dans ma tête, j'arrivais à environ mille dollars seulement. J'imagine que j'ai ajouté une ou deux choses, ou peut-être quatre, mais… Je commence à faire de l'hyperventilation. Larry et Gary prennent encore des photos et je suis tellement agacée que je pose ma main sur la lentille de l'appareil de Larry.

— Fais-moi confiance.

Lauren abaisse ma main.

— Quand ta mère verra les merveilleux trésors que tu as achetés, elle ne se souciera pas du coût. Dis-lui qu'elle peut en emprunter quelques-uns. Ta mère a un beau corps. Elle pourrait les porter avec goût.

La facture de Lauren s'élève à beaucoup plus de deux mille dollars. Ava vient ensuite et la sienne est tout aussi salée. Ni l'une ni l'autre ne semble inquiète. Peut-être que je ne devrais pas l'être non plus. Combien de fois est-ce que je me laisse aller à la dépense comme cela ?

— OK, lance Ava en sortant ses clés. Nous te ramenons au boulot.

Une foule s'est amassée à l'extérieur de la boutique. Une fille de notre âge tape sur l'épaule d'Ava. Ses amies se tiennent derrière elle. Elles ont toutes l'air nerveuses.

— Salut, lance la fille.

Ses mains tremblent.

— Tu es Ava Hayden, n'est-ce pas ? Et voici Lauren Cobb et Kaitlin Burke ? Pourrions-nous avoir des autographes ?

Je souris et tends la main pour prendre son bout de papier. Ava la repousse.

— Ne vois-tu pas que nous sommes occupées ? aboie-t-elle. Mon Dieu.

Ava me regarde et roule les yeux.

— C'est comme si ces gens ne comprenaient pas que nous avons notre propre vie et que nous ne voulons pas être dérangées chaque seconde la journée ! Ne pouvons-nous pas juste faire des courses en paix ?

J'aimerais rappeler à Ava qu'elle vient de passer une heure à poser pour les paparazzis pendant qu'elle faisait les boutiques et qu'elle n'a pas pris cela pour une invasion de sa vie privée.

— Je vais le signer pour toi, dis-je gentiment à la fille.

Ses amies se mettent en file derrière elle.

— Tu es tellement manipulable.

Lauren glousse.

— Rejoins-nous à la voiture.

Elles s'éloignent et je les vois murmurer en chemin.

— Est-elle toujours comme cela? veut savoir une des filles.

— Elle est vraiment gentille, lui réponds-je même si je suis complètement déconcertée par ce qui vient de se passer.

Comment Lauren et Ava ont-elles pu se montrer aussi impolies? Signer des autographes fait partie de la vie d'une célébrité. Évidemment, je ne veux pas qu'une personne me tende un stylo et un papier sous la cabine des toilettes, mais quand je fais des courses, cela ne m'embête pas.

— Elle n'en a pas l'air, se plaint une autre fille.

Ava klaxonne et je vois que le moteur de sa BMW décapotable rouge pomme glacée tourne au ralenti.

— Arrive! Tu as dit que tu devais partir!

Elle a raison. Je présente mes excuses à celles que je n'ai pas pu rencontrer et je cours vers la voiture. Gary et Larry prennent quelques clichés de notre départ.

— Allons prendre d'assaut Fred Segal à Santa Monica, supplie Lauren pendant qu'Ava roule à toute vitesse. Je dois trouver un veston assorti à cette mignonne jupe que je viens de piquer.

Elle ouvre la fermeture à glissière de son sac sans forme et en sort une jupe droite à carreaux. Il y a plusieurs autres articles entassés dedans.

— Quoi? me demande Lauren quand elle remarque mon expression paniquée. Qu'est-ce que j'étais censée faire? Elle ne voulait pas nous donner le rabais.

— Ils ne sauront même pas qu'elle manque, ajoute Ava. Nous le faisons tout le temps et tout le monde s'en fout. J'ai pris des trucs pour toi aussi. Montre-lui, Lau.

Lauren sort un haut ajusté noir que j'avais vraiment beaucoup aimé.

— C'est pour toi, dit Lauren en me tendant le vêtement.

Je le fixe et essaie de ne pas piquer une crise de nerfs.

— Je ne peux pas l'accepter, lâché-je brusquement en serrant le sac de mes véritables achats contre mon cœur. Je me sens mal. Gardez-le, les filles.

Je vois Ava rouler des yeux dans le rétroviseur.

— Comme tu veux. Tu es chanceuse, nous faisons la même taille.

Je ne comprends pas. Ava et Lauren ont des tonnes d'argent. Pourquoi voleraient-elles des trucs ? N'auraient-elles pas honte si on les surprenait et que l'histoire faisait la une des manchettes ? Je sais que ce serait mon cas. Je serais même gênée si j'étais avec elles et qu'elles se faisaient prendre la main dans le sac. Je ne veux pas être associée à ce genre de comportement. Je pense à mes jeunes admiratrices. J'ai fait quelques trucs irresponsables au fil des ans, mais je n'ai jamais violé la loi. En voyant ceci, et la réaction de Lauren lorsque j'étais au téléphone avec Liz, ainsi que la façon dont elle a traité ses admiratrices, je commence à voir Ava et Lauren sous un nouveau jour. Et je ne pense plus à elles comme à des filles brillantes, vives et heureuses comme avant. Je déteste l'avouer, mais Sky avait peut-être raison.

— Alors, qu'en dis-tu, Kaitlin ? me redemande Lauren. Tu veux aller à Santa Monica ?

— C'était très amusant, mais je ne veux pas être congédiée. Je dois rentrer, leur dis-je.

— Tu ne nous lâches pas parce que nous avons pris ces trucs, n'est-ce pas ? s'enquiert Ava. Parce que ce n'est pas important. Nous le faisons seulement pour la poussée d'adrénaline. Le prix demandé pour ces vêtements est excessif.

— Nous ne le faisons pas très souvent, ajoute Lauren.

Je hoche la tête.

— Écoute, nous ne le ferons pas en ta présence, d'accord ? dit Ava d'un ton agacé. Je vois bien que cela te rend mal à l'aise.

Elle regarde Lauren.

— Et nous allions arrêter bientôt de toute façon, n'est-ce pas Lau ?

Lauren hoche la tête.

Bien, j'imagine que si elles étaient sur le point d'arrêter, elles ne sont pas si mauvaises. Et elles ont été vraiment gentilles avec moi ces dernières semaines alors que personne d'autre (sauf Austin, bien sûr) ne l'était.

— Je ne suis pas en colère, leur dis-je. Vous faites ce que vous voulez.

Ava sourit.

— Es-tu libre demain soir ? Nous allons dîner chez Mr. Chow.

Lauren pousse un cri perçant.

— Tu dois porter la robe. Nous la porterons toutes. Ce sera tellement mignon.

Beuh. Je déteste porter la même tenue que d'autres. C'est tellement bébé. Toutefois, Lauren et Ava me regardent avec espoir et je me sens coupable de dire non. J'aime Mr. Chow. Ils cuisinent le meilleur riz frit aux crevettes. D'ailleurs, quelle est l'alternative ? Rentrer à la maison et me faire cuisiner par maman et papa ou Nadine ? Écouter maman faire les cent pas en attendant que le gars de DHL lui apporte un exemplaire en primeur de la dernière édition de *Fashionistas*, qui doit arriver d'un jour à l'autre ? Non, j'ai besoin de sortir. Même si c'est un soir de semaine, ce n'est pas comme si je me couchais tôt. Je dors à peine ces temps-ci.

— D'accord, acquiescé-je.

Elles poussent toutes les deux un cri à vous déchirer les tympans.

Je regarde ma montre. Il est maintenant 14 h 30. Je suis déjà trente minutes en retard et quand j'arriverai au studio, j'aurai quarante-cinq minutes de retard. C'est pousser le bouchon un peu loin.

Mon Sidekick vrombit et je gémis. C'est Nadine.

FUTUREPREZ : OÙ È TU ??????????????

Fashionistas

Chère maman

*Être la mère et la gérante de l'une des jeunes vedettes les plus demandées d'Hollywood — Kaitlin Burke d'*Affaire de famille *— sont deux tâches difficiles à mener de front, mais Meg Burke affirme que cela fait partie du travail. « Si on veut maintenir son enfant en tête des palmarès, on doit le pousser à fond. Même s'il vous déteste pour cela. » Surveiller les intérêts de sa grande vedette de fille est une chose, mais les critiques disent que la tyrannie de Meg lui aliène non seulement sa fille, mais la ville entière.*

Par Andrew Pullichi

Le mercure atteint presque 27 °C en ce matin de janvier à Los Angeles, mais Meg est aussi fraîche qu'une rose. Vêtue d'un éblouissant ensemble-pantalon Michael Kors et de talons Jimmy Choo, la mère de Kaitlin Burke d'*Affaire de famille* affirme qu'elle ne transpire pas. « Je m'oblige par ma volonté à ne pas le faire, déclare-t-elle. C'est tellement grossier. Je dis à Kaitlin que si elle se concentre, elle y arrivera elle aussi. »

Un conseil avisé parmi d'autres, venant d'une femme que certains surnomment la maman-qui-s'ingère — une mère qui pousse, tire et gère tous les détails de la carrière hollywoodienne de son enfant au point où elle lui donne presque envie de ne plus vouloir en avoir une. « Certains jours, Kaitlin semble au bord des larmes, admet une amie de la jeune vedette. Elle aime jouer, mais sa mère lui fait tellement de pression que parfois, je pense qu'elle quitterait complètement l'industrie du spectacle si elle le pouvait. » Faux, affirme Meg, qui prétend que sa fille prend ses propres décisions professionnelles. « Kaitlin doit travailler dur si elle veut réussir », dit Meg en sirotant un thé sans sucre au bord de la piscine de la résidence familiale de quelques millions de dollars (payée par les revenus générés par la carrière de sa fille). « C'est l'une des adolescentes vedettes les moins stressées de ma connaissance. Elle a un boulot fabuleux. Elle a une carrière formidable. Les filles de son âge tueraient pour avoir cette célébrité. Y a-t-il quelque chose de mal à vouloir qu'elle améliore son statut ? Kaitlin sait que ce que nous faisons, nous le faisons pour son bien. »

Ce que Meg voit comme de bonnes pratiques d'affaires, d'autres le considèrent comme un véritable problème. « Kaitlin pourrait être la prochaine Reese Witherspoon », déclare un patron de studio. D'autres personnes interviewées pensent la même chose. À présent que l'émission de Kaitlin, *Affaire de famille*, quitte les ondes en mai, il est temps pour la jeune fille de vraiment se trouver un créneau. « Ce qui pourrait l'en empêcher, c'est sa mère, ajoute la source. Il y a des studios qui ne désirent pas travailler avec Kaitlin parce que sa mère a toujours son mot à dire. Meg complique toujours les ententes avec Kaitlin, admet un patron de studio. Elle pense qu'elle doit participer à chaque décision, même si elle en connaît très peu dans le domaine. Tout ce qui lui importe, ce sont les profits et ce qu'elle peut obtenir de l'entente. » Ceux qui connaissent le mieux Meg prétendent qu'elle fait grimper dans les rideaux le bien-aimé agent de Kaitlin, Seth Meyers, avec ses appels excessifs et ses idées démesurées. « Cette femme veut vivre sa vie à travers Kaitlin, dit une autre amie. Elle va presser la célébrité de sa fille comme un citron pour en tirer profit. »

> « Kaitlin pourrait être la prochaine Reese Witherspoon. Ce qui pourrait l'en empêcher, c'est sa mère. »

Toute la famille semble avoir eu la même idée. Autrefois secrétaire, Meg a quitté son travail pour gérer Kaitlin quand elle a décroché à l'âge de quatre ans le rôle de l'une des jumelles de Paige et de Dennis dans *Affaire de famille*. Le père de Kaitlin, un ancien vendeur de voitures, a suivi son exemple et il a commencé à produire les films dans lesquels sa fille tient la vedette lorsque le tournage de son émission est interrompu. Après un moment, leur fils, Matt, à présent âgé de treize ans, a voulu lui aussi faire partie de l'industrie. « Ils ont harcelé les patrons de studios jusqu'à les rendre fous avec leurs demandes pour faire embaucher Matt dans les films de sa sœur, dit une source du studio. Le garçon était mignon, mais il ne possédait pas le même potentiel que Kaitlin avait dès le départ. » Matt a un rôle en ce moment dans — quoi d'autre ? — l'émission de Kaitlin, *Affaire de famille*.

Au cours des quelques semaines que nous avons passées avec Meg, nous avons entendu parler de son propre amour pour la célébrité au moins une douzaine de fois. « J'ai toujours pensé que j'aurais l'air formidable devant une caméra, nous confie Meg, un après-midi. Je pourrais être la prochaine Diane Sawyer si j'en avais l'occasion. » En ce moment, elle pousse sa fille à faire une émission de télé-réalité avec sa famille qui se transformerait avec le temps pour suivre Meg dans ses tâches de gérante. « Évidemment, Kaitlin ferait une apparition de temps en temps », ajoute-t-elle.

Alors, qu'est-ce que Kaitlin elle-même pense de tout cela ? « Ma mère est très organisée », déclare-t-elle avec prudence lorsqu'on lui demande de commenter le surnom de sa mère. « Elle est au courant de tout et elle sait habituellement qui sera la prochaine vedette montante avant moi. Je lui dis toujours que si elle avait mon âge, elle serait dix fois plus populaire que moi. »

Meg Burke adorerait croire cela.

Thérapie par les boutiques   14 février

Les meilleures amies pour toujours Kaitlin Burke, Lauren Cobb et Ava Hayden renoncent à la nourriture en faveur des chaussures lors d'une séance d'achats d'une heure chez Belladonna

Par Kayla Steven

Qui a besoin de salade? Pas Kaitlin Burke. Des amis de la vedette d'*Affaire de famille* disent qu'habituellement, elle se détend dans sa loge ou va à la cafétéria du studio pendant son heure de lunch, se faisant plaisir avec une salade ou son sandwich Subway préféré et un épisode enregistré d'*American Idol*.

Toutefois, c'était avant qu'elle ne commence à fréquenter les mondaines devenues vedettes de la télé-réalité, Ava Hayden et Lauren Cobb. Lundi, pendant une pause de tournage de son émission à succès, Kaitlin et les filles sont allées faire des courses à la boutique branchée Belladonna et ont flambé des tonnes d'argent. «Kaitlin essayait des douzaines de tenues, dit une source sur place. Je ne l'ai jamais vue dépenser autant en une seule journée auparavant. Sa facture s'élevait à plus de mille dollars. Elle paraissait inquiète de dépenser autant.»

La vendeuse du Belladonna, Prue Hammon, a dit que Kaitlin était gentille et facile à servir. «Nous l'accueillerons toujours avec plaisir lorsqu'elle viendra chez Belladonna», affirme Prue. (Pour voir les achats exacts de Kaitlin, cliquez ici.)

Les amis de Kaitlin espèrent que sa fringale de boutiques et sa façon de faire la fête (cliquez ici pour lire un article sur la semaine mouvementée de Kaitlin) ne sont pas en train de la transformer en princesse des paparazzis pour les mauvaises raisons. «Depuis qu'elle a commencé à sortir avec ces filles, Kaitlin agit de façon étrange», nous dit une confidente proche d'elle. À notre avis, acheter de mignonnes chaussures Scoop n'est pas bien étrange, mais si quelque chose change, vous savez qu'*Hollywood Nation En Ligne* sera le premier à le découvrir!

ONZE : *Nous interrompons cette fête pour vous transmettre un message important*

— Arrête tout de suite !

J'ai la main sur la porte d'entrée quand la voix furieuse de Nadine résonne dans le vestibule haut de deux étages de ma maison. Je soupire et pivote.

— Où penses-tu aller comme cela ? veut savoir Nadine tout en s'immisçant entre la porte et moi pour m'empêcher de sortir ; elle ressemble à l'idée que l'on se fait d'une mère.

Cependant, elle n'est pas ma mère. Elle est mon assistante, et ce qu'elle fait encore ici à 20 h 30, je l'ignore. Tout ce que je sais, c'est que je serai en retard à cause d'elle.

— Je sors, lui réponds-je.

N'est-ce pas évident ? Je porte mes nouveaux vêtements, le jean Birkin et le chandail Juicy.

— Tu dois te présenter sur le plateau demain à 7 h ! me rappelle-t-elle. Et le SAT aura lieu dans trois semaines. Tu devrais être en train d'étudier. Tu devrais dormir d'un sommeil réparateur pour être fraîche pour tes réunions et le tournage. Que se passe-t-il, Kaitlin ?

— Rien, réponds-je calmement.

Bon, je pousse peut-être un peu.

J'ai été *très légèrement* à côté de mes pompes dernièrement. Rien de majeur, je le jure. Juste, hum, de retour au travail en retard

185

après le lunch quelques fois, la première étant le jour après la fête *Vanity Fair* lorsque j'ai pris la poudre d'escampette pour aller faire des courses avec Lauren et Ava. Quand je suis revenue au studio, Nadine m'attendait dehors, le visage rouge et donnant l'impression que sa tête était sur le point d'exploser. Non seulement j'étais partie sans lui révéler où j'allais et en ignorant ses messages texte, mais en plus j'étais en retard, ce qui ne m'était jamais arrivé auparavant pour tous les trucs concernant *AF*. Même si Nadine était furieuse, elle m'a quand même fourni un alibi auprès de Tom — elle lui a dit que j'avais oublié un rendez-vous chez le dermatologue — et elle a promis que je tournerais mon entrevue pour la rétrospective au cours des quelques jours qui suivraient.

Je ne l'ai pas fait. J'ai, euh, genre, inventé des prétextes pour m'en sortir depuis ce temps-là.

Et ce n'est pas la seule chose que j'ai remise à plus tard. Je sais que je dois rappeler Liz après ce qui s'est passé lorsque nous nous sommes parlé. Seulement, je suis tellement gênée que j'ignore comment commencer la conversation. Lauren et Ava pensent que je suis folle de même vouloir me réconcilier avec Liz. Non que je fasse totalement confiance à leur opinion après le coup qu'elles ont fait l'autre après-midi chez Belladonna et la façon dont elles ont traité leurs admiratrices. En fait, je leur ai reparlé des incidents, et Ava a répondu qu'elle avait eu une rude journée et qu'elle n'avait pas eu l'intention de se montrer aussi brutale. Je me suis sentie un peu mieux, mais je suis incapable d'oublier le vol. J'ai refusé depuis toutes leurs offres d'aller faire les boutiques ensemble. Je ne semble pas pouvoir me sortir de nos dîners, par contre. J'ai déjà promis que j'assisterais à des événements avec elles cette semaine avant ce qui s'est passé, et maintenant je suis tellement occupée que j'ai dû dire non à quelques rendez-vous professionnels. Seth essaie d'organiser une rencontre avec les gens du pilote pour la télévision qui se déroulera en Alaska — un de ceux que j'aime, en fait —, mais je le repousse lui aussi.

Je sais que je devrais avoir honte d'éviter tout le monde, mais vous savez quoi?

J'ai *aimé* jouer les absentes.

Ouais, c'est exact. Je l'admets. La fille qui incarne la presque parfaite Samantha, celle qui se plie pratiquement à tout ce que lui ordonnent ses parents, sa gérante, son assistante et son agente publicitaire, qui s'arrête pour signer chaque autographe qu'on lui demande, a vraiment eu du plaisir à échapper à l'emprise des autres pour une fois.

— Ce n'est pas rien, rétorque Nadine en levant ses bras en signe d'exaspération. Je ne croyais jamais voir le jour où tu deviendrais irresponsable.

— Quel avantage y a-t-il à être responsable de toute façon? l'interrogé-je avec amertume.

Être responsable n'a pas sauvé mon cher emploi. Ni forcé une réponse du réalisateur de *Manolo* jusqu'à présent (il est encore à l'extérieur de la ville). Cela ne m'a pas valu une offre pour la pièce de Broadway, *Les grands esprits se rencontrent*, non plus (même si les producteurs du spectacle ont affirmé que j'avais été redoutable à l'audition). Alors, pourquoi ne devrais-je pas me défouler un peu? Comme dit Ava, tout le monde a besoin de faire la fête.

Nadine me lance un regard furieux et je le lui retourne. Nous nous regardons encore en chiens de faïence quand maman entre dans le hall en revenant de sa séance d'entraînement Pilates sur son nouvel appareil Pilates qu'elle s'est offert pour réduire le stress lié à cet article sur elle dans *Fashionistas*. (Elle n'a pas quitté la maison depuis des jours tant elle est bouleversée.)

— Salut, les filles, lance maman en décrochant le téléphone dans l'entrée. Vous sortez?

— Kaitlin sort, rétorque Nadine, sans me quitter des yeux. Même si je ne crois pas que ce soit une bonne idée.

— Qu'as-tu dit, Nadine? s'enquiert maman.

Elle a le récepteur sur l'oreille.

— Je ne t'ai pas entendue. Je laisse un autre message à mon avocat.

Maman menace de poursuivre *Fashionistas* en justice pour diffamation.

Mon estomac se contracte. Je ne veux pas que Nadine me fasse des misères devant maman. Si l'article de *Fashionistas* ne retenait pas toute l'attention de mes parents en ce moment, maman piquerait une crise de nerfs à cause de tous les papiers stupides qu'on écrit sur moi. Chaque jour cette semaine, il y a eu une nouvelle photo de moi avec Lauren et Ava ou un article sur mon soi-disant comportement « évaporé ». Comment peut-on penser que le lèche-vitrine ou une sortie au restaurant ou pour aller danser avec des amis soit évaporé ? (Il y a eu un papier sur mon agréable dîner de la Saint-Valentin avec Austin, mais tout de même.)

La presse exagère tellement parfois. On a rédigé tellement d'histoires fausses sur moi dernièrement, y compris celle de mon kidnapping et sur mes meilleures amies de vacances, que je ne m'inquiète pas de ce qu'on écrit en ce moment même. Ce n'est pas comme si je conduisais une voiture sans permis et si j'étais impliquée dans des accidents ou si je me rasais la tête.

Nadine a l'air sceptique.

— N'as-tu pas lu les tabloïds cette semaine ?

— Nadine, j'ai été un peu préoccupée, répond sèchement maman. J'ai beaucoup à faire avec le fiasco *Fashionistas*. Je n'ai pas le temps de lire toutes les coupures de journaux sur Kaitlin.

Merci mon Dieu.

— Mais… essaie de nouveau Nadine.

— Nadine, sérieusement, s'il y a quelque chose qui cloche, Laney me le dira, reprend maman.

Laney *est* agacée, mais jusqu'à présent, elle a crié après moi seulement deux fois. Elle aussi a été occupée. L'un de ses clients a été mêlé à une grosse bagarre à Vegas et a causé des dommages importants dans un casino. Heureusement, Laney a l'expérience d'éteindre des feux à Las Vegas !

— Je sais que Kaitlin est sortie dernièrement, mais il n'y a rien de mal à cela, poursuit maman. Je supplie Kaitlin depuis des années de se faire voir dans des événements. Je suis simplement contente qu'elle écoute enfin.

— Wow, maman, merci ! dis-je immédiatement en lançant un regard triomphant à Nadine.

Nadine roule des yeux.

— Être vue, c'est bien, mais je ne suis pas certaine que les amies que Kaitlin a choisies soient les meilleures. La controverse suit Lauren et Ava partout où elles vont.

— Je ne sais pas, dis maman, l'air pensive. La mère de Lauren fait partie de quelques comités avec moi et elle est chou.

Le visage de Nadine s'assombrit. Voici un débat qu'elle ne peut pas gagner, je crois.

— Kaitlin, en passant, ajoute maman. Ils ont une date pour la tournée de presse pour *Adorables jeunes assassins*. Ce sera le samedi 28 février.

Wow. Je n'arrive pas à croire que le temps soit déjà venu pour cela.

— Oh, et j'ai vu le père de Liz aujourd'hui, déclare maman. Est-ce que vous vous êtes querellées toutes les deux ?

Nadine me lance un regard et je détourne les yeux.

— Non, réponds-je d'une petite voix aiguë.

— Je ne le pensais pas, non plus, dit maman. Je lui ai dit que si vous ne vous parliez pas, je le saurais.

Elle se dirige vers la cuisine.

— Amuse-toi, ce soir !

Nadine et moi sommes de nouveau seules. Gênées et mal à l'aise. Je la contourne et je tends la main vers la poignée de porte.

— Je me fous de ce que pense ta mère, Lauren et Ava *sont* une mauvaise influence, dit Nadine doucement.

Je me tourne brusquement.

— Je me fous de ce que tu penses, affirmé-je avec assurance. Le nombre d'articles que tu me laisses n'y changera rien. Je ne vais pas cesser de les fréquenter simplement parce que *tu* le veux.

Nadine a l'air sincèrement perplexe.

— Je ne t'ai pas laissé d'articles.

Quelqu'un l'a fait. On les a glissés sous la porte de ma loge.

— Kaitlin, je veux simplement ce qu'il y a de mieux pour toi, insiste Nadine.

— Je pensais que tu voulais ce qu'il y avait de mieux pour *toi*, lui fais-je remarquer. Peut-être que si tu arrêtais de me harceler et de jacasser tout le temps à propos du SAT, je n'aurais pas besoin de sortir un soir de semaine pour évacuer la pression. Le fait que tu n'as rien fait d'autre de ta vie qu'être une assistante n'est pas une raison pour t'en prendre à moi ! Tu es devenue une véritable plaie, Nadine.

Dès que j'ai prononcé ces paroles, j'ai envie de les reprendre. Le visage de Nadine est blême. Je ne voulais pas dire les choses ainsi. J'étais seulement furieuse, veux-je lui dire. Mais je me tais.

— Je n'avais pas réalisé que j'étais une *plaie*, rétorque Nadine, l'air blessée en insistant sur le mot *plaie*. J'essaie simplement d'être ton amie. On prévient son amie quand on croit qu'elle est sur le point de se jeter dans le vide, et c'est ce que je pense que tu fais. Lauren et Ava ne te le diront pas parce qu'elles aiment voir les gens s'écraser. Elles se soucient uniquement d'elles-mêmes. Une fois que tu auras démoli ta carrière, elles passeront à une autre jeune vedette. Exactement comme elles l'ont fait avec Sky. Tu sais que les choses se sont passées ainsi, n'est-ce pas ? Dès que Sky a cessé de leur acheter des cadeaux coûteux et de les emmener en vacances avec elle, elles l'ont laissée tomber.

— Tu ne sais pas de quoi tu parles, dis-je, incertaine.

Je sais qu'elles ne sont plus amies, mais Lauren et Ava ont dit que c'est parce qu'elles se sont disputées. Un klaxon retentit à l'extérieur et je sursaute. C'est sûrement Ava et Lauren.

— Je dois partir, déclaré-je simplement

Puis, je disparais dans la douce nuit de Los Angeles pendant que Nadine m'observe sur le pas de la porte.

* * *

Pendant le trajet en voiture jusqu'à la boîte de nuit Shelter, je garde le silence. Ava et Lauren ne semblent pas le remarquer parce qu'elles chantent à pleins poumons sur Rihanna. Je me sens trop coupable pour me joindre à elles.

Je n'arrête pas de penser à ce que j'ai dit à Nadine. Même si elle a exagéré, je n'aurais pas dû me montrer aussi cruelle. Elle se montre peut-être trop insistante dernièrement, mais j'ai de la chance qu'elle ne m'ait pas quittée pour poursuivre ses études à l'école d'administration comme elle l'a toujours voulu. Pour la première fois depuis un bout de temps, je me sens très fatiguée. Mais, nous sommes arrivées devant le service de valet et je dois aller à l'intérieur.

Peu importe où nous allons, ma routine de vie nocturne avec Ava et Lauren est toujours la même : nous posons pour les paparazzis à l'extérieur de la boîte de nuit, nous faisons du plat au propriétaire et posons pour quelques photos supplémentaires, nous entrons nous emparer d'une table dans la section pour les invités de marque, nous passons vingt minutes à bavarder avec les célébrités qui se trouvent sur place ce soir-là, nous posons pour d'autres photos avec elles (s'il y a des paparazzis à l'intérieur) et ensuite nous allons sur le plancher de danse. Ce soir, je reste assise pendant les quelques premières chansons. Après quinze minutes, Lauren et Ava se glissent dans notre box.

— Kates, comment as-tu pu ne pas venir nous rejoindre pour cette chanson? veut savoir Ava. C'est la nouvelle Layla et le CD ne sortira que dans trois semaines! DJ O aura des ennuis pour l'avoir fait tourner.

— Pourquoi? s'enquiert Lauren. C'était déjà dans l'émission de Ryan Seacrest ce matin.

SECRET D'HOLLYWOOD NUMÉRO ONZE : Vous savez comme parfois des chansons d'un album sur le point de paraître jouent dans les stations de radio ou sur Internet avant que le CD soit officiellement disponible pour le public et que la vedette crie «JE VAIS VOUS POURSUIVRE EN JUSTICE»? Bien, c'est de la frime. La plupart des chansons qui se retrouvent avant le temps sur Internet sont là parce que la maison de production veut tester les eaux et faire grandir l'excitation autour d'un album avant sa sortie. Bien sûr, il arrive que des chansons soient diffusées par des employés mécontents ou des assistants ayant soif de vengeance pour avoir été maltraités, mais généralement, quand les artistes se disent « blessés, bouleversés et trahis » lorsqu'ils découvrent que leur nouveau simple plus génial que tous les autres a été entendu par le public avant le temps, ils forcent habituellement la vérité.

— Je n'avais pas réalisé qu'il s'agissait de Layla, admets-je en mélangeant distraitement mon soda avec ma paille. Je n'écoutais pas vraiment.

Ava et Lauren se regardent.

— Écoute, Kates, nous devons te dire une chose, déclare Lauren. Ton petit numéro « la pauvre petite Kaitlin est tellement déprimée » commence à se faire vieux.

J'ai l'impression d'avoir été giflée.

— Pardon?

— Cela a fonctionné un temps pour Britney, mais ensuite les gens se sont fatigués d'elle eux aussi, ajoute Ava. Nous pensions que tu t'égaierais une fois que nous t'aurions laissée raconter ta triste histoire, et ç'a été le cas pendant quelques soirs, mais tu es à nouveau chameau et cela éloigne les beaux gars.

Elle doit plaisanter.

— Tu veux dire maussade, clarifié-je. Tu as dit *chameau*.

C'est un mot SAT, alors je devrais le savoir.

— Peu importe, déclare Ava. Le point, c'est que tu déprimes tout le monde. Nous venons de voir Lauren, Lo et Audrina, et elles n'ont pas accepté de venir ici pour prendre une photo parce que tu as l'air misérable.

— Oh! Regarde! Voilà Paris! hurle Lauren. Allons dire bonjour.

Elles partent toutes les deux et je me découvre soulagée par leur départ. Le brouillard vient certainement de se dissiper. Peut-être Nadine avait-elle raison. Quand je repense aux dernières semaines, je ne peux plus justifier le comportement des filles. Oui, elles ont été là pour moi lorsque j'ai eu besoin d'elles, mais cela ne signifie pas que ce sont les bonnes personnes à fréquenter. Lauren et Ava sont terriblement obsédées par leur objectif de voir leur visage dans les journaux. Elles médisent en cachette sur tout le monde que nous croisons. Elles sont méchantes avec leurs admiratrices, et leur habitude de voler les rattrapera un jour et je ne veux pas être présente quand cela se produira. Et sortir tout le temps, c'est surfait.

Je dois admettre la vérité pour moi-même sinon pour les autres. Au début, les dîners quotidiens et la danse étaient une formidable évasion. Mais, après deux semaines de ce régime, je dois reconnaître que cela m'ennuie et m'épuise. Passer tout ce temps dans les lieux de fréquentation favoris des grandes célébrités n'a fait que me rappeler pourquoi je n'y vais pas en premier lieu : ce n'est pas amusant d'être photographiée toute la soirée et de traîner avec des vedettes qui ne se soucient que du fait d'être une vedette.

Liz me manque. L'ancienne Nadine me manque. Et même si je ne me réconcilie ni avec l'une ni avec l'autre, je commence à penser que je ne peux pas non plus consacrer tous mes loisirs à Lauren et à Ava.

— Hé, Kaitlin.

Diane Byler s'approche de ma table et me sourit.

Je connais Diane parce que nous faisons partie du même réseau de télévision. Enfin, c'était le cas avant, car son feuilleton a été annulé il y a deux saisons. *L'espace qui nous sépare* a eu une longue vie. Il a duré six saisons, ce qui est mieux que la majorité. Diane et moi mangions parfois ensemble le midi et j'ai été déçue quand son émission a quitté les ondes et que nous n'avons pas pu continuer. Elle est vraiment gentille et très calme.

— Hé, Diane, dis-je, heureuse de voir un visage ami. Qu'est-ce que tu as fait dernièrement?

Elle s'assoit timidement.

— Auditionné pour des pilotes, m'apprend-elle avec un air sombre. Comme l'an passé, mais celui que j'ai décroché la dernière fois n'a pas été repris.

— Je suis désolée d'entendre cela, lui dis-je.

— Je suis fatiguée qu'on m'offre continuellement le même type de rôle, se plaint-elle. Tout le monde veut me voir jouer un personnage comme celui dans *L'espace*. C'est tellement difficile de se sortir d'un rôle dans lequel on vous enferme. J'imagine qu'il est difficile de trouver quelque chose d'extraordinaire quand on a déjà connu l'extraordinaire auparavant. Rien ne peut s'y comparer, tu sais?

— Je sais ce que tu veux dire, lui réponds-je, et je le pense.

— J'ai été stupide quand l'émission s'est terminée.

Diane secoue tristement la tête.

— J'ai laissé passer quelques films formidables. J'ai pensé qu'il y aurait toujours du travail, mais plus il s'écoule de temps sans que l'on voie ton visage devant une caméra, plus c'est ardu.

Ce pourrait être mon cas dans quelques mois si je ne suis pas prudente! Mon cœur commence à s'accélérer au rythme d'une chanson de Kanye West. Et pas d'une bonne façon.

— Je suis certaine que les choses vont s'arranger, déclaré-je en posant une main sur la sienne.

Elle me sourit avec gratitude.

— Hé, Kates.

Lauren et Ava se tiennent debout devant notre table et nous fixent.

— Vous connaissez Diane, n'est-ce pas les filles ? demandé-je.

Lauren et Ava hochent à peine la tête.

— Kates, nous avons besoin de toi une seconde, déclare Ava en me tirant le bras. Peux-tu venir ?

Diane semble mal à l'aise.

— Ça va, je devrais partir, me dit-elle. C'était bon de te voir. Pense à moi si tu entends quelque chose, d'accord ?

— Je le ferai, lui réponds-je.

Quand Diane est suffisamment loin, Ava et Lauren éclatent de rire.

— Quelle perdante, te demander de l'aide pour sa carrière, déclare Ava.

— Elle n'a pas besoin de mon aide, répliqué-je défensivement. La carrière de Diane va bien. Elle traverse simplement une période difficile.

— Toute une période difficile. Cette fille a coulé si profondément qu'elle ne flottera plus jamais, affirme Lauren. Particulièrement depuis qu'elle a accumulé cinq kilos en plus.

Je ne peux pas croire qu'elles soient si cruelles.

Mais alors, est-ce si incroyable ?

— Elle a l'air d'un saucisson dans ce jean blanc, ajoute Ava, et elle rit si fort que la table tremble.

La boisson de Lauren se renverse sur son jean.

— Idiote ! lâche Lauren en attrapant une serviette pour éponger son pantalon. J'ai volé ce jean chez Blue Moon juste hier !

— Peu importe, lance Ava. Il suffit d'y retourner demain pour en prendre une autre paire. Peut-être devrions-nous en choisir une pour Diane aussi. Elle a besoin de se faire belle. C'est dommage qu'aucune de leurs tailles ne lui convienne !

Les deux hurlent de rire.

Si ce n'était pas clair avant, ce l'est maintenant. Nous trois sommes trop différentes pour être des amies intimes. Ava et Lauren n'ont aucune règle et ne respectent pas celles des autres. Elles sont amusantes, oui, mais elles sont également méchantes et irrespectueuses envers tous ceux qui ne font pas les choses comme elles. J'entends un bruit de vague dans ma tête et j'ai tout à coup très chaud. Ma présence ici avec Ava et Lauren me semble inappropriée. Me tourner et me retourner dans mon lit à la maison en pensant à mon avenir après la fin d'*AF* ne me paraît pas la bonne chose à faire non plus. Même dans une boîte de nuit bondée de gens, je me sens très perdue. Je dois partir.

— Je crois que j'ai mangé du sushi avarié pour dîner, mens-je. Je vais téléphoner à Rodney afin qu'il passe me prendre.

Lauren fait la moue.

— Tu n'es pas dans le coup ! Nous venons d'arriver.

— Je sais, mais je viens seulement de me rappeler que je dois arriver tôt au travail demain matin et que j'ai une séance de photos samedi. Je dois dormir d'un sommeil réparateur pour être fraîche, dis-je en répétant les paroles de Nadine.

Au mot séance de photos, le froncement de sourcils d'Ava se transforme en sourire. Tout son visage s'égaye.

— Avec qui ?

J'ai le fort sentiment que je ne devrais pas le leur révéler, mais je suis certaine qu'elles pourraient le découvrir si elles le souhaitaient vraiment.

— Je pose pour la couverture de *Sure*.

Elles poussent un cri perçant.

— Nous adorons ce magazine. Nous devrions t'accompagner, me dit Lauren.

— Nous serons tes stylistes personnelles, ajoute Ava en enroulant un bras autour de moi. Dis-nous seulement où et quand.

J'attrape mon sac Cinch à motif de léopard, celui que Lauren et Ava m'ont convaincue qu'il faisait tellement « moi ».

En le regardant à présent, je ne trouve plus qu'il me ressemble beaucoup.

— Je vous appelle, dis-je même si je ne crois pas vraiment le penser.

— D'accord, ma chérie, dit Ava. J'espère que tu iras mieux. Je t'aime !

Ensuite, je m'éloigne de la table, certaine d'une chose : la minute où je serai partie, Ava et Lauren parleront de moi derrière mon dos, tout comme elles l'ont fait pour des douzaines d'autres personnes ce soir.

JEUDI 19 FÉVRIER
NOTE À MOI-MÊME :

Présenté mè excuses @ Nadine.
Appelé Liz.
Prendre dè nouvelles de *Manolo* é *Les grands esprits se rencontrent*
Lire lè scénarios restants.
Étudié pr le SAT !

DANS LE SECRET

Kaitlin Burke se dirige-t-elle droit vers le désastre?

par Nicki Nuro

La vedette au doux visage, chérie de l'Amérique, traîne avec des copines à la réputation douteuse — les fêtardes Lauren Cobb et Ava Hayden — et des amis affirment que cela pourrait la mener à sa perte.

Récemment, un soir chez Mr. Chow, les entrées étaient appétissantes, les rires fusaient à profusion, et Lauren Cobb et Ava Hayden semblaient s'amuser. La seule qui ne paraissait pas avoir de plaisir était Kaitlin Burke. Se pourrait-il que Kaitlin ait finalement compris la façon de vivre d'Ava et de Lauren et qu'elle remette en question leur amitié? C'est ce que pense une amie de la vedette. « Quand Kaitlin a commencé à les fréquenter, personne dans son entourage ne s'en est vraiment soucié, mais quand sa personnalité a lentement commencé à changer, tout le monde s'est inquiété. Ces filles ont une mauvaise influence sur Kaitlin, et Kaitlin le sait. »

« Kaitlin traverse une période difficile, confirme une seconde source. Avec la fin d'*Affaire de famille* et l'immense pression pour trouver un nouveau projet, elle paraît vraiment stressée. De plus, elle vit un différend avec sa meilleure amie, alors le monde semble réellement contre elle en ce moment. »

Arrivent Ava et Lauren. Quand les deux sont apparues aux côtés de Kaitlin, le trio paraissait uniquement motivé par le plaisir. Le groupe nouvellement formé semblait inséparable depuis leurs vacances aux îles Turks et Caicos pendant la période des Fêtes et elles étaient ensemble au déjeuner Cinch pour une cause. Leur agenda est complet depuis. On les a repérées en train de faire des courses dans des endroits branchés comme Belladonna, Belle Gray, Kitson et Bleu, de manger chez Oasis, Koi et Ivy, et de danser toute la nuit chez Parc. Elles ont aussi pris l'habitude de porter des robes assorties.

Kaitlin a certainement souri pour les appareils-photo lorsque nous nous sommes approchés des filles chez Mr. Chow, mais les apparences peuvent tromper. « Il semble évident que Kaitlin ne soit pas dans son élément, dit une source. J'ai peur qu'elle ne soit dépassée. »

« Je m'en fais vraiment à son sujet. Elle va ruiner sa carrière si elle n'est pas prudente. Je demande au public de prier pour que Kaitlin cherche de l'aide avant qu'il ne soit trop tard. »

Lauren et Ava sont reconnues pour leurs mauvais coups et pour la controverse qu'elles suscitent, du genre qui pourrait attirer des ennuis à une vedette respectée comme Kaitlin. Celle-ci a déjà été témoin en personne de leur côté sombre : la soirée du groupe chez Parc s'est terminée quand Ava a commencé à se bagarrer avec son ennemie jurée, Blake Porter, et qu'elle s'est fait jeter en dehors de la boîte de nuit. C'est probablement la première fois que Kaitlin, connue comme une gentille fille qui fait toujours ce qu'on lui demande, est jetée hors d'un établissement.

Toutefois, lorsqu'on lui a demandé de commenter sa nouvelle amitié pendant qu'elle faisait des courses chez Bleu, Kaitlin a dit : « Je vais très bien ! » C'est également ce que pensent Lauren et Ava. « Nous adorons Kaitlin, déclare Lauren. C'est une fille tellement formidable et nous adorons sortir avec elle. »

Cependant, les amis de Kaitlin dans *Affaire de famille* espèrent que la vedette ne court pas après le malheur. « Kaitlin est une adolescente et elle a le droit d'être frivole, dit une source dans l'émission. Mais espérons que ces deux-là ne l'influenceront pas trop. Je détesterais voir une carrière prometteuse comme celle de Kaitlin ruinée parce qu'elle a perdu la tête. »

Kaitlin a certainement eu son lot de critiques peu reluisantes dans les journaux dernièrement : sa vie nocturne, l'absence de projets et l'article cinglant sur sa mère dans *Fashionistas* inquiètent certaines personnes pour la carrière de Kaitlin post-*AF*. « Je m'en fais vraiment à son sujet », a pleurniché son ancienne covedette Alexis Holden, qui prétend avoir vu venir cet effondrement depuis quelque temps. « Elle va ruiner sa carrière si elle n'est pas prudente. Je demande au public de prier pour que Kaitlin cherche de l'aide avant qu'il ne soit trop tard. » ●

DOUZE : *Kaitlin n'est plus sûre de rien*

Austin se glisse sur la banquette arrière à côté de moi et jette un coup d'œil dans la voiture vide.

— Où est tout le monde ?

Nous sommes samedi matin, et Rodney et moi venons tout juste de passer prendre Austin en nous rendant à ma séance de photos pour *Sure*. Normalement, je serais accompagnée par un entourage important pour ce genre de chose, mais maman avait un rendez-vous avec, euh, une injection de collagène (chut!) et Nadine a dû prendre l'avion pour San Francisco afin d'être demoiselle d'honneur au mariage de sa cousine. J'ai été tellement préoccupée par ma vie sociale, j'ai même oublié que Nadine quittait la ville. Je n'ai pas réalisé son départ avant d'arriver dans ma loge vendredi matin pour y trouver un horaire détaillé pour ma séance de photos et mes plans pour le week-end. Pour une fois, il n'y avait aucune note personnelle attachée au document disant quelque chose comme : « Tu vas me manquer ! Amuse-toi ! » Nadine me laisse toujours des mots. Mais, c'était avant que je ne m'en prenne violemment à elle comme je l'ai fait.

Je me sens plus coupable que jamais de mon comportement récent. Voir la façon dont Lauren et Ava traitent les autres m'a fait réaliser l'importance d'être entourée de gens de confiance. C'est comme cela avec Liz et Nadine. Une querelle ne devrait pas entraver notre amitié. Je sais à présent que je dois arranger les choses avec elles avant qu'il ne soit trop tard.

— Mon père et Matty nous rejoindront sur place, informé-je Austin. Ils avaient un départ au golf très matinal, alors ils retournent d'abord à la maison pour se doucher. Laney viendra après une conférence de presse, elle a donc sa propre voiture.

Austin se rapproche et colle son visage dans mon cou.

— Je suis content que nous soyons seuls. Tu m'as manqué, dit-il. Tu as été si occupée, je t'ai à peine parlé cette semaine.

Austin sent tellement bon, je pourrais m'évanouir. Il n'a pas l'air si mal non plus dans son jean American Eagle et une chemise boutonnée rayée ouverte sur un t-shirt bleu marin.

— J'ai passé beaucoup de temps avec Lauren et Ava, admets-je, mais je crois en avoir pas mal terminé avec cette vie de fêtes continuelles.

Austin sourit.

— Ce n'est pas vraiment ton genre, n'est-ce pas ?

Austin ne m'a pas franchement dit ce qu'il pensait de Lauren et d'Ava, mais il leur a parlé au téléphone et il ne semblait jamais très enthousiaste après coup. Il a plutôt fait quelques petits commentaires, comme celui-ci, qui me portent à croire qu'il n'est pas leur plus grand admirateur.

Je raconte à Austin la façon dont Lauren et Ava se sont comportées et comment j'ai été méchante avec Nadine. Je lui dis ce qui s'est passé le jour où Liz a téléphoné et le fait que je suis trop gênée et que je ne sais pas quoi lui dire sur cela pour la rappeler. Ce qu'il y a de merveilleux avec Austin, c'est qu'il écoute sans juger. Au lieu de cela, il me dit :

— Tu arrangeras le coup avec Nadine et Liz, mais j'imagine que Lauren et Ava ne sont pas celles que tu croyais.

— Lauren et Ava ont été un moyen formidable d'échapper à tous ces changements importants dans ma vie, admets-je. Elles n'ont aucune responsabilité et elles semblent passer tout leur temps dans les magasins et à faire la fête. Les fréquenter a été amusant pendant un moment, mais ce n'était pas la réalité.

Je regarde par la vitre. Notre voiture monte de plus en plus haut dans Hollywood Hills et je sais que nous sommes à quelques minutes de notre destination, une maison privée empruntée par *Sure* pour notre séance de photos. Apparemment, elle offre une vue magnifique sur la ville.

— Je vais arranger les choses avec Liz et Nadine tout de suite après cette séance. C'est la première fois depuis des jours que je disposerai d'un bon moment de calme à leur consacrer, et c'est ma priorité.

J'ignore ce que je vais faire à propos de Lauren et d'Ava, par contre. Elles m'ont téléphoné hier, mais je ne les ai pas rappelées encore.

Austin se penche vers moi et m'embrasse de nouveau.

— C'est ce que j'aime en toi, murmure-t-il à mon oreille, envoyant son souffle chaud dans mon cou.

Je sens un courant électrique me parcourir les veines. C'est le mot en *A* encore une fois !

— Tu fais toujours la bonne chose en fin de compte.

— Tu m'as bien appris, blagué-je.

Je ne sais pas bien comment réagir. Dois-je répondre : « C'est pourquoi je t'aime aussi » ? Je suis encore confuse quant à savoir quand il faut utiliser le mot en *A* et quand c'est exagéré. Par exemple, quand nous mangeons une glace, est-ce trop de dire : « J'*aime* que tu *aimes* toi aussi les cerises sauvages dans ta coupe glacée » ?

— As-tu trouvé ce que tu désirais faire comme travail ? me demande Austin.

Je secoue la tête. Je sais que j'ai tout gâché avec mes amies, mais en ce qui concerne tout le reste, je suis encore perdue. Plus je réfléchis à mon avenir, et que j'entends les voix de Laney, de Seth et de maman dans ma tête, plus je panique. Mes épisodes d'étourdissement et d'hyperventilation augmentent en fréquence et je commence à penser qu'il y a sérieusement quelque chose qui cloche dans mon état de santé, mais j'ai trop peur pour en parler à qui que ce soit. Je ne peux même pas me concentrer sur mon SAT, qui arrive à grands pas.

— Essaie de ne pas stresser avec cela ce matin, dit Austin. Tu dois être belle pour les appareils-photo, ce qui ne devrait pas être trop difficile.

Il m'embrasse.

— Comment pourraient-ils prendre une mauvaise photo de toi ? Tu es splendide.

Il me fait rougir. Encore. Austin a un don pour cela.

— Nous sommes arrivés, annonce Rodney avant de boire une gorgée de sa boisson protéinée. Nous sommes en avance de quinze minutes, comme le désiraient Laney et Nadine.

Dans le rétroviseur, je le vois froncer les sourcils.

— Comme c'est une route privée, je ne peux pas me garer dans la rue. Je n'ai pas de place dans l'allée de garage non plus parce qu'ils ont trop de fourgonnettes. Je devrai peut-être redescendre complètement la colline et cela pourrait prendre du temps. Est-ce que tu peux y aller seule ? Je reviendrai dès que possible.

— Ça ira, Rod, lui assuré-je.

Quand j'ouvre la portière, Christy Connor m'attend. C'est la rédactrice principale de *Sure* et elle est responsable de mon article.

— Salut, Christy. Comment vas-tu ? dis-je en lui tendant la main.

— Très bien ! Tout le monde à l'intérieur est vraiment gonflé à bloc à propos de la séance d'aujourd'hui, m'apprend-elle.

Christy me rappelle ces guides trop exubérantes qu'on trouve habituellement dans les musées. Sa voix est haute perchée et chaque mot est parfaitement articulé. Elle est plus petite que je l'avais imaginée, mais minuscule, comme une poupée que l'on remonte, et elle a des cheveux bruns courts et des yeux gris vraiment étonnants qui se sont égarés vers ceux d'Austin.

— Et voici sûrement Austin Meyers. Nous connaissons tout sur toi. Je devrais plutôt dire que nous aimerions en savoir plus.

Y a-t-il une possibilité que tu acceptes de donner une entrevue parallèle afin de l'inclure dans l'article sur Kaitlin?

— Aujourd'hui, seule Kaitlin est à l'honneur.

Austin me décoche un clin d'œil.

— Mais peut-être la prochaine fois.

Wow, Laney l'a vraiment bien formé. Un stage de quinze minutes avec elle et il est déjà un pro des médias!

— Je comprends, déclare Christy, même si elle a l'air déçue. Nous devrions entrer.

Elle se tourne et monte l'escalier de pierres et ouvre les portes doubles.

La maison qu'ils ont louée est époustouflante. Chaque centimètre des planchers, du plafond et des meubles est dans une teinte de blanc. J'ai peur de toucher à quoi que ce soit! Le salon dans lequel nous venons de pénétrer est vaste. Il a l'air plus petit seulement parce qu'il est occupé par des rangées de vêtements de grands couturiers suspendus sur des supports mobiles, attendant que j'y jette un œil. Il y a une grande équipe en attente de m'habiller et de me préparer pour les photos, qui seront sûrement prises à l'intérieur. De chaque côté du foyer dans la pièce, il y a des portes françaises menant à ce qui ressemble à une grande terrasse et une piscine panoramique. Ils ont une vue démente de la ville, que l'on voit vraiment très bien maintenant que le smog s'est levé. Je remarque que le photographe est déjà en train de s'installer sur la terrasse. Je respire profondément. La cuisine doit se trouver à ma gauche, et d'après les odeurs qui s'en dégagent, il doit y avoir une quiche ou peut-être du poulet et des légumes au menu du traiteur aujourd'hui.

— Wow, murmure Austin.

Wow, c'est le bon mot. C'est comme si tout le personnel de *Sure* était ici.

— Est-ce que Laney Peters ou mon père sont déjà arrivés? demandé-je.

Cela ne ressemble pas à Laney d'être en retard.

Christy secoue la tête.

— Je suis certaine qu'ils seront bientôt ici. Entre-temps, nous avons pensé que nous pourrions te coiffer et te maquiller, prendre quelques photos tests et ensuite arrêter pour déjeuner. Si cela ne t'ennuie pas, je pourrais t'interviewer à ce moment-là, m'informe Christy.

Alors que je me dirige vers l'endroit pour me faire bichonner, Austin s'installe dans l'un des sofas à l'air confortable et il s'empare de la dernière édition de *Sure*. Une assistante du magazine s'avance rapidement vers nous avec une boisson fouettée aux fruits pour chacun de nous. Quelqu'un branche son iPod dans la chaîne stéréophonique et fait résonner à tue-tête le dernier CD de John Mayer. Je commence à me détendre quand mon téléphone sonne.

— KAITLIN?

C'est Laney.

— CE FOUTU BOUCHON SUR LA 101 EST MONSTRUEUX. J'IGNORE CE QUI SE PASSE. MA VOITURE N'A PAS AVANCÉ D'UN POIL DEPUIS UNE HEURE. S'IL N'Y A PAS QUELQUE CHOSE ENGLOUTI SOUS LES FLAMMES LORSQUE J'AURAI LAISSÉ CETTE CONGESTION DERRIÈRE MOI, J'APPELLE SCHWARZENEGGER POUR ME PLAINDRE!

— Ça va, lui réponds-je. J'en suis seulement à l'étape du maquillage et de la coiffure.

— C'EST PARFAIT, MAIS NE DONNE PAS D'ENTREVUE AVANT MON ARRIVÉE, beugle Laney. JE VAIS TE RAPPELER POUR SAVOIR SI — *bip* — VA BIEN PLUS TARD.

J'ai un autre appel. Je regarde l'afficheur. C'est papa et Matty.

— D'accord Laney, lui dis-je. Rappelle-moi bientôt.

Je presse un bouton pour prendre papa et Matty.

— Où êtes-vous, les gars?

Papa gémit.

— Une remorque en feu sur la 101 bloque toutes les voies sauf une, se lamente-t-il. Nous n'avons pas bougé depuis presque une heure.

— Laney est coincée là elle aussi, l'informé-je.

— Nous serons là — *bip* — que nous pourrons, déclare papa.

Je regarde de nouveau mon afficheur. C'est maman à présent.

— Papa, maman m'appelle. Je dois raccrocher.

Je presse de nouveau le bouton.

— Maman? Je pensais que tu subissais un traitement?

— Ce sera bientôt mon tour, ma douce, mais j'ai entendu la fantastique nouvelle, dit maman. *E!* veut diffuser notre émission de télé-réalité!

— Il me semblait que nous avions rejeté cette possibilité, dis-je discrètement.

Je sens mon niveau d'anxiété grimper à la seconde.

— Pas totalement, affirme maman d'un ton léger. J'ai creusé l'idée et je pense que ce serait une excellente façon de redorer nos personnalités après cet ignoble article dans *Fashionistas*. La visibilité de cette émission de télévision pourrait t'obtenir une émission dix fois meilleure que l'idiote d'émission avec l'Alaska.

Ma peau commence à picoter. Je suis lasse que maman ignore mes désirs. Il s'agit de ma carrière et elle doit me laisser dire mon mot. Quand j'aurai arrangé les choses avec Nadine et Liz, il sera temps pour moi de m'asseoir avec elle et de lui parler franchement.

— Maman, j'aime cette émission.

— Kaitlin, ne fais pas semblant de l'aimer autant que cela, lâche-t-elle sèchement. Seth m'a informée que tu as été trop occupée cette semaine pour même seulement planifier une rencontre avec eux.

J'ai tout remis à plus tard récemment, mais après ce qui s'est passé jeudi soir avec Lauren et Ava, j'ai compris que je devais changer. Je prends le contrôle de mon avenir. Cette émission en Alaska, la pièce de théâtre, *Manolo* : je vais me fixer comme but principal de décrocher l'un de ces projets, même si je suis terrifiée à l'idée de poursuivre ma route. Seth était à l'extérieur de la ville vendredi, mais il est de retour aujourd'hui. Dès que je raccroche, je lui téléphone.

— Maman, je dois partir, lui dis-je.

— Ils m'appellent aussi, déclare maman. Embrasse papa et Matty pour moi !

Je fais dérouler mon répertoire téléphonique pour trouver le numéro de Seth et le composer, mais j'entends quelqu'un s'éclaircir la gorge et je lève les yeux. La styliste se tient devant moi, patientant. Oups. J'imagine que ma nouvelle assurance devra attendre que je sois sur mon trente-et-un et que j'aie choisi mes tenues.

Sélectionner un seul ensemble séduisant à porter ne suffit pas. J'adore une robe marine de Stella McCartney, je salive devant une autre de Jay Godfrey similaire à celle que j'ai portée à la fête *Vanity Fair*, et je ne me tiens plus devant un jean à jambes évasées Rock and Republic et un pull croisé Alice and Olivia. Puisque je devrai sûrement changer de tenue trois fois (on a besoin d'au moins un look pour la couverture et parfois de deux autres pour les pages intérieures), le styliste m'affirme que je pourrai tous les utiliser.

Je suis tellement contente d'avoir écouté les conseils de Laney et accepté cette offre de page couverture. J'hésitais un peu parce que beaucoup de gens murmurent que *Sure* n'est pas du vrai journalisme.

SECRET D'HOLLYWOOD NUMÉRO DOUZE : *Sure*, comme plusieurs tabloïds britanniques en fait — chut ! —, paie parfois pour des entrevues éditoriales, et de nombreuses vedettes aiment les donner. Non seulement vous êtes rémunéré, mais vous contrôlez aussi le contenu de l'interview. Vous pouvez dire dès le départ quels sujets vous ne désirez pas aborder, qu'il s'agisse de votre étrange religion, de votre vilaine rupture ou de la rumeur à propos de votre discrète liposuccion.

La seule règle de base de Laney pour moi a été que nous ne discuterions pas en profondeur d'Austin (ma demande, non celle de Laney).

Ma période de préparation file comme l'éclair, mais papa, Matty et Laney ne sont pas encore ici ; nous passons donc aux photos tests. Elles sont vraiment réussies. Le photographe permet même à Austin de conserver une photo instantanée (les photographes utilisent toujours des photos instantanées pour les tests). Quand nous arrêtons pour déjeuner, je suis de très bonne humeur. Je remets le jean Gap et le t-shirt rayé marine et blanc que je portais en arrivant (je mourrais si j'échappais de la nourriture sur l'une des robes à mille dollars utilisées pour la séance!), et Austin et moi nous assoyons pour manger. Christy se joint rapidement à nous une fois que nous avons avalé quelques bouchées. Elle dépose d'une manière inquiétante une minuscule enregistreuse à cassettes devant nous et elle en sort une deuxième. C'est bizarre. Je n'ai jamais vu une journaliste en transporter deux auparavant.

— Est-ce que cela t'ennuie si je te pose quelques questions pendant que tu manges? demande Christy.

Sa propre assiette est presque vide, à l'exception de quelques petits morceaux de melon.

— Laney voulait que j'attende son arrivée avant de commencer l'entrevue, m'excusé-je.

Christy regarde sa montre.

— Je suis certaine qu'elle arrivera bientôt. Nous débuterons avec quelques questions faciles jusqu'à ce qu'elle soit ici.

— D'accord.

J'avale rapidement ma dernière bouchée et je m'essuie la bouche.

— Austin restera avec nous, si cela ne te dérange pas.

— Ça me convient si cela te convient, réplique Christy.

Les questions des dix premières minutes sont faciles — mes activités préférées les jours de congé, ce que je porte à la maison, comment étaient mes dernières vacances — et ensuite elles deviennent progressivement plus difficiles : Austin et moi (je réponds brièvement sans trop fournir de détails afin qu'une partie de notre relation demeure privée), mes espoirs professionnels et ce qui m'a pris de me battre avec Alexis Holden en public ou de me cacher dans un lycée, déguisée en quelqu'un d'autre. (Soyons honnêtes, j'avais vu venir ces questions. Les journalistes les posent chaque fois.) Laney n'est toujours pas ici, mais je me sens suffisamment à l'aise pour continuer. Je deviens légèrement nerveuse quand elle me questionne à propos de la mauvaise entrevue de maman dans *Fashionistas* et sur la raison pour laquelle je n'ai pas de projets qui m'attendent, mais ensuite, les questions sur *AF* commencent. Parler du fait de travailler avec Matty est facile, mais le sujet de la fin d'*AF* semble encore me rester au travers de la gorge.

— Pouvons-nous traiter de celles-là en dernier? lui demandé-je.

— Bien sûr.

Christy sourit.

— Retournons à ta carrière, alors. Où te vois-tu dans un an?

Je prends une respiration.

— J'espère que je travaillerai. Je veux continuer à tourner dans des films et je ne mets pas une croix sur une autre émission de télévision.

— Penses-tu que tu lanceras un album? s'enquiert Christy.

Un album?

— Je ne crois pas.

Je ris.

— Je n'ai pas une bonne voix.

— Ta voix est adorable! insiste Christy. Et la chanson *Princesse des paparazzis* est tordante. Qu'est-ce qui a bien pu t'inspirer à trouver une chose aussi ironique?

— La chanson *Princesse des paparazzis*? répété-je lentement.

Mes mains s'engourdissent. Comment sait-elle cela?

— Je ne crois pas avoir entendu *Princesse des paparazzis*.

Austin paraît amusé.

— Kaitlin m'a caché ses talents de chanteuse.

Je serre fortement la main d'Austin. Je ne lui ai jamais raconté la réunion pour l'album parce que je pensais que cette histoire disparaîtrait d'elle-même. Seth aurait dû récupérer l'enregistrement de TJ il y a des lustres!

— Elle a passé sur KROQ deux fois déjà ce matin, nous apprend Christy.

— QUOI? hurlé-je pratiquement.

J'essaie de demeurer calme, mais je semble incapable de respirer. Je veux prendre de profondes respirations, mais j'ai l'impression de chercher mon air. J'essuie mes mains sur mon jean. Elles sont froides et moites.

— Enfin, elle ne devait jamais être diffusée.

Je me reprends.

— Je l'ai enregistrée uniquement pour une réunion. Ce n'était pas destiné au public. Quand mon avocat l'apprendra, je suis certaine qu'il s'attaquera à la personne qui l'a diffusée sans permission.

Je sais que j'ai dit que certains artistes s'organisent pour diffuser leurs chansons avant le temps volontairement, mais ce n'est pas le cas ici. Je n'ai jamais voulu que qui que ce soit entende ce démo. Comment cela a-t-il pu se produire? TJ est peut-être un joueur, mais il ne me ferait pas ça. C'est mauvais pour les affaires.

— Burke, de quelle chanson parle-t-elle?

Austin paraît perplexe.

— J'en ai une copie juste ici si vous désirez l'entendre, annonce Christy en pressant le bouton lecture avant que je ne puisse l'arrêter.

Mon rythme cardiaque s'accélère dès que j'entends ma voix roucouler. Je pose les mains sur mes oreilles. Oh mon Dieu, c'est affreux...

Vous croyez savoir qui je suis,
mais suis-je vraiment ainsi?
Je suis fatiguée d'être une princesse.
Je ne veux pas gagner votre cœur,

c'était bien, au début, pour mon bonheur,
mais la vérité c'est que :

(Refrain)
Cette fille à papa est prête à s'émanciper,
surveillez-moi de près, je monte en selle.
J'ai une nouvelle façon de jouer.
Cette fois, je vais tirer les ficelles.
Lumières ! Caméra ! Action !
Vous n'avez jamais rien vu avant comme la nouvelle moi.
Et ce sera probablement, gens ennuyants, la dernière fois.

Je suis une mauvaise fille piégée
dans le rôle d'une bonne fille,
mais à présent que l'émission est terminée,
j'ai un nouvel objectif.
Je veux être votre princesse des paparazzis.
Je veux votre attention.
Surveillez mon ascension.
Quand vous ne regardez pas, je suis une fille différente.
Je ne suis pas Sam.
Je suis prête à faire danser la nouvelle moi provocante.
DJ, à toi !

(Refrain)
Cette fille à papa est prête à s'émanciper,
surveillez-moi de près, je monte en selle.
J'ai une nouvelle façon de jouer.
Cette fois, je vais tirer les ficelles.
Lumières ! Caméra ! Action !
Vous n'avez jamais rien vu avant comme la nouvelle moi.
Et ce sera probablement, gens ennuyants, la dernière fois.

— C'est tellement mignon, gazouille Christy quand la chanson est terminée.

Je jette un coup d'œil à Austin. Il fait de son mieux pour ne pas rire. Je ne le blâme pas.

— Écoute, Christy, commencé-je à dire, mais il y a un gros bruit et les portes avant s'ouvrent avec fracas.

— KATIE! hurlent Lauren et Ava.

Elles sont toutes les deux débraillées, leur chevelure est légèrement défaite, et elles portent des lunettes de soleil sombres, des jeans et des t-shirts froissés.

— Que faites-vous ici, les filles?

J'essaie de paraître calme, mais ma respiration devient sifflante. Je ne peux plus respirer.

— Nous t'avons cherchée partout, lance Ava en entrant sans gêne avant de prendre un bâtonnet de carotte dans l'assiette d'un assistant et de se laisser choir dans le sofa en face du nôtre.

Elle a son Loulou nain, Calou, avec elle et elle dépose son chien et le laisse courir dans la pièce. Il est tellement énervé qu'il finit par tourner autour de la table à café.

— Tu ne nous as jamais dit où se déroulait ta séance de photos d'aujourd'hui, mais nous avons téléphoné à Gary — il est dehors avec Larry — et ils ont dit qu'ils t'avaient suivie ici. Alors, nous voilà! Oh, en passant, Rod-o est dans l'eau chaude.

C'est ainsi qu'elles ont pris l'habitude d'appeler Rodney. Cela le rend dingue.

— Pourquoi? demandé-je.

Et comment diable avons-nous été suivis? Je n'ai vu personne nous filer.

— Rod-o a aperçu Gary et Larry essayant de s'approcher en douce sur le chemin privé et il a tenté de les empêcher de monter depuis la rue. La voiture de Gary a *accidentellement* frappé la tienne et à présent Rodney attend une dépanneuse.

Ava rigole.

— Oh mon Dieu, lâché-je impulsivement.

Ce n'est pas bon. Ava et Lauren s'imposent à ma séance, les paparazzis sont dehors et mon garde du corps est retenu. Laney n'est pas là non plus pour me sauver. Est-ce qu'il fait chaud ici ? J'attrape une serviette sur la table et je commence à m'éventer. Christy nous observe, troublée.

— Il va bien, déclare Lauren, enthousiaste. Il a dit de te dire de ne pas laisser entrer Gary et Larry et qu'il serait ici en un rien de temps. Gary voulait savoir si tu sortirais pour des photos quand tu auras terminé, ajoute-t-elle avant de remarquer Austin. Hé, A. ! Quoi de neuf ? Je suis Lauren.

— Salut.

La voix d'Austin est froide comme l'acier.

Un cri à vous percer les tympans perturbe le silence embarrassé.

— Lau, Lau, viens ici et regarde ces vêtements !

Ava est devant un support ; les doigts collants à cause du beignet qu'elle vient de prendre sur l'un des plateaux, elle passe les robes en revue. Je vois Christy grincer des dents.

— Excusez-moi, dit un assistant. Pourriez-vous faire attention avec ces vêtements ? Ils sont empruntés et nous ne devons pas les tacher.

Ava l'ignore. Au lieu de cela, elle crie.

— KATIE, tu dois porter ceci !

Elle lève une robe à une manche à la grecque qui me donnerait l'air de porter un sac de pommes de terre.

— J'ai déjà choisi ma garde-robe, réponds-je joyeusement, mais à l'intérieur, je commence à me sentir malade.

Je transpire. Est-ce possible que je vienne d'attraper la fièvre ? Ma respiration est lourde, comme si je venais de courir un marathon. Austin me lance un regard étrange et je lui souris faiblement. Je dois faire en sorte qu'Ava et Lauren partent d'ici. Elles vont gâcher la séance.

— Puis-je vous parler une seconde ?

Ava m'ignore.

— OH MON DIEU, regardez ceci ! gazouille Lauren.

Elle tient un haut transparent Rebecca Taylor et une jupe en cuir.

— Ava, je dois essayer cela ! Où se trouve la salle de bain ?

— Ces vêtements sont pour Kaitlin, insiste l'assistant inquiet.

— Cela ne prendra qu'une seconde, réplique dédaigneusement Lauren.

Elle attrape l'ensemble et un beignet dont le glaçage est coulant.

— Lauren, fais attention au beignet ! hurlé-je.

Mon cœur bat deux fois plus vite que la normale. Ma respiration est encore pire. Je commence à me sentir étourdie.

Elle rit.

— C'est la raison pour laquelle on a inventé le nettoyage à sec. Ne t'inquiète pas.

— Je vais payer pour cela, dis-je rapidement au styliste d'une voix rauque.

Je me lève du sofa et marche vers Ava. Je me sens étourdie, mais je réussis quand même à lui attraper le bras.

— Vous me mettez dans l'embarras, les filles, informé-je Ava en m'emparant du pouvoir dont elle a toujours cru que j'avais besoin. Je pense que vous devriez partir.

Je suis fière de moi, mais j'ai l'impression que je vais faire une crise cardiaque ou m'évanouir. Les battements de cœur d'une personne sont-ils censés être aussi bruyants ?

Ava roule les yeux.

— Est-ce une façon de traiter tes amies ? Mince, nous sommes là pour toi encore et encore quand tu deviens folle et maintenant tu veux nous pousser dehors parce que tu as une séance de photos à faire ? C'est impoli.

J'essaie de parler, mais ma gorge se serre. Il y a quelque chose qui cloche sérieusement chez moi. Je suis tellement étourdie, je suis certaine que je vais tomber. Je tends la main et attrape le sofa pour me soutenir avant que mes jambes flanchent. Ceci ne peut pas être en train de se produire. Où est Rodney? Où se trouvent Laney et papa? Je ne veux pas que *Sure* croie que c'est ma façon de mener ma vie. J'essaie de prendre de profondes respirations pour me calmer, mais cela ne fonctionne pas. Je suis incapable d'avaler suffisamment d'oxygène.

— En passant, Katie, dit Ava. Nous avons entendu ta chanson ce matin sur KROQ. Comment se fait-il que tu ne nous en aies pas parlé?

Ma chanson. Tout le monde a dû l'entendre. Je serai la risée de toute la ville. Tout à coup, le vaste salon commence à rétrécir. Les murs semblent se refermer sur moi. Je dois partir d'ici.

— Ce chien! hurle le styliste. Il pisse sur la Jay Godfrey!

Calou a sa petite patte levée et il se soulage sur la robe prévue pour la page couverture. Ensuite, il s'accroupit et fait son numéro deux.

Oh. Mon. Dieu.

Ava le prend dans ses bras.

— Mauvais chien-chien.

Elle glousse.

— Son pipi est minuscule. Vous ne le verrez même pas lorsqu'il aura séché.

— Ramasse cela, crie le styliste en pointant la crotte. Ramasse cela tout de suite.

Lauren sort de la toilette vêtue de l'ensemble Rebecca Taylor et lance un regard furieux au styliste.

— Mince. Relaxe. Ne crie pas après le chien comme cela.

— Les filles, vous devez partir, dis-je d'un ton plus sévère, mais à voix basse, afin de ne pas provoquer de scène plus grande qu'elle l'est déjà.

J'ai besoin de toute mon énergie pour prononcer la phrase. J'ai l'impression que tout le monde est loin et que je suis dans une sorte de bulle. Leurs voix sont étouffées et j'entends un bruit de vague dans mes oreilles. Même si je me suis affirmée, les filles m'ignorent encore.

J'entends quelque chose se briser avec fracas et l'assistant hurler. Le bourdonnement dans mes oreilles augmente de volume et je trébuche. Austin m'attrape le bras. Je me sens fiévreuse et je ne crois pas pouvoir tenir debout sans aide.

— Kaitlin, tu dois faire partir Ava et Lauren, me dit-il, mais il semble tellement loin que je l'entends à peine.

Je l'entends prononcer mon nom, par contre. Austin ne m'appelle jamais Kaitlin. Jamais. Cela signifie que la situation doit être vraiment mauvaise.

Christy se tourne vers moi.

— Je veux que tes amies partent maintenant, lance-t-elle d'un ton furieux.

— J'essaie.

Ma respiration est sifflante. De l'air. J'ai besoin d'air. Ouvrez une fenêtre, quelqu'un! J'ai besoin de Rodney.

— Oooh, êtes-vous la journaliste? demande Ava à une Christy paniquée. Laissez-moi vous dire tout ce que je sais sur Katie. Nous sommes si proches. Nous sommes inséparables. C'est comme si nous partagions la même âme, vous voyez?

Oh non.

— J'ai besoin de glace, informé-je Austin alors que mon corps continue de surchauffer.

— Tu n'as pas l'air très bien, déclare Austin.

Je me sens tout en sueur. Je crois l'entendre dire « Ils sont ici », mais je ne sais pas trop ce que cela signifie. La pièce commence à s'assombrir et je distingue à peine le visage d'Austin. La seule chose à laquelle je pense, c'est au désastre devant moi. À cette stupide chanson jouant à la radio. Les questions de Christy à propos d'*Affaire de famille* et de mon avenir repassent dans ma tête. Ma poitrine me semble tout à coup plus opprimée que jamais. J'essaie de prendre de profonde respiration, mais j'ai de la difficulté. Je ne peux pas respirer. Je ne peux vraiment pas respirer.

— Quelque chose ne va pas, murmuré-je, la panique s'emparant de moi.

Le son des battements de mon cœur est si fort que je n'entends pas Austin même s'il me parle. Christy dit quelque chose elle aussi. Leurs visages commencent à se brouiller. Je tente de respirer profondément, mais j'en suis incapable. J'essaie de nouveau d'attraper le bras d'Austin. Il me semble si loin. Les jappements de Calou augmentent de volume. La dernière chose que je crois voir, c'est Laney et Rodney qui courent vers moi.

Puis, tout devient noir.

DERNIÈRES NOUVELLES   21 février
Kaitlin Burke amenée d'urgence à l'hôpital

La vedette d'*Affaire de famille*, Kaitlin Burke, a été admise au Cedars-Sinai Medical Center cet après-midi après s'être effondrée pendant une séance de photos pour la couverture du magazine *Sure* se déroulant à Hollywood Hills. « On entendait des gens crier, déclare un témoin de la scène. Dix minutes plus tard, une ambulance et les policiers sont arrivés et la situation est devenue chaotique. » Une caravane de paparazzis, de membres de la famille de Kaitlin et d'amis — y compris son petit ami affolé, Austin Meyers, et Laney Peters, son agente publicitaire — a suivi l'ambulance jusqu'à l'hôpital, où seule la famille a eu la permission d'entrer. Bien que les détails soient encore rares, des sources à l'hôpital disent que Kaitlin n'est pas en danger de mort. Nous attendons toujours une déclaration des gens de Kaitlin.

Ce dernier incident couronne quelques semaines de comportement inhabituel pour Kaitlin. Juste ce matin, KROQ a commencé à jouer un démo pas encore au point d'une chanson intitulée *Princesse des paparazzis* prétendument interprétée par Kaitlin. La gentille fille a aussi fréquenté les boîtes de nuit et les amies notoires Ava Hayden et Lauren Cobb, deux ferventes fêtardes. Ces deux dernières étaient à la séance avec Kaitlin quand le drame s'est produit, mais elles n'ont pas été admises à son chevet. (Laney Peters leur a refusé l'entrée à la porte.) « Nous ignorons ce qui s'est passé », a dit une Ava en larmes au cours d'une conférence impromptue qu'elle a donnée devant l'hôpital. « Une minute, Kaitlin riait et était heureuse, la minute suivante, elle gisait sur le plancher. Tout ce que nous pouvons faire à présent, c'est prier pour son rétablissement. »

Alors que *Sure* n'a pas encore commenté l'événement, des gens sur place nous affirment que Kaitlin était en colère contre Ava et Lauren pour être venues déranger la séance sans avoir été invitées. « Ces deux-là sont des terreurs et Kaitlin avait de la difficulté à les obliger à partir, nous apprend une source. Quelques minutes plus tard, Kaitlin s'est effondrée. »

Hollywood Nation En Ligne continuera à vous informer de la situation à mesure que d'autres informations seront disponibles.

TREIZE : *Repartir sur une bonne base*

Je suis revenue à moi quelques minutes plus tard, mais à ce moment-là, Laney, Rodney, Austin et l'équipe de *Sure* étaient tellement paniqués qu'ils avaient déjà appelé une ambulance, et ils ont insisté pour que j'aille à l'hôpital afin de me faire examiner. Quelques heures après, je suis allongée sur un lit, entourée de ma famille et de mes amis. J'ai dû m'endormir après la batterie de tests ordonnée par les médecins parce que lorsque je m'éveille, maman pleure, et papa et Matty se tordent les mains. Nadine fait les cent pas dans la pièce, vêtue de sa robe de demoiselle d'honneur. Rodney est assis avec la tête dans ses mains, et Laney et Seth se chamaillent. Austin est le seul qui soit assez près pour que je puisse le toucher. Il est installé au bord de mon lit, observant le brouhaha autour de lui.

Je m'empare de sa main.

— Hé.

J'ai la voix râpeuse.

Nadine sursaute.

— Elle est réveillée !

Maman se précipite à travers la pièce et pousse Austin hors de son chemin.

— Comment vas-tu, ma douce ? me demande-t-elle. Je suis venue dès que j'ai su.

Elle laisse échapper un petit sanglot.

— Nous avons eu si peur.

— Les médecins se sont-ils prononcés sur mon malaise ? demandé-je nerveusement. Est-ce que j'ai eu une attaque cardiaque ?

J'ai certainement eu cette impression. Enfin, je m'imagine que c'est l'effet que cela doit faire.

— Nous l'ignorons, admet papa. Les médecins ne nous ont encore rien dit. Ils devraient être ici bientôt.

— Tu nous as vraiment inquiétés, me dit Austin.

Même si maman l'a repoussé, il me tient toujours la main. Je ne veux pas qu'il la lâche.

— Est-ce que quelqu'un a informé les rédacteurs de *Sure* que je vais bien ? Je ne veux pas qu'ils soient en colère parce que j'ai gâché leur séance de photos, déclaré-je.

Je pense que je vais pleurer.

— En colère ? répète Laney. C'est nous qui devrions être furieux. Je ne peux pas croire que Christy t'a interviewée sans moi après que je lui ai dit qu'elle ne pouvait pas le faire ! Ensuite, elle a laissé entrer ces crétines ! Je ne travaillerai plus jamais avec ce magazine.

Elle marque une pause.

— Enfin, à moins qu'ils ne présentent des excuses pour ce qui s'est passé et qu'ils compensent d'une façon majeure avec une offre de plusieurs pages couvertures de toi prévues à des moments opportuns.

— Même s'ils étaient en colère, l'arrivée de l'ambulance et des policiers a dû effacer tout mauvais sentiment, j'en suis certaine, ajoute maman. La presse se montre habituellement très compatissante quand il s'agit de visites à l'hôpital — tant qu'elles sont pour un motif valable et pas à cause de la drogue.

Seth roule les yeux.

— Tout n'a pas besoin d'être un coup publicitaire.

— Je n'utilise pas ma fille pour de la publicité ! lance sèchement maman.

Ils commencent tous les deux à se quereller, mais ils sont interrompus par un léger coup à la porte. Un jeune médecin vêtu d'un sarrau blanc entre et tout le monde se tait.

— Bonjour Kaitlin, dit-il. Je suis le docteur Callahan. Aimerais-tu que nous discutions seul à seul?

Je secoue la tête.

— Ce que vous avez à dire, vous pouvez le faire devant eux.

Je suis tellement nerveuse, je pense que je vais vomir.

Le docteur Callahan hoche la tête.

— La bonne nouvelle, c'est que tu vas bien, m'apprend-il.

Merci mon Dieu! Je ne peux pas mourir avant d'avoir obtenu mon permis de conduire. Ou mon premier Oscar.

— Nous avons réalisé quelques tests et les résultats sont normaux, ajoute-t-il.

— Alors, qu'est-ce qui cloche chez moi? demandé-je d'une voix tremblante. Cet après-midi, j'ai eu l'impression de ne plus pouvoir respirer, mes battements de cœur étaient affolés, je me sentais étourdie et tout était embrouillé.

Je jette un œil sur mes draps d'hôpital blancs et amidonnés.

— J'ai déjà, euh, souffert de quelques-uns de ces symptômes auparavant, mais jamais avec autant d'intensité.

— C'est vrai? me demande papa. Pourquoi n'as-tu rien dit?

Je détourne les yeux.

Le docteur Callahan sourit gentiment.

— Ce que tu as eu, Kaitlin, est une crise de panique. Elles sont très effrayantes, particulièrement si on n'est pas familier avec elles. Mais aussi étrange que cela puisse paraître, une crise de panique est la façon dont notre corps nous protège du danger.

Une crise de panique? C'est tout? Ce que j'ai ressenti était tellement effrayant.

— Qu'est-ce qui cause une crise de panique? demandé-je.

— Bien, elles sont provoquées par un certain nombre de choses, dit le docteur Callahan pensivement. Elles se manifestent généralement pendant des périodes de stress soudain ou de crainte, à des moments où l'on ressent une perte de contrôle, lors de transitions dans la vie ou lorsqu'on évite des situations ou des environnements qui provoquent notre panique. As-tu éprouvé plus d'angoisse dernièrement ou quelque chose t'a-t-il stressée? s'enquiert-il.

— Ne me regardez pas! lance maman, affolée, avant que j'aie pu répondre. Je ne savais pas que le démo serait volé. Seth avait promis de le récupérer.

— Comment vais-je pouvoir dire aux médias qu'elle est à l'hôpital à cause d'une crise de panique? se demande Laney tout haut. Une crise de panique donne l'impression qu'elle n'est pas en contrôle d'elle-même.

Laney a un point. Comment vais-je pouvoir affronter mes collègues et annoncer aux uns et aux autres que mon hospitalisation est causée par une crise de panique? Ne pensera-t-on pas que je suis faible? Je suis certaine qu'il y a des photos de moi amenée d'urgence à l'hôpital partout sur le Web à l'heure qu'il est. Je suis totalement embarrassée.

Tout le monde dans la chambre commence à parler en même temps. Ils se gueulent dessus et le son est assourdissant. Nadine se hurle après elle-même. Seth aboie après maman à propos de l'enregistrement du démo. (D'après ce que je comprends, une assistante mécontente, furieuse contre TJ, l'a envoyé aux radios. Elle a été congédiée depuis.) Laney et papa crient pour savoir qui est responsable du fait que j'ai fait la fête et comment ils géreront la situation avec la presse. J'entends maman dire quelque chose comme : « Je devais m'occuper de mon propre cauchemar causé par un tabloïd ! » Matty, Austin et Rodney les regardent, ahuris.

Avant que les choses s'enveniment davantage, je dois prendre le contrôle de la pièce.

— LES AMIS, ÇA SUFFIT ! hurlé-je.

Et ils m'écoutent vraiment.

— Je vais vous laisser quelques minutes, déclare le docteur Callahan.

Il semble effaré.

— Toutefois, je vous demande de ne pas énerver Kaitlin. Elle a besoin de repos.

— Vous devez vous calmer, leur lancé-je sévèrement quand le docteur Callahan a fermé la porte derrière lui. Vous ne pouvez pas vous jeter le blâme à la tête. Tout cela est ma faute.

— C'est vrai, renifle maman. Ce n'est pas comme si *nous* avions provoqué ta crise de panique.

Aïe!

— Tu as certainement contribué au problème, lui dis-je, sur la défensive. Cela fait un moment que je ressens les symptômes décrits par le docteur Callahan.

Cela attire leur attention, alors je poursuis.

— *AF* tire à sa fin et j'imagine que je voulais simplement bénéficier d'un peu de temps pour en faire mon deuil avant de continuer avec autre chose, mais dès que nous sommes rentrés de vacances, tout s'est déroulé si vite que je n'ai pas été capable de me ressaisir. Vous désiriez tous que je choisisse un nouveau projet et vous aviez vos propres idées sur la direction que devait prendre ma carrière. J'étudiais pour le SAT, je donnais des entrevues, j'entendais parler de l'importance de mon chèque de paie pour ma famille, et pas une seule fois quelqu'un m'a demandé ce que *je* désirais faire ou m'a offert un choix. Vous m'avez même kidnappée pour ma réunion avec Seth! leur rappelé-je en fixant maman et papa, qui détournent un regard coupable. Tout ce que je souhaitais, c'était un peu de temps pour souffler. *AF* est devenue mon deuxième foyer avant même que j'apprenne à monter à bicyclette, ajouté-je doucement. Ce n'est pas facile de se faire à l'idée de le quitter.

— Tu aurais dû dire quelque chose, murmure Nadine.

— Je ne croyais pas devoir le faire, lui fais-je remarquer. Alors, quand personne n'a rien vu, ni ne s'est soucié de mon bouleversement, j'ai passé ma colère sur ma carte de crédit. J'étais tellement lasse d'être tyrannisée que j'ai fait la seule chose que je pouvais sans que vous ayez un mot à dire : des courses et la fête en permanence.

— Des courses, c'est peu dire, dit maman en levant son sourcil droit. J'ai reçu l'état de compte de ta carte de crédit ce matin. Ta facture s'élève à plus de quatre mille dollars !

Mince. Vraiment autant ?

— Je vais te rembourser, lui promets-je.

— N'aurais-tu pas pu trouver une autre façon de passer ta colère contre nous ? veut savoir Laney. Lauren et Ava sont une source d'ennuis ! Les médias ont raffolé de cette histoire. Personne ne peut comprendre pourquoi une gentille fille comme toi fréquenterait des filles de ce genre.

— Je ne réfléchissais pas clairement, je sais, mais à ce moment-là, j'avais l'impression que Lauren et Ava étaient les seules qui m'écoutaient.

Mes yeux brillent de larmes.

— Vous étiez tous si occupés que je n'avais qu'Austin et les filles vers qui me tourner. J'avais besoin de vous et vous manquiez tous à l'appel.

Maman commence à pleurer.

— J'avais peut-être tort, dit-elle. Toute cette histoire *est* ma faute. J'aurais dû surveiller tes agissements, mais j'étais tellement absorbée par ma propre débâcle que je n'ai pas été attentive. *Fashionistas* a raison, je suis une maman-qui-s'ingère.

— Tu n'es pas une maman-qui-s'ingère, lui dis-je gentiment. Je sais que tu surveilles simplement mes intérêts, ajouté-je en hésitant, mais parfois tu n'as qu'une seule idée en tête.

— C'est peu dire, déclare Seth.

Puis, se sentant coupable, il passe un bras autour des épaules de maman. Elle sourit.

— C'est notre faute aussi, affirme papa, l'air bouleversé. Je vois à présent que nous avons mis trop de pression sur toi.

J'imagine qu'en fin de compte, certains d'entre nous craignaient également la fin d'*AF* et sa signification pour notre avenir. Tu es le soutien financier de cette famille depuis si longtemps, je me sens coupable qu'un tel poids ait pesé sur tes épaules.

— Je ne veux pas que vous vous rendiez responsables, dis-je à papa et aux autres. Oui, j'étais furieuse, mais j'aurais dû éprouver de la colère contre moi-même. Je sais que j'ai fait un gâchis en ne vous révélant pas la vérité. J'espère simplement qu'il n'est pas trop tard pour arranger les choses.

Je tâte nerveusement le drap d'hôpital.

— Je *veux* faire passer ma carrière au niveau suivant. Toutefois, je ne veux pas foncer en avant et oublier tout ce qui m'a amenée jusqu'ici. Vous devez me laisser souffler un peu.

Je ris amèrement.

— Mais de qui je me moque? Ce n'est pas de mes désirs dont il est question ici. Ce sont les désirs des réalisateurs et des agents de distribution qui importent. Et je ne sais pas si j'ai assez de talent pour jouer un autre personnage que celui de Sam.

— De quoi parles-tu? demande Laney. Tu tournes continuellement des films et aucun n'a été un problème pour toi!

— Les réalisateurs ont souhaité me voir interpréter des rôles à l'opposé de Sam parce qu'elle existait encore dans *Affaire de famille*, leur fais-je remarquer. À présent que Sam n'est plus, tout le monde voudra la recréer. Je vais être enfermée dans le rôle de Sam à vie. C'est dans sa peau que je suis bonne.

— Tu plaisantes, n'est-ce pas? s'enquiert Matty. Kates, je tuerais pour avoir tes problèmes. Tu joues dans une importante émission de télévision, tu es une immense vedette, et maintenant ton émission prend fin et tu as peur qu'on ne te laisse pas jouer autre chose que Sam. Bouh.

Aïe.

— Matthew, lance sévèrement papa. Ce n'est pas gentil de dire cela à ta sœur. Elle est bouleversée.

— Ça arrive tout le temps à Hollywood, explique Matty à mon père. Des émissions se terminent, de bons films font un bide dans les cinémas. Mais les gens continuent d'avancer, et Kaitlin doit faire de même. Peu importe à quel point elle a peur.

Mes mains deviennent moites. Mon pouls s'accélère. Je ne veux pas souffrir d'une nouvelle crise de panique.

— Je n'ai pas... peur, mens-je. Je souhaite seulement du temps pour faire mon deuil.

— Tu as peur, affirme fermement Matty. Tu as peur de t'engager pleinement dans un autre personnage que Sam. Bien, tu n'as pas le choix, n'est-ce pas? Mais ça va. Tu peux y arriver, Kates. Tu es une grande actrice. Nous avons toujours cru en toi.

Il sourit.

— Il est à peu près temps que tu croies en toi.

Aaah, Matty! Je n'ai jamais pensé à cela ainsi. Peut-être que je cache mes peurs depuis trop longtemps, en fin de compte.

— Matt, j'ai l'impression que je devrais te payer pour cette séance de psychothérapie, lui dis-je avec un petit sourire. C'était un excellent discours d'encouragement.

Matty rougit.

— Je veux te le dire depuis une semaine, mais je n'en ai pas trouvé le courage. C'est pourquoi j'ai glissé tous ces articles sous ta porte.

Incroyable! J'étais certaine que c'était Nadine!

— C'était toi?

Il hoche la tête.

— Même si tu ne voyais pas ce qui se passait, je le voyais et j'avais envie que tu saches que quelqu'un était à l'affût.

— Je suis désolé que tu aies cru que nous te poussions, dit Seth. Nous désirons seulement ce qu'il y a de mieux pour toi. Même si tu penses que c'est très difficile émotionnellement de poursuivre ta route, ce l'est encore plus de trouver un autre excellent projet. Nous souhaitions t'offrir autant de choix que possible.

— Je sais, Seth, lui dis-je.

— Les apparences sont tout dans cette ville, Kaitlin, et je ne vais pas te mentir, reprend Seth. Ton comportement des dernières semaines a été un problème.

Je ressens l'angoisse au fond de mon estomac.

— Le réalisateur de *Manolo* a téléphoné hier soir, m'explique Seth. Ils prennent une nouvelle direction avec le personnage principal. Ils veulent une vedette sérieuse. Je leur ai affirmé que tu en étais une, que tu traversais seulement une période difficile, mais ils n'ont rien voulu entendre. Je crois qu'ils ont pensé que tu es trop immature pour jouer le rôle.

J'ai envie de pleurer. Ma peur de grandir m'a coûté la chance d'interpréter le personnage principal de l'un de mes livres favoris. J'ai honte de moi.

Seth grimace.

— Et le pilote que tu aimais à propos de l'Alaska est allé à une autre actrice parce qu'ils ne pouvaient plus attendre de te rencontrer.

Mon estomac me fait mal.

— Qui ont-ils choisi?

Je dois le savoir.

Seth s'éclaircit la gorge.

— Ils ont donné le rôle à Sky Mackenzie, dit-il doucement.

— QUOI? hurlé-je.

— Burke, reste calme, m'ordonne Austin. Tu ne veux pas faire une autre crise.

— Sky a changé d'avis à propos de *Je te détesterais*, reprend Seth. Ou le réalisateur a changé d'avis. Je ne suis pas sûr. Mais Sky a rencontré les gens de l'émission pour Alaska la semaine dernière et elle les a totalement charmés et à présent elle tourne le pilote. Je dois le dire, c'est un revirement complet de personnage pour elle. Cela devrait faire des merveilles pour sa carrière s'il est repris.

Je suis étourdie. Mes mains commencent à picoter et je m'essuie le front. J'ai été tellement anti nouvel emploi que Sky a reçu une offre pour celui que j'aimais vraiment ! La nouvelle m'atteint de plein fouet. Je ne ferai plus partie d'une émission de télévision. Je ne serai plus sur un plateau tous les jours. J'ai raté toutes les occasions de faire de la télévision.

— Donc, Kaitlin n'a rien qui l'attend ?

La voix de maman est stridente.

Je n'ai pas de boulot. PAS de boulot. Que vais-je faire tous les jours ? Suivre des cours privés à la maison ? Regardez le gâchis que j'ai fait. Mon émission se termine et au lieu d'être dehors à passer les offres en revue, j'évite les médias et les emplois me sont retirés. Je dois prendre le contrôle de ma vie avant de perdre davantage de projets qui pourraient être bons pour moi.

— J'imagine que les gens de *Les grands esprits se rencontrent* ont trouvé quelqu'un d'autre aussi ? demandé-je doucement.

— En fait, non, dit Seth, et mon cœur s'envole pendant un instant. Ils devaient prendre en considération quelques personnes supplémentaires ce week-end, mais ils ont promis de te donner une réponse cette semaine.

Il sourit.

— Je pense que tu as de bonnes chances pour celle-là.

Maman, qui détestait l'idée d'une pièce de théâtre depuis le début, a vraiment l'air excitée.

— New York serait amusante pendant quelques mois, dit-elle d'un ton encourageant.

— Bon, tout cela est très touchant, déclare Laney, mais nous nous éloignons du problème. Tout d'abord, nous devons élaborer une stratégie pour rétablir la réputation de Kaitlin.

Elle fait les cent pas dans la pièce.

— Nous dirons que Kaitlin a eu trop chaud pendant la séance de photos pour *Sure* et qu'elle s'est évanouie. Nous pouvons déclarer que la pièce était vraiment très chaude et que Kaitlin s'est déshydratée et que c'est pour cela qu'elle a perdu connaissance. Nous ajouterons qu'elle est reconnaissante envers ses admirateurs pour leur soutien.

— Pourquoi les agents publicitaires utilisent-ils toujours le mot *reconnaissance* dans leurs communiqués de presse ? s'enquiert Matty.

SECRET D'HOLLYWOOD NUMÉRO TREIZE : Il ne s'écoule probablement jamais plus d'une journée sans qu'un agent publicitaire n'émette une déclaration de la part d'un de ses clients. Qu'une vedette se marie, divorce, se sépare, accouche ou s'excuse pour une querelle, il n'y a qu'un certain nombre de façons pour formuler la nouvelle. Si une phrase fonctionne — «nous sommes attristés», «nous sommes excités», «nous sommes enthousiastes», «nous sommes ravis» —, alors pourquoi ne pas l'utiliser continuellement ? C'est ce qu'a réalisé Laney. Elle accumule plusieurs déclarations et ensuite elle ajuste la formulation selon chaque nouvelle situation.

— Nous nous organiserons pour que *Sure* écrive un article exclusivement avec toi sur l'évanouissement et l'importance de boire de l'eau, continue Laney, des étincelles dans les yeux. C'est le moins qu'ils puissent faire.

— Nous pourrions peut-être obtenir une entrevue pour Kaitlin avec Oprah également à ce sujet ! suggère maman.

— Hum, êtes-vous certains que cette histoire d'hydratation ne sonnera pas faux ?

Je suis sceptique là-dessus. Le mensonge me semble aussi fragile que le sourire de Laney.

— Tant que tu t'en tiens à l'histoire, personne ne la questionnera ; du moins en ta présence, m'assure Laney. Tout d'abord, nous devons passer au travers de la journée de promotion auprès des médias pour *Adorables jeunes assassins*. Tout le monde posera des questions sur le séjour à l'hôpital.

L'accablement s'empare de moi. J'avais oublié cette promotion. Ce sera tellement gênant de devoir raconter que j'ai perdu connaissance et que je me suis retrouvée à Cedars-Sinai. Comment vais-je pouvoir regarder mes collègues d'*AJA* dans les yeux ? Ou la presse étrangère ? Ils vont me manger tout rond ! Quel cauchemar. Toutefois, c'est un cauchemar que j'ai provoqué. Il est temps d'arrêter de vivre dans le déni et d'affronter la vérité.

— Nous devons aussi prendre du temps pour déterminer quelles réponses Kaitlin donnera concernant son prochain projet, ajoute Seth.

— Avant de nous attaquer à cela, est-ce que quelqu'un veut du café ? intervient papa.

Tout le monde en veut. Laney, Rodney, Matty, maman et Seth parlent encore de la promotion de la semaine prochaine en sortant à la queue leu leu.

Austin se rassoit près de moi.

— Je suis content que tu ailles bien, me dit-il. Et je suis content que tu aies enfin exprimé ta pensée auprès d'eux.

— Merci d'être resté avec moi, lui dis-je.

Il se penche et m'embrasse.

— Alors, as-tu faim ? s'enquiert-il. Je peux descendre te chercher quelque chose à la cafétéria.

— N'importe quoi, le supplié-je. Je n'ai pas beaucoup mangé au déjeuner avant de perdre connaissance.

Après le départ d'Austin, Nadine et moi sommes seules. Sa robe argentée de demoiselle d'honneur bruisse quand elle se dirige vers mon lit.

— Je n'arrive pas à croire que tu as quitté le mariage de ta cousine pour venir me rendre visite après la façon dont je t'ai traitée l'autre soir, lui dis-je d'un ton coupable.

— Je n'ai fait que partir un peu plus tôt, répond-elle avec un petit sourire. Tu aurais dû voir les regards qu'on m'a jetés dans l'avion.

Elle rit, puis son visage reprend son sérieux.

— Je suis venue dès que j'ai su. J'étais tellement inquiète pour toi.

— Nadine, je suis tellement désolée pour la façon dont je me suis comportée, lui dis-je.

— Arrête. C'est moi qui devrais te présenter mes excuses, déclare-t-elle. Je t'ai trop poussée pour le SAT et tes réunions. Tu as eu tellement à faire. Tu avais besoin d'une alliée et je n'ai fait qu'augmenter ta charge.

— Je sais que tu essayais seulement de m'aider, mais j'avais l'impression que tu étais passée dans le camp de Laney et de maman au moment où j'avais le plus besoin de toi, admets-je.

Nadine détourne les yeux.

— J'ai l'impression que je t'ai laissée tomber.

Sa voix tremble.

— J'ai un aveu à te faire. Quand je suis rentrée à Chicago pour Noël et que j'ai vu mes parents, ils m'ont fait ce grand discours sur ma vie et sur le fait que je la gaspillais.

— Tu plaisantes !

Je suis sidérée. De la façon dont Nadine a toujours parlé de ses vieux, ils me semblaient les gens les plus géniaux du monde.

— Ils ont dit que j'occupais depuis assez longtemps ce stupide emploi d'assistante pour avoir économisé suffisamment d'argent pour compléter ma maîtrise deux fois et que je devais cesser de m'amuser pour me concentrer sur mon avenir.

Elle me regarde et ses yeux sont pleins de larmes.

— Ils ont dit que je devais arrêter de me la couler douce.

Maintenant, je me sens vraiment très mal. J'ai dit presque la même chose à Nadine, mais je ne faisais qu'être méchante.

— Tu ne te la coules jamais douce, lui fais-je remarquer. Tu travailles plus fort que tout le monde de ma connaissance.

— Ils ne le voient pas ainsi.

Nadine secoue la tête.

— J'ai essayé de leur expliquer à quel point j'étais importante pour toi. Comment je tentais de m'assurer que ton avenir inclue autre chose que le métier d'actrice. J'imagine que lorsque je suis revenue à L.A., j'ai voulu à tout prix faire exactement cela et je n'ai pas compris la pression supplémentaire que je mettais dans ta vie. Je suis tellement désolée, Kates.

— Je suis désolée de t'avoir dit ces choses affreuses, lui dis-je en commençant à chialer.

Nous pleurons notre peine pendant un moment. Quand c'est fini, je sens un énorme poids quitter mes épaules. Je m'amende enfin pour mes actions et Nadine est seulement le début.

SAMEDI 21 FÉVRIER
NOTE À MOI-MÊME :

Envoyé dè fleurs o rédacteurs de *Sure.*
Appelé Liz. (Envoyé aussi dè fleurs.)

**2manD à Seth d'autres scénarios à lire. TT LIRE !
Prendre nouvelles de *Les grands esprits se rencontrent.*
PROMOTION DE PRESSE PR *AJA* — sam prochain
H de convoc lundi : 6 h 30

QUATORZE : *Rencontrer la presse. Encore.*

— Kates ? dit doucement Nadine. Kaitlin, chantonne-t-elle.

Je ne réponds pas. Je suis cachée sous mon très confortable édredon de 600 fils au pouce et je n'ai pas l'intention de le quitter de sitôt.

— KAITLIN !

Le ton de Nadine est plus sec maintenant.

— Je sais que tu m'entends. Il est 8 h 15. Nous devons partir à 9 h 30. Ne penses-tu pas que tu devrais commencer à te préparer ?

— Dois-je réellement y aller ? demandé-je.

— Paul et Shelly t'attendent en bas. Et Tina a laissé quelques tenues élégantes dans ton placard pour que tu les essaies.

Nadine ignore ma question.

— Je crois qu'il vaudrait mieux que tu te lèves.

Beuh. Je sais que Nadine a raison. Vraiment. Sauf que je ne suis pas convaincue de pouvoir affronter la presse pour la promotion d'aujourd'hui. Je suis gênée de devoir dire à tous ces journalistes que je me suis retrouvée à l'hôpital pour cause de déshydratation. La presse a déjà commencé à spéculer sur mon épisode d'évanouissement en supposant qu'il s'agit « d'épuisement mental » (alias, dépendance à la fête).

— Kaitlin ?

Nadine a la main sur mon édredon et elle me fait rouler d'un côté et de l'autre.

— Qu'en dis-tu ?

KAITLIN BURKE : TOMBÉE EN DISGRÂCE. Le récent spécial de *Celebrity Nation* surgit dans ma tête. Oh mon Dieu. Nous sommes presque en territoire Britney. D'accord, peut-être pas Britney, mais assurément Lindsay.

Enfin, ce n'est possiblement pas si pire non plus. Mischa Barton ? BEUH. C'est quand même mauvais.

Je ne peux pas respirer. Je repousse mes draps et je commence à paniquer.

— Nadine, je ne peux pas ! Je ne peux pas me défendre devant plus de cinquante journalistes de la presse et de la télévision ! Je me sens idiote de dire que j'ai oublié de manger et de boire toute la journée ! Si je dois parler d'Ava et de Lauren et de ma récente dépendance aux boutiques, alors je me retrouverai à cracher le morceau sur la peur que j'ai ressentie devant la perte d'*AF* et à la possibilité que ma carrière périclite. J'aurai l'air d'un imposteur !

Je commence à tousser et à respirer bruyamment, et Nadine me tend rapidement un verre d'eau.

J'avale une grosse gorgée. Ah. C'est mieux, je bois donc une autre gorgée.

— Tu te sens mieux ? me demande gentiment Nadine.

— Un peu, réussis-je à répondre.

— Bien.

Nadine sourit.

— À présent, lève-toi.

Son visage est plus sévère.

— Tu n'arriveras pas en retard pour cette promotion avec les médias.

Je secoue la tête et fixe Nadine. Elle porte un chandail à devant croisé gris, un jean Gap en denim foncé à jambes droites et des bottines.

— Je ne peux pas affronter tous ces gens. Et Sky et Drew. Et Hutch ! Peux-tu imaginer ce que va me dire Hutch ?

Sky, je peux m'en occuper. Je l'ai vue toute la semaine et elle a été assez gentille de ne pas émettre un seul commentaire grossier sur mon petit voyage à l'hôpital. Mais Drew, qui joue mon petit ami dans *Adorables jeunes assassins* en plus d'être mon ancien copain dans la vraie vie, et Hutch Adams, mon réalisateur qui est assurément fou, vont me faire basculer.

— Admettons-le. Je suis perdue. Je ne peux pas faire cela.

Je me recroqueville sous mes couvertures et je ferme mes paupières lourdes. Dormir. J'ai juste besoin de dormir.

— Tu as affronté tes collègues d'*AF*, non? me rappelle Nadine. Ils étaient fiers que tu essaies d'arranger les choses. Tom te laisse même la semaine pour tourner la rétrospective. Tu peux réussir ceci aussi.

Je secoue la tête.

— Ce n'est pas la même chose, dis-je à mon oreiller. Je ne peux pas braver tous ces journalistes. Mes paroles paraîtront dans tous les journaux et sur le Web avant la tombée de la nuit. J'ai l'impression d'être une grande menteuse finie d'utiliser le prétexte de la déshydratation.

— Je pensais que tu réagirais ainsi après une nuit agitée, déclare Nadine en reconsidérant la question. C'est pourquoi j'ai demandé de l'aide. Entre, l'entends-je dire.

Ma porte s'ouvre en grinçant. Qui cela peut-il être? Austin? Tina? Paul et Shelly? Laney?

— Je vous laisse seules toutes les deux, nous dit Nadine, et je l'entends ensuite sortir.

La curiosité l'emporte et je jette un coup d'œil par-dessus mes couvertures pour voir qui est mon invitée.

— Liz?

Je suis sous le choc et ma voix le révèle. Que fait-elle ici?

J'ai essayé de la joindre plusieurs fois cette semaine. J'ai laissé des tas de messages en lui avouant quelle amie terrible j'étais et à quel point j'étais désolée pour tout. Cependant, elle ne m'a pas rappelée. Austin a dit de lui accorder du temps et maintenant, elle est ici.

— Je ne te permettrai pas d'être en retard pour cette promotion avec les médias. Nous sauvons ton derrière aujourd'hui, déclare Liz sévèrement, mais j'aperçois son sourire.

Elle est très belle. Cela fait presque un mois, tout un mois, que je l'ai vue et je jurerais que sa chevelure foncée bouclée et excentrique, qui ne pousse jamais, est plus longue. Son style caractéristique personnel — une écharpe Pucci sur la tête — lui donne fière allure et elle porte un haut noir en tricot par-dessus une camisole crème avec des leggings noirs et des talons plats Chanel. Liz se dirige droit vers mon placard.

— Voyons voir, à présent. Tina m'a dit qu'elle avait sélectionné trois tenues. Ah. Les voici !

— Liz, lâché-je d'une petite voix en essayant de ne pas pleurer. J'ai été tellement imbécile. J'aurai dû te dire ce qui se passait avec moi. J'aurais dû faire plus d'efforts pour te voir.

— Je pense que tu devrais porter le haut vert Rebecca Taylor avec le jean Minx, affirme Liz en m'ignorant. Le vert fait vraiment ressortir tes yeux et le coton sera doux sur ta peau, tu seras donc à l'aise.

— Liz ? tenté-je encore une fois.

Elle ne dit rien.

— Arrête de choisir des vêtements pour moi. Je ne le mérite pas.

Je repousse mon édredon et je marche à pas feutrés vers le grand placard de plain-pied dans mon pantalon de yoga à pois Gap et mon haut bleu à bretelles.

Liz laisse échapper un petit cri.

— Quand t'es-tu procuré cette formidable Nicole Miller ?

Elle lève une robe noire ornée de clous décoratifs et d'une poche à la poitrine.

Je donne un coup dessus pour la lui faire lâcher et le cintre tombe avec fracas sur le sol.

— Oublie la Nicole Miller ! J'essaie de te présenter mes excuses, insisté-je. Je suis désolée pour tout… Pour ne pas avoir été présente pour toi lorsque tu avais besoin de moi, pour mon comportement avec Mikayla et pour la façon dont je t'ai traitée lorsque tu m'as téléphoné.

— C'est moi qui devrais te demander pardon pour avoir été une mauvaise amie, réplique Liz. Quand j'ai vu les nouvelles à propos de toi à l'hôpital, j'ai été très bouleversée. J'étais à Chicago avec papa cette semaine pour affaires ; autrement, je serais venue tout de suite. Je désirais t'appeler, mais je ne savais pas quoi dire.

Elle a la voix étranglée.

— Je devais te voir en personne. Nous sommes revenus hier soir.

Elle commence à pleurer.

— Je suis tellement désolée de ne pas avoir été là pour toi. Comment ai-je pu ne pas voir à quel point la fin d'*Affaire de famille* était stressante pour toi ? J'étais tellement prise par mon propre drame avec cette demande pour NYU et les visites d'universités que je ne voyais pas que tu étais dans le même bateau que moi.

Elle est prise de hoquets.

— Je ne pensais pas ce que j'ai dit à propos du fait que l'on s'éloigne l'une de l'autre et que nous ne sommes plus capables de nous comprendre. J'étais seulement en colère parce que tu n'étais pas là. Je sais que j'ai dit des choses ignobles. Je me suis tellement emballée pour les histoires de Mikayla à propos de New York et de NYU que je ne pensais qu'à mon entrée à l'université, poursuit Liz. Mikayla me donnait l'impression d'être si en retard sur tout le monde, ajoute-t-elle. Elle me faisait croire que tous les trucs hollywoodiens qui m'occupaient étaient frivoles.

Liz attrape un mouchoir sur ma tablette et se mouche bruyamment.

— J'ai vécu toute ma vie dans cette ville !

Elle semble en colère à présent.

— Mon père est dans l'industrie ! S'il ne l'était pas, je ne t'aurais pas rencontrée. Je ne saurais même pas que je *veux* être productrice. Cette ville fonctionne pour moi. De toute façon, je me suis lassée de ses sermons à mon endroit. Je ne lui ai pas parlé depuis son retour à NYU.

Vous voulez dire que j'ai Lizzie à nouveau entièrement pour moi ? C'est tellement mal. J'ai recommencé à lire le livre de développement personnel préféré de Nadine — *Libérez votre moi véritable* — et le chapitre douze s'intitule *Il n'y a pas de je en amitié*. Le titre n'a pas vraiment de sens, mais l'idée, c'est que l'on est censé pousser ses amis en avant et non se réjouir de leurs échecs.

— J'ai fait la même chose avec Lauren et Ava, informé-je Liz. Je n'ai pas compris qui elles étaient véritablement jusqu'à ce qu'il soit trop tard. Elles n'agissaient pas comme de vraies amies. Tu es ma meilleure amie et j'aurais dû être là pour toi lorsque tu avais besoin de moi. Je n'aurais pas dû laisser une stupide querelle se mettre en travers de nous. J'aurais dû demander pardon il y a des semaines, mais j'étais trop têtue.

— J'avais tort de dire ces choses sur l'université, Kates, insiste Liz. Notre amitié ne dépend pas du fait que nous allions toutes les deux à l'université. Nous resterons des amies, peu importe où nous nous retrouvons en fin de compte. Ce que nous avons est tellement plus profond qu'une école qui dure quatre ans.

— Je sais, dis-je en pleurant.

Nous commençons toutes les deux à sangloter et à nous étreindre encore, et c'est à ce moment que j'entends Nadine revenir dans la pièce. Elle nous voit et sourit.

— C'est ce que j'espérais, me dit-elle. Donc, à présent que ta vraie vie est arrangée, pouvons-nous nous occuper de celle d'Hollywood ?

— Je ne sais pas.

Je m'essuie les yeux.

— Liz me connaît et elle m'aime comme personne. La presse ne sera pas aussi facile.

Liz pose sa main sur mon épaule.

— Qu'as-tu l'intention de dire?

Je regarde Nadine.

— Je ne peux pas m'empêcher de penser que le mensonge de Laney n'est pas la solution, mais je ne sais pas comment le contourner.

— Peu importe ce que tu décides, nous serons là pour t'encourager.

Nadine regarde Liz.

Ceci m'aidera beaucoup. Je prends une profonde respiration.

— D'accord. Allons-y.

* * *

Un événement de promotion auprès des médias est une journée extrêmement importante pour un film. De cinquante à cinq cents journalistes de partout au pays, et parfois dans le monde, se présentent pour avoir la chance de passer vingt minutes à interviewer une vedette qui, en temps normal, ne voudrait pas être vue en train de répondre à des questions pour le journal de Bledville É.-U. Même si le film en question est loin d'être extraordinaire, une bonne ronde d'entrevues avec les membres de la distribution peut effacer jusqu'à la pire critique.

Ces promotions étant si cruciales, il n'est pas étonnant qu'un studio ne recule devant aucune dépense pour en organiser une bonne. Après que les reporters ont visionné le film, le studio réserve un espace dans un hôtel de luxe huppé (aujourd'hui, la promotion se déroule au Four Seasons Hotel Los Angeles à Beverly Hills). Ils gavent les journalistes de bonne nourriture et ils leur offrent un superbe cadeau (cela va du t-shirt portant le logo du film pour les petits budgets à un sac de voyage pour le week-end pour une grosse production), et ils leur font du plat comme ce n'est pas permis. Mais la partie la plus importante de la journée, bien sûr, c'est les entrevues avec les vedettes. On sépare les journalistes en petits groupes, et les vedettes du film se déplacent d'une pièce à l'autre toutes les vingt minutes environ pour répondre aux questions de tout le monde. Personne n'obtient d'entrevue privée à moins qu'il s'agisse d'*Access Hollywood* ou de *Celebrity Nation* et que cela inclue une couverture télévisuelle.

Après un peu plus de quatre heures de ce régime, vous pouvez vous imaginer comme il devient ennuyeux de répondre à une question du genre : « Qu'as-tu aimé dans le rôle de Carly ? » (C'est pourquoi vous lisez des réponses identiques dans différents magazines des centaines de fois. Il n'y a qu'un nombre limité de façons de décrire votre personnage, peu importe à quel point il est cool.) Malgré tout, certaines vedettes détestent la monotonie de tout cela, ce qui explique pourquoi il y a le…

SECRET D'HOLLYWOOD NUMÉRO QUATORZE : Si vous êtes une immense vedette de premier plan qui peut à peine supporter de parler plus d'une heure du film pour lequel vous avez reçu un cachet de quinze millions de dollars, une promotion de presse ordinaire ne fera pas l'affaire. Pourquoi passer une demi-journée à répondre aux mêmes questions si vous pouvez le faire une seule fois devant un vaste public ? C'est pourquoi les Tom de ce monde ne participent pas à ces promotions — ils donnent des conférences de presse. Une centaine de journalistes sont entassés dans une salle et ils obtiennent *une* chance de poser leurs questions. Ils se retrouveront eux aussi avec les mêmes citations puisque Tom ne répond à une même question qu'une seule fois.

Personne ne donne de conférence de presse pour *Adorables jeunes assassins*, c'est certain. Notre film commence peut-être à paraître dans les listes de films « à voir absolument », mais personne de notre distribution ne détient ce statut en ce moment. Même si quelques-uns ont déjà l'ego qui va avec.

CLAP. CLAP. CLAP. CLAP.

— Mesdames et Messieurs, la fille de l'heure est arrivée : Kaitlin Burke !

Mon partenaire dans *AJA*, Drew, m'applaudit lorsque j'entre dans la suite que nous utilisons comme salle d'attente. Drew a fière allure, bien sûr — superbe torse, splendide veston brun clair et jean, chevelure foncée parfaitement coiffée lui tombant sur les yeux, peau bronzée —, mais ce sourire détestable gâche tout.

— Et wow, tu as l'air, oserais-je dire, normale ? Pas de cernes sous les yeux, pas de déshydratation. Attends une minute.

Drew me regarde attentivement.

— Es-tu la doublure de Kaitlin ?

Comment ai-je pu sortir avec ce gars ?

— Salut, Drew, grommelé-je avant de m'asseoir sur un sofa au fond du salon.

Je vais simplement l'ignorer.

Je parcours l'opulente pièce du regard. De superbes tissus rayés sur les bergères à oreilles, des glaces dorées, d'immenses arrangements floraux, des poutres visibles, un éclairage parfait. La seule chose qui ne soit pas belle est le fait que je suis coincée dans une pièce avec Drew. Laney, maman, Nadine et Liz m'attendent de l'autre côté du couloir. Apparemment, Hutch souhaite offrir un discours d'encouragement à ses acteurs avant que nous ne commencions, alors nos équipes doivent attendre à l'extérieur.

Drew se laisse tomber à côté de moi.

— Je ne veux pas l'entendre, Drew, lui dis-je.

Je redresse les épaules et je remonte les manches de mon chandail flottant noir Donna Karan. Je suis contente d'avoir mis le jean habillé à jambe large en denim foncé et mes bottes Gucci préférées avec cette tenue.

— Ta mère ne t'a-t-elle jamais appris à ne pas parler de choses dont tu ignores tout ?

— Oh, je sais des tas de choses, déclare Drew. Ainsi que le reste du monde. Cette histoire circule partout ! Sérieusement, Katie Bear, je n'aurais pas pu mieux écrire ton épisode d'évanouissement si j'avais moi-même fait semblant de le faire pour la presse.

Il se tient au-dessus de moi, sentant le café.

— Lâche-moi. Tu es tombée dans les pommes parce que tu as trop fait la fête. Admets-le, me demande Drew. Ava et Lauren mettraient n'importe qui à plat.

Je ne laisserai pas Drew me bouleverser. Je dois garder toutes mes forces pour les entrevues. Je ne me lancerai pas dans une querelle. Mais…

— Tu devrais le savoir, sifflé-je. Tu es sorti avec les deux.

— Quel nerf!

Drew rit.

— Bonne réplique, Katie Bear, mais cela ne change rien, n'est-ce pas? La presse pense que tu es totalement détraquée. Ton prétexte d'évanouissement est mince et cette stupide chanson que tu as enregistrée a mis les gens en colère. Tu es tellement endommagée que tu me fais bien paraître.

Le rire de Drew me rend folle. Mon sang commence à bouillir, mais j'essaie de demeurer calme. Je n'ai pas besoin d'une autre dispute digne des manchettes en ce moment. Particulièrement quand chaque journaliste du monde civilisé est juste derrière la porte. Malgré tout, je dois répliquer.

— Peut-être que j'ai mal géré la situation, lui dis-je, mais nous savons tous que la seule raison pour laquelle on s'intéresse à ce qui m'arrive est que je suis une célébrité. Si j'étais une fille ordinaire qui avait trop fêté, le monde ne le saurait pas.

— Mais tu n'es *pas* une fille ordinaire, tu es une vedette, déclare Drew. Du moins, tu en étais une jusqu'à maintenant. Sans *Affaire de famille*, tu n'as rien.

J'ai besoin de toute mon énergie pour ne pas le frapper.

— Laisse-la tranquille, Drew.

Drew et moi pivotons. J'ignore si Sky était ici depuis le début ou si elle est entrée sans se faire remarquer. Elle avance vers nous, vêtue d'une camisole en soie blanche, d'un pantalon assorti et de talons hauts blancs qui lui donnent l'apparence d'un ange. Je ne m'y laisse pas prendre.

Drew s'étrangle de rire.

— Ne t'inquiète pas, Sky, dit-il. Je t'ai laissé assez de temps pour que tu puisses lui donner quelques coups aussi.

— Le seul que je vais frapper ici, c'est toi, répond froidement Sky.

Quoi? Sky me défend? Peut-être que je ne me suis jamais levée ce matin et que je rêve encore.

— K. est peut-être stupide parfois, mais il n'y a rien de stupide à s'évanouir, lui dit Sky d'un ton colérique. Il se trouve que je le fais tout le temps parce que, hum, j'oublie de manger.

Elle me regarde.

— C'est juste que je ne suis jamais tombée dans les pommes en public à cause de cela, mais la discrétion n'a jamais été ton fort.

— Merci, lui dis-je sèchement.

— Je suis fière de K. pour ne pas avoir lâchement refusé de faire cette promotion auprès de la presse, reprend Sky. Une vedette moins importante — comme toi Drew — aurait été mortifiée et elle aurait tout annulé. Mais pas notre K. Elle est solide quand il le faut.

Je suis tellement surprise par le compliment de Sky; je ne sais pas quoi dire.

Drew roule les yeux.

— Y a-t-il une caméra cachée dont j'ignore l'existence, Sky? Depuis quand prends-tu sa défense?

— K. est ma partenaire depuis plus d'une décennie et toi, tu es une vedette de série C mieux connue pour ses conquêtes que pour son travail, lâche-t-elle d'un ton sec. Bien sûr que je vais prendre sa défense.

— Je m'ennuie, déclare Drew.

Il se dirige vers la table de nourriture et laisse tomber un raisin dans sa bouche. Il a en fait l'air trop nerveux pour revenir.

Je me tourne vers Sky.

— Merci, lui dis-je avec gratitude.

Sky hausse les épaules.

— Je me protège aussi, tu sais, dit-elle avec une étincelle dans les yeux. Tu as plus de valeur pour moi en tant qu'alliée que Drew n'en aura jamais.

Nous rions.

— Je devrai peut-être dire à Trevor que tu as réellement un cœur quelque part là-dedans, lancé-je à la légère.

Sky sourit.

— J'imagine que ça me va.

Elle reste silencieuse un moment.

— Alors, comment vas-tu? Je n'ai pas voulu poser la question au travail. T'es-tu réellement évanouie parce que tu étais déshydratée ou y a-t-il autre chose?

Je me mords la lèvre inférieure.

— Je ne sais pas. C'est tout ce qui se passe dernièrement. Ne crains-tu pas du tout la vie après *AF*? lui demandé-je sérieusement. Nous avons passé toute notre vie dans cette émission. Et si nous ne connaissions jamais un autre succès comme celui-là? Et si nous ne dépassions jamais notre statut d'adolescente vedette? Ces pensées me gardent éveillée la nuit.

Sky détourne le regard.

— OK, j'ai peut-être un *peu* peur. Même s'il est vrai que j'ai décroché un pilote à haut potentiel.

— Félicitations pour le feuilleton, dis-je en essayant de ne pas paraître jalouse.

Sky et Matty ont tous les deux d'excellents pilotes qui pourraient être choisis pour l'automne. J'aurais pu avoir un pilote pour la télévision moi aussi, mais je me suis gourée. J'imagine que je ne peux pas m'en inquiéter en ce moment. Il reste toujours la prochaine saison des pilotes ou même des émissions de mi-saison. On annonce de nouveaux projets tous les jours. Et si j'ai de la chance, je jouerai dans ma première pièce de théâtre cet été. Ce serait vraiment bien.

— Je suis excitée, répond Sky.

Si Sky sait que je voulais le rôle, elle ne le laisse pas voir.

— Tu devrais l'être, dis-je avec franchise. Tu as un merveilleux réalisateur.

— Qui sait? dit Sky avec un sourire narquois. Si tu es sans emploi l'automne prochain, je pourrai peut-être t'obtenir une apparition *unique* à titre de vedette invitée. Je n'ai pas besoin d'une autre Alexis Holden à gérer.

Je ris.

— Je suis certaine que je serai trop occupée avec mon *propre* projet extraordinaire pour essayer de te voler le tien, mais merci quand même.

Le visage de Sky s'assombrit.

— Attends... tu as quelque chose dans ta mire? Qu'est-ce que c'est?

Il y a un coup frappé à la porte et Hutch entre d'un pas pressé, l'air aussi soucieux et effaré que jamais. Il est toujours mince et il ne s'est pas mis sur son trente-et-un pour l'occasion. Il porte l'un de ses t-shirts de concert et des jeans, et son matelas de yoga est roulé sous son bras droit. Sa publiciste est deux pas derrière lui et n'a pas l'air contente. Hutch m'aperçoit et se fend d'un large sourire.

— Kaitlin! lance-t-il.

Il me serre vigoureusement la main et ne la lâche pas.

— Merci, merci, merci!

— Pour quoi? lui demandé-je, perplexe.

— Pour ton séjour à l'hôpital à un moment opportun!

Hutch me regarde comme si je devais savoir de quoi il parle.

— Il n'aurait pas pu mieux tomber. Nous avons dû refuser des gens pour cette promotion. Tout le monde voulait avoir l'occasion de t'interviewer. Nous sommes assurés d'avoir une bonne couverture médiatique et il ne sera question que de toi.

La mâchoire de Drew se décroche.

— Tu me fais marcher.

— Nan, reprend joyeusement Hutch. Ils sont ici pour la voir, *elle*.

Hutch me secoue avec force.

— Dis ce que tu as sur le cœur, Kaitlin. Ne te retiens pas. Je vous verrai là-bas, les enfants.

Je suis sans voix. Hutch est heureux que j'aie planifié ma visite à l'hôpital en fonction de notre promotion ? Devrais-je lui dire qu'il s'agit d'une coïncidence ? Je me mords la lèvre pour m'empêcher de rire jusqu'à ce qu'il soit parti. Laney, Nadine, maman, Liz, l'équipe de Sky et le groupe de Drew entrent à la queue leu leu.

— Qu'y a-t-il de si drôle ? veut savoir Laney.

— Rien, réponds-je.

— Es-tu prête pour tes entrevues ? me demande Laney. Ton histoire d'évanouissement est bien réglée ?

— Euh… commencé-je à dire.

— Laney, les filles ; pourrais-je passer un moment, seule avec Kaitlin ? interrompt maman.

Tout le monde se regarde et je jette un coup d'œil nerveux à Nadine. Maman me fait signe de la rejoindre dans le couloir, où je la suis dans une suite où elle avait dû attendre avec les familles et l'entourage des vedettes. La pièce est vide à présent. Elle ferme la porte derrière elle et la verrouille.

Oh oh.

— Kaitlin, j'espérais que nous puissions parler une minute avant que tu n'ailles là-bas, commence maman, l'air plus gênée que je ne l'ai jamais vue. J'ai l'impression de te devoir des excuses.

Je m'assois sur un des sofas et maman s'installe à côté de moi, laissant un grand vide entre nous.

— Maman, ça va, tu n'as pas besoin de dire quoi que ce soit.

Maman s'empare de ma main.

— Non, je dois le faire ! insiste-t-elle.

Elle secoue la tête misérablement.

— *Fashionistas* a raison. J'ai été une mère horrible.

Elle commence à renifler.

— Tu n'es pas une mauvaise mère, dis-je. Si tu ne voyais pas à mes intérêts, qui s'en chargerait?

— Mais je pousse les choses trop loin, chiale-t-elle. Je veux seulement ce qu'il y a de mieux pour toi, mais parfois, je brouille un peu trop les limites. Tu devrais être ma fille en premier lieu et ma cliente en second lieu. Pas l'inverse.

— Maman...

— Non, laisse-moi te le dire, m'interrompt sévèrement maman. Je veux que tu sois la meilleure version de toi-même, Kate-Kate, et parfois je crois que cela signifie la plus grande actrice qui soit, mais en vérité, je le réalise, cela n'a rien à voir avec le métier d'actrice. Il s'agit d'être toi et de devenir la femme que *tu* souhaites être. Cela signifie te permettre de prendre certaines décisions par toi-même, même si je ne suis pas d'accord avec elles.

— Maman, je te l'ai dit à l'hôpital, je sais que tu veux ce qu'il y a de mieux pour moi, déclaré-je doucement; mais je dois l'admettre, c'est bon d'entendre maman me dire ces choses. Et j'ai confiance en tes décisions — parfois —, mais parfois, je veux que tu écoutes ce que j'ai à dire. Je suis dans le métier depuis longtemps et je sais quel genre de rôles je veux accepter à ce point-ci.

Maman secoue la tête.

— Je veux simplement qu'on n'abuse pas de toi. Cette ville peut s'avérer très rude et je ne veux pas qu'on te détruise. J'ai vu cela arriver à tellement de filles de ton âge.

Je presse la main de maman.

— Ils ne le feront pas. Je t'ai, j'ai Seth, j'ai Laney. Vous m'aidez tous à prendre de bonnes décisions. Tu dois simplement écouter ce que je te dis de temps à autre.

Maman se penche et me serre fortement dans ses bras, m'étouffant presque.

— D'accord, sanglote-t-elle. Je promets d'essayer ! Et si je n'écoute pas, tu me le dis, d'accord ? Parfois, j'ai besoin d'un petit rappel à l'ordre.

Petit est bien en deçà de la vérité, mais pourquoi couper les cheveux en quatre dans un moment pareil ?

— Promis.

Nous traversons le couloir bras dessus bras dessous et entrons dans l'autre suite, qui est très bruyante avec tous ces gens entassés dedans. Laney, Nadine et Liz attendent nerveusement dans un coin.

— Tout va bien ? demande Laney, l'air inquiète.

Maman et moi nous regardons en souriant.

— Tout est parfait, réponds-je.

— Bien.

Laney sourit.

— Maintenant, à propos de ta déclaration d'aujourd'hui. Rappelle-toi ce que nous avons répété ensemble : tu t'es évanouie. Tu n'avais pas mangé ce matin-là. Tu n'avais rien bu. C'était un évanouissement et rien de plus. Compris ?

Je regarde leurs visages pleins d'attente. Nadine est agitée, Liz regarde le plancher. Maman elle-même prend soudain un air pensif.

— Laney, écoute, j'ai pensé à quelque chose, commencé-je à dire.

— Oh non ! Ne me fais pas cela maintenant, supplie Laney.

— Écoute-moi d'abord, reprends-je calmement. Ce prétexte d'évanouissement est mince. Tu le sais, je le sais, même la presse le sait.

— Et alors ? réplique Laney. Ils ne peuvent rien prouver. Il y aura quelques jours de couverture médiatique sur ce sujet et ensuite ce sera oublié.

— Mais moi, je m'en souviendrai, insisté-je. Et cela refera surface dans certaines autres entrevues. Peut-être pas demain.

Peut-être pas dans six mois, mais je saurai que je suis un imposteur. Laney, écoute. J'avais peur avant et je pensais que cette histoire d'évanouissement était logique, mais de quoi avais-je peur ? La vérité n'est-elle pas mieux que ce que la presse pense en ce moment ? Ils savent que je n'étais pas déshydratée. La vérité, c'est que ce qui m'est arrivé n'est pas si mal en regard de ce qui se passe dans le monde. J'ai paniqué ; et alors ? Les adolescents font ça tout le temps. Oui, j'ai un peu trop fait la fête, je suis sortie avec des filles que j'aurais dû éviter et j'ai dépensé un peu trop d'argent, mais je n'ai tué personne. Je ne me suis pas droguée, lui rappelé-je. Je suis juste une fille avec beaucoup de responsabilités pour quelqu'un de son âge et j'avais besoin de prendre une pause de tout. C'est assez normal, tu sais.

Je regarde maman.

— Je ne veux pas lire des citations préparées à l'avance qui mentent sur ce qui s'est réellement passé. Je veux que les filles qui m'admirent lisent mes citations et puissent voir nos liens communs. Je ne devrais pas avoir honte de moi-même.

— Je pense que Kaitlin a raison, intervient maman, et la mâchoire de Nadine en tombe presque au plancher. Je crois que nous devrions lui permettre de dire la vérité.

Maman et Laney se regardent.

Laney soupire.

— Si c'est tellement important pour toi, alors d'accord, fais comme tu veux, dit-elle. J'imagine que tu as raison. Tu ne devrais pas avoir à mentir simplement parce que tu agis comme une adolescente.

Je souris fièrement à Laney.

— La première table ronde commence dans cinq minutes, annonce une assistante.

— Vas-tu vraiment tout leur dire ? me murmure Liz alors que je m'éloigne pour aller chercher une bouteille d'eau.

— Ouais.

Je me sens tellement confiante tout à coup.

— Ça va être bon, déclare Liz.

Mon téléphone sonne et je réponds.

— Allô?

— As-tu déjà fui l'hôtel en criant?

J'entends la voix d'Austin et je me sens instantanément calme.

Je l'informe de la tournure des événements. Les excuses de maman et le fait qu'elle a été d'accord avec moi pour une fois. Je lui dis que Laney a fini par voir les choses à ma façon. Je lui raconte aussi ce qui s'est passé avec Liz. Et que Sky a pris ma défense. La combinaison de toutes ces choses en une seule matinée m'a fait réaliser que si je peux encaisser tout cela, je peux tout encaisser. Une pièce remplie de journalistes ne m'effraie pas.

— Bravo.

Austin semble vraiment fier.

— Éblouis-les.

— Je le ferai, lui promets-je.

Et pour la première fois depuis longtemps, je me sens prête à faire exactement cela.

— Kaitlin?

La publiciste du studio surgit à mes côtés.

— J'aimerais t'accompagner à ta première salle.

Je quitte maman, Laney, Liz et Nadine et j'emboîte le pas à la femme dans le couloir de l'hôtel. Les gens me fixent, mais je m'en fous. La publiciste ouvre la porte et je vois un groupe d'environ huit journalistes assis autour d'une table avec des magnétophones à cassettes en main.

— Bonjour, tout le monde. Votre première entrevue sera avec Kaitlin Burke, leur apprend l'assistante.

Je zieute la table pleine de nourriture. Les vedettes ne mangent pas dans ce type d'événement. Le plus qu'elles se permettent, c'est habituellement de l'eau. Autrement, on se retrouve avec un article qui décrit tout ce que l'on a mangé ce jour-là. J'attrape une bouteille d'eau et je m'assois. Je souris plaisamment en attendant le départ de la publiciste.

— Alors, commencé-je. Nous parlerons d'*AJA* dans un moment, mais d'abord, devrions-nous commencer par ce que vous désirez vraiment savoir?

SAMEDI 28 FÉVRIER
NOTE À MOI-MÊME :

Dernière semaine ds *AF*
H de convoc lundi : 6 h

Kaitlin Burke déballe tout
« J'ai laissé la peur avoir le dessus sur moi. »

Semaine du 29 février

Pourquoi Kaitlin a presque fait une dépression nerveuse — et comment elle s'est battue pour s'en sortir

Par Joyce Waters

Kaitlin Burke a fait la une de nombreuses manchettes au cours des dernières semaines. Quand la fêtarde en elle a soudainement fait son apparition, merci à ses nouvelles amies Ava Hayden et Lauren Cobb, la photo de Kaitlin était partout — elle a été vue en train de danser au Shelter, de faire des achats au Belladonna et de prendre le lunch au Ivy. Pour une célébrité qui donne habituellement des occasions de la photographier dans des événements de charité et au cours de rencontres pour *Affaire de famille*, la nouvelle

Kaitlin a fait couler beaucoup d'encre dans les médias. Un démo musicale — intitulée *Princesse des paparazzis* — rendue publique sans permission, vendant sa nouvelle image endiablée, a pris d'assaut les ondes et a causé des drames supplémentaires. (Le publiciste de Kaitlin, Laney Peters, dit que le démo n'était rien de plus que cela et qu'il n'était pas destiné au public. « Kaitlin NE FERA PAS d'album et elle n'est pas d'accord avec la philosophie de cette chanson, dit Peters. Nous regrettons qu'une personne ait envahi la vie privée de Kaitlin en la diffusant. ») Même la mère de Kaitlin, Meg Burke, s'est retrouvée dans la presse grâce à une tristement célèbre entrevue qu'elle a donnée à *Fashionistas*, qui l'a qualifiée de « maman-qui-s'ingère ».

Mais rien ne se compare à ce qui s'est passé il y a deux semaines, quand Kaitlin se trouvait à la séance de photos pour la page couverture de *Sure*. Quand l'après-midi a soudainement tourné au cauchemar (grâce à la visite impromptue d'Ava et de Lauren), Kaitlin s'est effondrée et a été transportée d'urgence au centre médical Cedars-Sinai. Cette déclaration de Peters a suivi peu après : « Kaitlin a eu trop chaud pendant la séance de photos pour *Sure* et elle s'est évanouie. La pièce était vraiment très chaude et Kaitlin était déshydratée, c'est pour cela qu'elle a perdu connaissance. Elle est reconnaissante envers ses admirateurs pour leur soutien. »

Les langues se sont immédiatement fait aller en posant l'hypothèse que Kaitlin avait un problème d'alcool ou qu'un excès de fêtes était la véritable cause du voyage de la vedette à l'hôpital. Ce que le monde désirait savoir, c'est ce qui était arrivé à la jeune vedette sûre d'elle que *TV Tome* avait nommée la jeune actrice la plus populaire de la télévision. Au cours de la promotion de presse d'*Adorables jeunes assassins* ce week-end dernier, Kaitlin a finalement tout déballé à propos de sa fatale visite au Cedars-

Sinai. « Vous avez raison : je n'étais pas déshydratée. Je me suis vraiment évanouie, mais c'était pour un motif très différent. J'imagine que l'on pourrait dire que je n'ai pas très bien digéré la nouvelle de la fin d'*Affaire de famille*, admet-elle. J'aurais dû parler à mes amis et à ma famille de mes sentiments, mais au lieu de cela, j'ai tout gardé en moi et j'ai essayé de continuer à vaquer à mes occupations. Je faisais semblant que cela n'arrivait pas. Je remettais les réunions sur des projets à prendre en considération. La vérité, c'est que la fin de la série est une grosse affaire pour moi. Je ne savais pas comment passer mon temps à l'extérieur du plateau sur lequel j'étais depuis le jardin d'enfants.

« J'ai essayé de fuir mes problèmes au lieu de les affronter », a-t-elle ajouté. L'échappatoire s'est présentée sous forme d'achats. (Elle a accumulé une facture de carte de crédit de quatre mille dollars en un mois, une chose qu'elle prétend n'avoir jamais faite auparavant. Elle rembourse en ce moment ses parents avec son argent de poche mensuel.) Kaitlin s'est aussi mise à fréquenter des filles qui n'étaient vraiment pas de son calibre. « Lauren et Ava sont formidables, dit prudemment Kaitlin, mais je pense que nous avons des idées différentes, et les miennes incluent le contrôle de moi-même et non le contraire. » (Pour leur part, lorsqu'on les a interrogées sur Kaitlin pendant l'événement de bienfaisance Oui aux câlins, non à la drogue, Ava, qui était avec l'ancienne actrice d'*AF* Alexis Holden, a déclaré : « Nous en avons terminé avec Kaitlin. Voici notre nouvelle meilleure amie pour toujours, Alexis. »)

Même si Kaitlin a tenté de fuir, ses problèmes l'ont rattrapée de différentes façons. « Chaque fois que j'étais bouleversée, j'avais ces effrayantes palpitations cardiaques, les paumes en sueur, et je commençais à paniquer, explique Kaitlin. J'ai essayé de ne pas tenir compte de ce qui m'arrivait. C'est ce qui s'est réellement passé à la séance de photos *Sure*. Je n'étais pas déshydratée. Je me suis vraiment évanouie, mais le véritable motif — que j'avais peur d'admettre jusqu'à aujourd'hui —, c'est que j'ai subi une crise de panique. » Son médecin a expliqué qu'elle était victime de crises de panique et qu'elle devait trouver une façon de garder le contrôle de sa peur.

Kaitlin est désolée d'avoir donné la frousse à sa famille et à ses amis et elle dit qu'elle est prête à aller de l'avant, peu importe ce qui l'attend. Elle examine plusieurs nouveaux projets en ce moment, mais elle dit qu'elle ne se précipitera pas tant qu'elle ne sera pas certaine d'avoir trouvé le bon pour elle. Elle dit que son bref flirt avec le côté sombre d'Hollywood lui a appris une bonne leçon sur elle-même — même si elle aurait aimé ne pas le faire sous les yeux de l'ensemble du pays. « J'ai peut-être un peu fêté, mais je n'ai rien fait d'illégal, fait-elle remarquer. Si la pire chose que je fais dans la vie est trop d'achats ou bien danser sur une table un soir dans une boîte de nuit, je pense que je m'en sortirai bien. Évidemment, je suis gênée de mes actes, mais j'apprends grâce à eux. Je suis une adolescente et parfois, nous faisons des erreurs. Je fais beaucoup d'erreurs. Mais je pense toujours que nous devrions nous inquiéter de choses beaucoup plus importantes, comme des enfants affamés en Afrique ou du réchauffement de la planète. Pas de savoir si oui ou non Kaitlin Burke ira au Shelter.»

18. INTÉRIEUR DU MANOIR BUCHANAN — SALON — SCÈNE FINALE

Le salon est vide, à l'exception d'une pile de boîtes pleines. Les pièces en vue sont vides également. Des déménageurs continuent de transporter des meubles en passant devant PAIGE, DENNIS, SAMANTHA et SARA, qui restent ensemble à les regarder travailler.

PAIGE

J'imagine que c'est tout, n'est-ce pas ?

DENNIS

Je le crois. J'ai dit à Penelope que nous laisserions les clés sur le plan de travail de la cuisine.

SARA

À quelle heure est notre vol pour Miami ?

PAIGE

J'ai dit au pilote que nous serions sur la piste privée à 16 h. (Elle regarde sa montre.) Nous avons encore un peu de temps devant nous avant de partir.

SAMANTHA

Bien. J'ai l'impression d'avoir encore besoin de quelques minutes ici, vous voyez ?

SARA

Est-ce que tu étais à l'aise de dire au
revoir à Ryan ce matin?

SAMANTHA

Je le pense. Ryan et moi allons essayer
de faire fonctionner notre relation à
distance. (Sara s'étrangle de rire.) Il
m'a pardonnée pour la façon dont j'ai agi
et cela me fait réaliser encore plus à
quel point ma relation avec lui est spéciale. (Elle regarde Paige et Dennis) Je
suis simplement contente que vous ayez
interrompu mon interdiction de sortir
assez longtemps pour que je puisse lui
dire au revoir. Il y a autre chose que
j'aimerais dire aussi : je sais que cela
ne change pas la façon dont j'ai agi
récemment, mais je pense que je suis
enfin en paix avec notre déménagement à
Miami.

PAIGE

Je suis heureuse d'entendre cela, ma
douce. Je sais que c'est un peu effrayant
parce que cela arrive si vite, mais je
pense que c'est un excellent choix pour
nous. Vous ne pouvez pas avoir peur du
changement, les filles. Les changements
surviennent que vous le vouliez ou non.
Et parfois, comme maintenant, c'est pour
le mieux. Il est temps de secouer la routine. Essayer de nouvelles expériences

pour voir si elles conviennent. On ne sait jamais ce que l'on découvrira à propos de soi-même quand on sort de sa zone de confort. Il pourrait y avoir une nouvelle version améliorée de vous attendant l'occasion appropriée de se montrer le nez.

                    SAMANTHA
J'espère que tu as raison.

                    PAIGE
(Attrape Sam et la serre contre elle. Paige tend la main vers Sara, qui se penche aussi vers elles.) Ce n'est pas la fin de votre histoire, les filles. Je vous le promets, ce n'est que le début.

                    SAMANTHA
Tu as raison. Je sais que les choses s'arrangeront comme elles le doivent. Plus question de combattre le destin, n'est-ce pas ?

                    PAIGE
(Garde Sam près d'elle.) Penses-y ainsi : tu as réalisé cela beaucoup plus vite que moi. Je ne pense pas avoir compris cela avant mes trente ans.

                    DENNIS
Peut-être trente-cinq. (Paige lui donne un petit coup sur le bras.)

DÉMÉNAGEUR 1

Le camion est totalement chargé. Y a-t-il
autre chose? (La famille regarde autour
de la pièce.)

SAMANTHA

Maman, la peinture. (Elle pointe le foyer
et le portrait des quatre membres de leur
famille peint plusieurs années auparavant.)

PAIGE

Oh mon Dieu, tu as raison. Comment ai-je
pu oublier de l'emballer? J'imagine qu'il
est accroché là depuis si longtemps, je
considère qu'il fait partie du mobilier.
(au déménageur) Pourriez-vous m'apporter du papier d'emballage à bulles? Nous
devons emballer cela. (L'homme hoche la
tête et quitte la pièce.)

SARA

Je ne pense pas que tante Penelope voudra notre portrait de famille dans son
nouveau salon, et vous? (rires)

PAIGE

Probablement pas. Mais je me fous de ce
qui sera suspendu là. Je suis seulement
contente que votre grand-papa lui donne
cette maison de sorte qu'elle reste dans
la famille. Qui sait? Peut-être qu'un
jour vous deux désirerez revenir ici
pour y vivre.

SARA

Je demande à avoir le choix en premier!

Tout le monde rit. Paige se dirige vers le foyer et Dennis l'aide à soulever la peinture pour la retirer du mur. Ils la déposent sur le manteau du foyer et reculent pour l'admirer.

DENNIS

J'ai toujours adoré cette peinture de nous quatre. Nous avions l'air tellement heureux, n'est-ce pas?

PAIGE

Nous sommes heureux, mais te souviens-tu des événements de ce jour-là? Je pense que Sara avait brisé le vase préféré de grand-papa et nous l'avions mise au coin pendant un long moment, de sorte qu'elle était encore en colère contre nous. Samantha commençait un rhume. Je me bagarrais avec Krystal à propos des finances de l'entreprise et toi, Dennis, tu étais inquiet à propos de ce rachat hostile. Nous étions tous tellement stressés, mais nous ne pouvions pas remettre la séance, alors nous avions essayé de sourire et de la supporter.

DENNIS

Sara, tu affichais toute une moue. Nous ne réussissions pas à te faire sourire! (rires) Je pense que j'ai dû te corrompre

en t'offrant de l'argent pour que tu
t'égayes.

SARA

Je me souviens de cela! Et Sam éternuait sans cesse au-dessus de moi et son
nez coulait, et je n'arrêtais pas de me
plaindre qu'elle dégouttait partout sur
ma robe Burberry.

SAMANTHA

Je pense que je le faisais exprès parce
que j'étais furieuse contre toi parce
que tu avais gâché les cheveux de ma
poupée American Girl ce matin-là.

PAIGE

Vous étiez tellement grincheuses ce jour-
là, les filles! (rires) Toute la famille
avait des problèmes, mais nous avons
tous réussi à nous serrer les coudes et
à faire ce beau portrait. J'aime tellement cette peinture. Cela prouve que
nous, les Buchanan, nous serrons vraiment les coudes lorsque c'est nécessaire. (Les quatre se regroupent, bras
dessus bras dessous.) Rien ne peut arrêter cette famille, n'est-ce pas? Cela
me rappelle cette fois où nous avons
tous dû collaborer au bal de charité
Buchanan un mois après votre naissance
à toutes les deux. Te souviens-tu de
cela, Dennis?

DENNIS

Comment pourrais-je oublier?

SAMANTHA

Qu'est-ce qui s'est passé?

DENNIS

(il regarde sa montre) Nous pouvons faire attendre le pilote, n'est-ce pas? Après tout, l'avion nous appartient.

PAIGE

J'imagine que cela ne peut pas faire de mal si nous restons quelques minutes de plus. Cet endroit va vraiment me manquer.

SAMANTHA

À moi aussi.

SARA.

Nous serons trois.

DENNIS

Alors, restons encore quelques minutes.

SARA

Donc, cela signifie que nous avons le temps pour cette histoire. S'il vous plaît?

PAIGE

D'accord. Bien, votre père et moi étions…

PAIGE poursuit le récit de son histoire, impro-
visé, et la caméra s'éloigne de la famille. La
CAMÉRA PIVOTE VERS LE BAS pour focaliser sur
le portrait des quatre personnes.
MUSIQUE DE FOND : *Viva la Vida* de Coldplay.
FONDU À LA FERMETURE.

LA FIN

QUINZE : *Lis-le et pleure*

Nous y voici.

C'est ma dernière journée sur le plateau d'*Affaire de famille*.

J'ai l'impression que c'était hier seulement que j'ai traversé pour la première fois les portes du studio. D'accord, je ne me souviens pas vraiment de ce jour-là (j'étais au jardin d'enfants!), mais je sais comment ça s'est passé. Et, à présent, *Affaire de famille* tire à sa fin et je me sens...

Bien.

Sérieusement. Le monde n'a plus besoin de s'inquiéter pour moi. Ma famille et mes amis avaient raison. Je dois croire en moi. Bien sûr, je n'ai pas d'emploi qui m'attend, mais j'en décrocherai un. Et s'il n'est pas aussi formidable que j'aimerais après le gâchis que j'ai moi-même créé, bien, ça ira. Même Drew Barrymore a dû remonter la chaîne alimentaire hollywoodienne à un moment donné. (Quelqu'un se souvient-il qu'elle a tourné *Fleur de poison*? Je ne pense pas.)

— Comment vas-tu? veut savoir Nadine.

Elle est encore accrochée à mon bras gauche pendant que nous marchons dans le long couloir menant à ma loge et ensuite vers la coiffure et le maquillage pour la dernière fois.

— Tu trembles. Veux-tu un peu d'eau?

Nadine babille. Elle porte son t-shirt noir parsemé de diamants fantaisie avec l'inscription «L'*Affaire* ne prend pas fin, elle

commence » offert à tous les acteurs et à l'équipe par Melli vendredi dernier. Je porte le mien aussi.

— As-tu besoin de t'arrêter une minute ? Parce que c'est normal si tu es bouleversée, tu sais. C'est un grand jour pour toi et tu
peux pleurer si tu veux. As-tu besoin d'un sac en papier ? As-tu
l'impression que tu vas vomir ?

— Tu devrais peut-être manger quelque chose, suggère
Rodney.

Il paraît inquiet lui aussi.

— Je ne savais pas trop ce qui te tenterait si tôt le matin, alors
je t'ai apporté des doigts de poulet et un bagel.

— Nadine ! Rod !

Je ris.

— Je vais bien. Je le jure.

Je déclare cela même si mes jambes tremblent. Je peux y arriver. Je dois y arriver. Je le sais à présent.

— Je peux supporter la marche jusqu'à la coiffure et au
maquillage. Et je n'ai pas encore faim.

— D'accord.

Nadine et Rodney ne paraissent pas convaincus. C'est ce
que l'on obtient pour être tombé au fond du baril. Bien fait pour
moi, j'imagine. Avec de la chance, ils s'arracheront à cette routine surprotectrice dès que les magazines cesseront de publier ces
histoires sur « Kaitlin Burke au bord du précipice revient dans le
droit chemin ». Laney dit qu'ils ont la cote. Dans un récent son-
dage d'*Hollywood Nation*, 87 % des gens interviewés ont dit avoir
du chagrin pour moi et savoir que je m'en sortirais.

Les couloirs d'*Affaire de famille* sont silencieux. Il n'est que 4 h,
alors j'imagine que c'est normal. Les lumières ne sont même pas
toutes allumées encore. Le standard principal de la réception est
muet. Personne ne sera sur le plateau avant au moins 7 h. Mais j'ai
quelque chose de très important à faire avant que nous ne filmions
notre scène finale.

Alors que nous passons devant l'endroit où les portraits des acteurs sont suspendus, je peux à peine distinguer le mien dans la faible clarté. Je me demande ce qu'ils feront d'eux lorsque le tournage sera terminé et qu'un nouveau feuilleton occupera notre studio d'enregistrement. Je tourne le coin et je vois des lumières dans la salle de coiffure et de maquillage. Paul et Shelly m'attendent.

— Voilà notre fille, sanglote Paul.

Il dégage mon bras de Nadine en tirant dessus et m'attire tout près de lui. Il est tout à l'envers.

— Je lui ai dit d'en finir avec ses pleurs avant que je te maquille, déclare Shelly, même si ses yeux sont aussi un peu gonflés. Il est bouleversé. Je lui ai dit qu'il était ridicule. Ce n'est pas comme si nous n'allions plus te voir. Nous réalisons ta coiffure et ton maquillage pour l'événement Avon du week-end prochain, et la couverture média pour *AJA* n'est pas loin.

— Si tu veux, tu peux me maquiller pour mon SAT. Peut-être qu'un peu de crème bronzante m'aidera à me concentrer, blagué-je.

L'examen est ce samedi et, vous savez quoi? Je me sens vraiment prête. Je ne suis pas sortie un seul soir depuis deux semaines, alors j'ai eu beaucoup de temps pour étudier.

— Ne te moque pas, chiale-t-il.

Ses boucles brunes me chatouillent le nez quand Paul se cache le visage au creux de mon épaule.

— Je ne supporte pas l'idée de dompter la chevelure de quelqu'un d'autre chaque jour. Les cheveux de Kaitlin sont enfin comme je les veux. Je veux seulement coiffer les siens.

— Paul, pourrais-tu essayer d'être un peu moins émotif? demande Nadine. Kaitlin doit vraiment être au meilleur de sa forme ce matin et je ne veux pas qu'elle soit encore plus bouleversée.

— C'est vrai.

Paul me libère et s'essuie les yeux.

— Je ne voulais pas te faire paniquer.

Je rigole.

— Tu ne l'as pas fait. Je vais bien, leur dis-je. Vraiment. Faire ce discours à la promotion de presse a fait des merveilles pour mon bien-être émotionnel.

— Tes citations étaient parfaites, déclare Shelly.

Elle me guide vers la chaise de maquillage où Paul commence à brosser mes cheveux frisottés et à me mettre des rouleaux. Shelly passe de l'autre côté de lui et commence à m'appliquer du fond de teint.

— Je n'ai jamais entendu une célébrité parler avec autant de franchise auparavant. Et ce que tu as dit était vrai : tu es une ado-lescente, et si le pire que tu fasses est de faire les boutiques et de trop danser, alors ce n'est pas si mal.

— Je ne pourrais pas être plus d'accord avec cela, intervient quelqu'un d'autre.

Paul et Shelley cessent de s'activer et je fais pivoter ma chaise.

— Melli?

Je suis sous le choc.

— Que fais-tu ici?

Elle n'est pas encore coiffée ni maquillée, de sorte que son pâle visage est nu, et elle est vêtue de manière décontractée d'un panta-lon coupé Juicy en tissu éponge et d'un chandail à fermeture éclair assorti. Son t-shirt *Affaire* pointe le nez dessous.

— Tu ne pensais pas vraiment que je te laisserais donner ton entrevue spéciale *AF* toute seule, non? me demande-t-elle avec un immense sourire.

— Melli, il est 4 h! Tu n'aurais pas dû sortir du lit pour cela, lui dis-je, même si je suis incroyablement émue. C'est moi qui remets cela depuis des semaines et qui mérite d'être épuisée, pas toi.

— Je t'en prie, je vais dormir pendant des mois après aujourd'hui, déclare-t-elle en riant. Je *veux* être ici pour toi. Je n'ai pas besoin d'assister à l'entrevue. Je sais que ce serait étrange, mais je voulais être prête, derrière la porte, au cas où tu aurais besoin de quoi que ce soit. J'aurais dû être là pour toi il y a longtemps.

— Tout le monde doit cesser d'être désolé pour moi, supplié-je. Personne ne m'a fait cela. Je suis simplement chanceuse que mon flirt avec le côté sombre n'ait pas eu d'influence sur cette émission. Je détesterais que les gens soient tellement pris par ma mini dépression qu'ils en oublient la véritable histoire : notre extraordinaire feuilleton quitte les ondes.

— Bien, pour ce que ça vaut, je pense que tes citations sorties de l'événement de presse étaient formidables, me complimente Melli. Tu paraissais incroyablement adulte. J'aurais aimé avoir ton assurance à cet âge.

— C'est ce que je lui ai dit, acquiesce Shelly.

— Je n'ai jamais été plus fière de toi, seconde Nadine. Tu as vraiment surmonté beaucoup de pression ces dernières semaines. N'importe quel réalisateur serait chanceux de travailler avec toi.

— Celui-ci l'est, c'est certain, réplique Tom en entrant derrière nous.

Lui et Melli s'embrassent. Ils sont tellement proches. J'ignore comment ils vont supporter de ne pas être ensemble tous les jours.

— Es-tu prête pour cela ? me demande Tom.

Je prends une profonde respiration et je hoche la tête. Il est temps de faire face à la musique. Je saute en bas de ma chaise de maquillage. Je sais que Paul et Shelly devront me retoucher après de toute façon pour me préparer pour la scène finale. Nous la tournons dans le salon familial, qui a été vidé de presque tout à l'exception de quelques boîtes. C'est tellement étrange de voir cela.

— As-tu utilisé du mascara résistant à l'eau ? lancé-je à Shelly en blaguant à moitié.

— Tu rigoles ? Je l'utilise sur vous tous cette semaine ! m'apprend-elle.

— Veux-tu que je t'accompagne ? demande Nadine.

Je secoue la tête.

— Je crois que je dois le faire seule, lui dis-je, ainsi qu'à Melli. D'ailleurs, vous le verrez lorsqu'ils le passeront ce week-end à la fête de fin de tournage.

— Bonne chance, dit Nadine.

Melli et moi nous dirigeons vers ma loge, où j'ai décidé d'enregistrer ma rétrospective. En arrière-plan, il y a le portrait de famille des Buchanan, que l'équipe technique devra remettre en place pour notre dernière scène plus tard aujourd'hui. Cette peinture était ce que je voulais comme souvenir du plateau. J'ai également pris mon casier de l'école et une tuile de Summerville Breads, mais le portrait est réellement ce que je désirais. Je ne sais pas trop où je le placerai (« Cela ne sera pas suspendu dans notre salon », a déclaré maman quand je lui ai dit ce que j'avais choisi), mais je savais que je devais l'avoir.

— Éblouis-les, petite, dit Melli. Je sais que tu es prête.

— Je le suis, Mel, lui dis-je.

Et cette fois, je suis sincère.

* * *

Lorsque j'ai terminé, il est presque 6 h. À présent, le plateau est en pleine action. Je vois Trevor passer en route vers le maquillage et Matty bâille en me regardant alors qu'il s'approche de ma loge. Le couloir à l'extérieur de ma loge est rempli de membres de l'équipe technique portant le même t-shirt noir *Affaire*. Même si c'est un jour triste, tout le monde est de bonne humeur. Je suis tellement contente que Tom et Melli n'aient pas accepté d'admettre *Celebrity Insider* sur le plateau pendant notre dernier jour. Ils avaient l'impression, comme moi, que cette journée devait tourner uniquement autour de notre famille télévisuelle. C'est probablement pour le mieux. Je détesterais qu'Austin me voie pleurer encore plus qu'il ne l'a fait ces dernières semaines. Et j'ai déjà versé un tas de larmes pour la caméra ce matin. Ces larmes étaient réelles, et je suis certaine que celles qui tomberont dans quelques heures le seront également.

SECRET D'HOLLYWOOD NUMÉRO QUINZE : Comment pleurer pour la caméra. Quand nous tournons des scènes avec plusieurs personnes, comme la finale d'aujourd'hui, elles peuvent exiger pas mal de temps à filmer. On a besoin de prendre chaque personne sous tous les angles et en gros plan, et réarranger les caméras et le mobilier des centaines de fois pour ce faire. Une scène de deux minutes sur film peut prendre six ou sept heures à tourner. On se retrouve à répéter les mêmes dix répliques encore et encore pendant des heures, et chaque prise doit paraître aussi fraîche et parfaite que celle d'avant. C'est difficile lorsque l'on doit pleurer comme un bébé pour chaque prise, sans exception, et faire en sorte que cela ait l'air réel. Alors, comment fait-on ? Certains acteurs gardent un oignon cru à proximité. D'autres fixent le soleil sans battre des paupières ou droit devant eux jusqu'à ce que leurs yeux commencent à s'emplir d'eau. Mais le reste d'entre nous doit réellement penser à quelque chose de très triste. Vous savez, comme votre chien qui est mort ou le pire moment de votre vie. Pour notre groupe, pleurer devrait être un jeu d'enfant. Nous disons vraiment adieu à la « maison » dans laquelle nous avons vécu depuis aussi longtemps que je me souvienne. J'allume mon Sidekick et il vibre. Je fixe l'écran. J'ai deux nouveaux messages. À cette heure ? Je les fais défiler. C'est Austin.

WOOKIESRULE : Éblouis-lè ajd. Je penserai à toi. G hâte de te voir ce soir.

Je souris. Et le deuxième est de Lizzie.

POWERGRL82 : Hé toi. Rappelle-toi ce que dit tjrs mon Sensei : à la fin, on trouve le début. Suis pas sûre de ce que ça veut dire, mè ça semble à propos ! MDR. Bonne chance ajd. Je sè que tu seras parfaite, Kates. Apèl-moi quand tu pourras. xoxo

C'est bon de voir un message texte de Liz. Je souris en entrant sur le plateau après les retouches de coiffure et de maquillage. Sky et Melli sont debout ensemble et… attendez. C'est impossible.

— Est-ce que ça va ? demandé-je à Sky.

— Non, braille-t-elle. L'émission prend fin, K. ! Terminée. Finie. Dernier jour. Plus de loge. Plus de Pete de la cantine ! F.I.N.I.

Elle pousse un gémissement.

Je regarde Melli.

— Elle vient juste de réaliser cela ?

Melli me lance un regard entendu alors que Sky sanglote encore plus fort. Je passe un bras autour de ma partenaire.

— Tout va bien aller, Sky.

— Ouais, bien sûr, se plaint-elle. Ce ne sera pas la même chose. Tu ne feras pas partie de mon nouveau feuilleton. De qui vais-je me moquer ?

Melli lui tend un mouchoir. Sky se mouche bruyamment.

— Je suis certaine que tu trouveras une nouvelle personne à détester, lui dis-je avec espoir.

— Ce ne sera pas la même chose.

Sky secoue la tête.

— C'est difficile de trouver quelqu'un d'aussi naïf que toi à qui s'en prendre.

Pour la scène finale, nous portons tous un jean. (Nous sommes censés donner l'impression que nous avons fait nos cartons. Ouais, évidemment. Quelle famille milliardaire fait réellement cela ?) Sky a un jean Citizen of Humanity avec un revers à mi-mollet et un haut sans manche olive qui la fait paraître encore plus mince qu'elle ne l'est en réalité. Je porte un jean Stitch et un mignon chandail noir Banana Republic qui épouse ma poitrine et s'évase ensuite jusqu'à mi-cuisse. J'ai aussi un long collier de perles qui n'arrête pas de frapper mon nombril quand je marche.

Melli s'éclaircit la gorge.

— En tous les cas, je veux vous dire que j'ai adoré travailler avec vous deux.

Ses yeux commencent à s'emplir d'eau.

— Vous êtes comme des filles pour moi et je suis tellement fière des merveilleuses femmes que vous êtes devenues.

Maintenant je vais pleurer !

— Nous t'en sommes en partie redevables, lui rappelé-je.

Nous sommes toutes les trois larmoyantes quand Tom s'approche. Je ne sais pas si lui-même va rire ou pleurer.

— Hé, hé, allons, gardez cela pour les caméras, blague-t-il, mais je vois qu'il est aussi ému.

Bien que seuls Spencer, Melli, Sky et moi sommes dans la scène finale, qui est véritablement la dernière scène de l'émission (normalement, nous ne filmons presque jamais dans l'ordre), le reste des membres de la distribution est venu nous observer. Trevor, Hallie, Ava, Luke, Matty et les autres sont tous présents. Nadine et Rodney et le reste de l'équipe technique sont aussi dans les coulisses. Même Matty ravale ses sanglots.

— Pourquoi ne prenez-vous pas une pause toutes les trois pendant que nous éclairons le plateau, et nous vous appellerons lorsque nous serons prêts, suggère Tom.

Je rejoins Matty.

— Comment t'en sors-tu ? demande-t-il.

— Bien, lui dis-je. Toi ?

— Je suis un peu paniqué, admet-il. Je sais que j'ai Scooby, mais si c'était un échec ?

— Et tu te demandais pourquoi j'avais des crises de panique, blagué-je. C'est ce que j'ai craint tous les jours depuis des mois ! Quitter un succès ne sera jamais facile.

— Tu connaîtras des tas d'autres succès, me dit Matty pour m'encourager.

— Je l'espère, lui réponds-je doucement en observant nos doublures.

Matty tend la main et presse la mienne.

— Sinon, je pourrai peut-être t'obtenir un rôle de figurant dans mon feuilleton.

Il sourit d'un air narquois.

— Après quelques saisons, bien entendu.

— Merci beaucoup! répliqué-je tout en regardant la scène se préparer.

Un membre de l'équipe applique des rubans pour indiquer nos marques sur le sol afin que nous sachions où nous tenir; un autre remplit des bouteilles d'eau sur le plancher du salon, où le clan Buchanan mange son dernier repas, style pique-nique. Ces bouteilles seront remplies plusieurs fois aujourd'hui pour assurer une continuité, de sorte qu'elles auront toujours l'air de contenir la même quantité de liquide peu importe sous quel angle nous filmerons la scène. Après ce qui me semble une éternité, Tom nous appelle.

Les quelques premières fois où nous tournons la scène, c'est comme si c'était une scène normale. Je mêle mes répliques et je demande de revenir en arrière et de recommencer. Sky trébuche en marchant vers le foyer. Tom change l'éclairage quelques fois. Spencer et Melli commencent à improviser leur texte de plus en plus jusqu'à ce que Tom les ramène au scénario. Quatre heures et une pause déjeuner plus tard (le cuistot nous a cuisiné un festin super spécial de poulet frit et un gratin de pommes de terre — un met préféré des Buchanan — pour notre dernier jour, et toute l'équipe a mangé ensemble. Personne ne s'est caché dans sa loge, pour une fois), nous sommes enfin prêts à filmer le dernier angle.

— C'est le moment, groupe, nous dit Tom. Notre dernière prise.

— Derniers regards! crie quelqu'un.

Cela signifie que l'équipe technique a une dernière chance de corriger quelque chose avant le tournage. Spencer, Melli, Sky et moi prenons nos places.

— Je n'arrive pas à y croire, dit Sky à voix basse. Nous y sommes. Nous y sommes vraiment.

— Je sais.

Cela me frappe de nouveau et je tremble. Sky et moi tendons instinctivement la main l'une vers l'autre et serrons fort.

— Silence, s'il vous plaît, lance Tom à tout le monde.

Le plateau est très animé aujourd'hui, mais sur l'ordre de Tom, chacun se tait et un concert de « chut ! » est la seule chose que l'on entend. Quand il s'arrête, Tom lance :

— Et action !

La scène se déroule en douceur. Elle le devrait. Nous avons dit ces répliques seulement vingt millions de fois aujourd'hui. Cependant, lorsque l'acteur qui joue le déménageur emporte le dernier carton hors de la pièce, je sens mes yeux déborder de larmes. Je regarde autour de moi. Je ne suis pas la seule.

— Je me souviens de cela ! dit Sky dans son personnage. Et Sam éternuait sans cesse au-dessus de moi et son nez coulait, et je n'arrêtais pas de me plaindre qu'elle dégoûtait partout sur ma robe Burberry.

Elle rit à travers ses larmes.

Mon tour.

— Je pense que je le faisais exprès parce que j'étais furieuse contre toi parce que tu avais gâché les cheveux de ma poupée American Girl ce matin-là.

— Vous étiez tellement grincheuses ce jour-là, les filles ! dit Melli, puis elle rit.

Elle admire le portrait de famille suspendu au-dessus du foyer.

— Toute la famille avait des problèmes, mais nous avons tous réussi à nous serrer les coudes et à faire ce beau portrait.

Spencer passe un bras autour d'elle.

— J'aime tellement cette peinture. Cela prouve que nous, les Buchanan, nous serrons vraiment les coudes lorsque c'est nécessaire.

Et même si ce n'est pas écrit dans le scénario — nous sommes censés nous tenir bras dessus bras dessous —, nous finissons tous les quatre par nous serrer ensemble tout en reniflant. Tom ne nous interrompt pas, par contre. Il nous laisse continuer. On peut nous entendre pleurer.

— Rien ne peut arrêter cette famille, n'est-ce pas? dit enfin Melli.

Elle essuie ses larmes.

— Cela me rappelle cette fois où nous avons tous dû contribuer au bal de charité Buchanan un mois après votre naissance à toutes les deux. Te souviens-tu de cela, Dennis?

Spencer rit.

— Comment pourrais-je oublier?

— Qu'est-ce qui s'est passé? demandé-je.

Spencer regarde sa montre.

— Nous pouvons faire attendre le pilote, n'est-ce pas? Après tout, l'avion nous appartient.

— J'imagine que cela ne peut pas faire de mal si nous restons quelques minutes de plus, réplique Melli. Je ne suis pas encore prête à partir, ajoute-t-elle en improvisant.

— Moi non plus, dis-je doucement, improvisant également.

— Même chose ici, renifle Sky.

— Alors, restons.

Spencer hésite.

— Juste quelques minutes de plus.

— D'accord, dit Sky, puis elle sourit. Alors, cela signifie que nous avons le temps pour cette histoire. S'il vous plaît?

Melli sourit.

— Bien, votre père et moi étions en route vers cet important événement de charité auquel nous devions assister à l'insistance de votre grand-papa et…

Melli continue d'improviser avec l'intervention de Spencer pendant quelques minutes jusqu'à ce que Tom prononce enfin les mots magiques.

— COUPEZ! C'est une prise finale pour *Affaire de famille*!

Et tout à coup, tout le monde sur le plateau applaudit et pousse des cris de joie et c'est tellement bruyant qu'on entend à peine les gens sangloter. Nous nous étreignons tous les uns les autres et nous pleurons. Quelqu'un fait résonner Rihanna, et Pete de la cantine distribue des biscuits qui ressemblent à tous les acteurs et les membres de l'équipe technique présents ici. Matty me serre contre lui et ensuite Trevor me donne un énorme baiser sur la joue, avant de se frayer un chemin vers Sky, qu'il étouffe presque de ses lèvres passionnées sur les siennes. (Je lui ai raconté comme elle m'avait soutenue lors de la promotion d'*AJA* et je pense qu'il était très touché.) Personne ne remarque qu'ils s'embrassent à bouche que veux-tu. Nous sommes tous trop occupés à célébrer, et à avoir de la peine, et à profiter du moment. Lequel, je l'espère un peu, durera longtemps. Nous poussons Nadine au milieu de notre cercle et elle se laisse aller. Nous dansons sur quatre ou cinq chansons. Je ne me soucie même pas de mon Sidekick qui vibre et vibre dans ma poche arrière.

C'est mon dernier moment d'*AF* et je vais le faire durer.

Le reste de ma vie peut attendre.

Seth@CC : KAITLIN, NOUS DEVONS PARLER. J'AI DES NOUVELLES ET J'AI BESOIN D'UNE RÉPONSE DQP.

LaneyPeters : Kaitlin???? Kaitlin Burke??? ALLOOOOO! Seth essaie de te joindre! Pourquoi toi é Nadine ne répondez pas à vos téléphones? Est-ce que tout va bien? STP, promets que tu n'auras pas de mauvaise presse aujourd'hui.

BurkeMgt : KAITLIN??? Ce n'est pas le moment pour les boutiques encore une fois! OÙ EST NADINE??? APPELLE-NOUS DÈS QUE TU REÇOIS CECI!!!!!!!!!!!! Je t'aime, maman.

ROADRULZ84 : Salut Kaitlin. C'est papa. Maman m'a acheté ce BlackBerry, mais je n'ai pas encore compris tous les boutons. Je pense que je t'envoie ceci par courriel. Maman a dit d'être concis. Elle tente de te joindre. Elle a reçu un appel de Seth et de Laney à propos de *Les grands esprits se rencontrent*. Ils veulent te rencontrer de nouveau, mais ce doit être ce soir, alors maman veut savoir à quelle heure tu en auras fini avec le tournage. Peux-tu vérifier auprès de Tom ? Je sais que c'est ta dernière journée, mais crois-tu que tu auras terminé avant 20 h ? Ce serait formidable, parce que je FIN DU MESSAGE.

ROADRULZ84 : Oups. J'imagine que j'ai pesé sur Envoyer avant d'avoir FIN DU MESSAGE.

SEIZE : *Une Affaire à garder en tête*

— À Kaitlin et à Matty, pour un travail bien fait dans une fabuleuse émission de télévision.

Papa lève sa flûte de champagne haut dans les airs.

— À Kaitlin et à Matty !

Notre table applaudit.

Il s'est écoulé une semaine depuis le tournage final d'*Affaire de famille* et ce soir, c'est notre fête de fin de tournage à Parc, ce génial restaurant-boîte de nuit sur Hollywood Boulevard. Tous les acteurs et les membres de l'équipe technique, ainsi que leurs familles et amis, ont été invités ; nous sommes donc un assez gros groupe. C'est une bonne chose que nous ayons réservé cet endroit pour nous seuls pour notre fête privée. Austin, Liz, Matty, Nadine, Rodney, Laney, maman et papa sont assis avec moi dans un box profond. Aucun de nous ne peut s'arrêter de sourire.

Parc est vraiment un très bel endroit pour une fête. L'espace moderne est décoré tout en tons de gris et de crème, avec du lambris de noyer et des passages voûtés. Il y a des box formidables, des tables au dessus d'ébène et un bar laqué installé en hauteur, mais la pièce de résistance est l'arbre de plus de quatre mètres au centre de la salle à manger qui est entouré de vingt-quatre globes de cristaux Swarovski fumés suspendus. Notre table est couverte de nourriture. La plupart des plats sont faits pour être partagés, alors nous avons commandé de tout, depuis la morue au poivre noir et au caramel cuite dans un plat d'argile jusqu'au filet de bœuf Angus grillé avec une béarnaise de soja truffé.

— Tu sembles heureuse.

Austin se penche vers moi et frotte son nez dans mon cou. Je rougis en me demandant qui nous observe.

— Je le suis, admets-je. Enfin, je suis un peu triste. C'était étrange de me lever cette semaine sans avoir quelque part où aller. J'ai seulement traîné à la maison en attendant que Monique vienne me faire la classe. Toutefois, je pense que je pourrais m'habituer à ne pas courir tous les jours de mon existence.

— Pour l'instant.

Austin affiche une expression qui soulève mon intérêt.

— Je ne crois pas que tu sois le genre à rester longtemps à ne rien faire.

— Bien… dis-je en riant. Je ne vais pas demeurer inactive très longtemps de toute façon, j'imagine.

— J'aimerais remercier Tom, lance Matty, qui poursuit les toasts, et il lève son Coke à la vanille.

Il scrute la pièce à la recherche du créateur et réalisateur d'*AF*, mais il n'est nulle part en vue.

— Il reconnaît le talent quand il le voit. Scooby va déchirer!

— J'adore la modestie de ton frère, murmure Liz à mon autre oreille.

Nous rigolons.

La semaine a été bonne. Liz et moi sommes de nouveau inséparables, Austin a reçu son permis de conduire et il peut maintenant utiliser la Ford Explorer de sa mère pour nous amener en ville. (Maman a mis fin à mon interdiction de sortir. Cependant, elle exige de Rodney qu'il nous file.) Matty a terminé son pilote de Scooby. J'ai passé mon SAT et je suis plutôt sûre d'obtenir une note correcte. Et…

— À New York et au début de Kaitlin sur Broadway!

Maman lève son verre et sourit largement.

Ouais. Je déménage à New York pour quelques mois ce printemps pour mes débuts sur scène — et sur Broadway. Le dernier jour de tournage d'*AF*, Seth a reçu une offre pour moi : interpréter Andie dans *Les grands esprits se rencontrent*. Je suis vraiment nerveuse et excitée, mais je n'ai pas souffert de crises de panique. Je me sais capable de m'attaquer au théâtre devant public. Faire autre chose que de la télévision ou des films pendant un moment sera peut-être un bon changement pour moi.

— Je pensais donc que nous devrions dès maintenant planifier quelques activités pour Kaitlin pendant qu'elle sera à New York, entends-je maman confier à Laney. Quelques apparitions dans des fêtes courues et des premières sur Broadway, et voyons si nous pouvons obtenir une liste des événements dans les Hamptons.

— Tu réalises que Kaitlin travaillera six jours par semaine et que son unique jour de congé sera le lundi, n'est-ce pas ? s'informe Laney. Elle n'aura pas beaucoup de temps pour les fêtes.

Ma mère l'ignore.

— Elle prendra le temps. Je veux seulement tout organiser correctement puisque tu ne seras pas avec nous.

Maman semble inquiète.

— Je serai là-bas bien assez souvent, insiste Laney. Russel est invité à *Good Morning America* et à *Regis*, et Dieu sait que je ne peux pas le laisser y aller seul, et Reese doit accepter un prix de *Glamour* en juillet, et il y a ensuite mon bout d'été dans les Hamptons avec Cameron.

— Essentiellement, tu dis que nous te verrons beaucoup, précise Nadine en me décochant un clin d'œil.

Merci mon Dieu, elle vient aussi avec moi. Toute la famille a décidé de boucler ses valises et de se joindre à moi à New York. (Si l'émission de Matty est reprise à l'automne, il devra revenir en juillet, au moment où mon engagement de trois mois se termine de toute façon.) Je ne sais trop si c'est pour m'éviter les ennuis ou diriger ma vie, mais je suis contente de ne pas y séjourner seule.

J'aimerais seulement qu'Austin et Liz m'accompagnent aussi. Mais je sais que chacun doit vivre sa vie.

— Nous devrions parler de l'appartement, déclare papa. J'ai passé en revue un tas de propriétés, et je suis déchiré entre un logement très coûteux dans le Village et une tour d'habitations près du centre-ville pour faciliter les déplacements au travail de Kaitlin. Ce sera difficile de ne pas avoir de bagnole pour nous mener partout.

Papa a de la difficulté à accepter qu'il ne pourra pas beaucoup conduire pendant quelques mois. Moi, j'en suis contente, car je ne suis pas plus près d'obtenir mon permis aujourd'hui qu'il y a trois mois. Suivre des leçons de conduite se trouve en tête de ma liste de priorités — dès que nous rentrerons de New York.

— Tu réalises, Kaitlin, que ta chambre à New York sera beaucoup plus petite que celle dont tu jouis à la maison, me dit papa. En fait, tu devras la partager, comme le reste d'entre nous.

— Je dois partager une chambre avec Matty? demandé-je, paniquée.

— Je ne partage pas de chambre avec elle, papa, intervient Matty. Tout ce qu'elle possède est rose! Et ses vêtements prendront tout le placard. Mon Prada ne doit pas être écrasé!

— Vous ne serez pas camarades de chambre. Ta sœur a quelqu'un d'autre, déclare papa.

Matty et moi regardons Nadine. Elle secoue fermement la tête.

— J'ai déjà dit à vos parents que si je vous accompagnais, et que tout le monde devait vivre ensemble, j'occuperais une chambre seule. J'ai quand même droit à un *peu* d'intimité.

À présent, je suis vraiment perplexe.

— Avec qui vais-je partager ma chambre? demandé-je.

— Avec moi, crie Liz.

— Quoi? hurlé-je.

— J'ai été admise dans le programme, m'apprend Liz. À NYU. Celui d'été. Mon père a parlé avec le tien, et au lieu de demeurer sur le campus, je serai ta camarade de chambre cet été!

Nous crions toutes les deux et Laney se bouche les oreilles.

— Je n'y crois pas! m'extasié-je. Pourquoi ne me l'as-tu pas dit?

— Je l'ai appris seulement hier, m'explique Liz. Et je souhaitais te faire une surprise. Peux-tu le croire, Kates? Toi et moi, ensemble à New York. Comme nous l'avons toujours voulu.

— Je sais! m'exclamé-je. Ce sera épatant.

— Avec de la chance, cela lui évitera les ennuis, dit maman à papa.

— Je t'entends, tu sais, lui rappelé-je.

— Hé, les Burke.

Tom vient à notre table, vêtu de son costume Armani et d'une cravate. Il n'est jamais habillé avec autant de soin sur le plateau et c'est amusant à regarder.

— Avez-vous déjà misé pour l'encan?

Les portraits muraux des acteurs d'*Affaire de famille*, suspendus dans le studio, sont mis aux enchères. Ils ont découpé les plaques de plâtre afin de vendre les bouts de mur au plus offrant. L'argent recueilli pour la vente du portrait de chaque personne ira à différentes œuvres de charité. (Les profits du mien iront à DonorsChoose.org, un groupe qui finance des livres et du matériel scolaire pour des écoles dans le besoin.)

— Tom, si nous gagnons, sommes-nous obligés de prendre le portrait? demande maman d'une voix douce.

Papa lui donne un petit coup de coude.

— Enfin, c'est seulement que je ne suis pas certaine que la fresque de Kaitlin va vraiment bien dans notre maison et un décorateur vient juste de refaire notre salon et…

— Tu peux en faire don, Meg, déclare Tom, le visage légèrement crispé. Kaitlin pourrait la dédicacer et vous pourriez l'offrir. Qu'en penses-tu, Kates?

J'acquiesce d'un signe de tête.

— J'aurais moi-même été heureux de faire de même, mais je n'ai jamais eu de portrait, renâcle Matty.

Tous les acteurs principaux de notre distribution ont le leur, mais pas les vedettes secondaires comme Matty.

— Tu en obtiendras peut-être un pour ta nouvelle émission, l'encouragé-je.

Tom me décoche un clin d'œil.

— C'est une bonne idée ! Nous devrions en discuter, Tom.

Matty paraît excité à présent.

— Attendons d'être choisis pour produire une saison complète, rit Tom. Qui sait ? Si nous avons du succès, nous pourrons embaucher ta sœur comme actrice invitée.

— C'est ce que je lui ai proposé, admet Matty.

— Je reçois cette offre de tout le monde !

Je ris.

— Bien, je serai sans emploi en juillet.

— Je suis certain que cela ne durera pas longtemps, m'assure Tom. Je parie que quelqu'un te courtisera pour revenir à la télévision avant que tu puisses dire ouf !

— Je ne sais pas.

Je lui lance un sourire en coin.

— Je dois avouer que j'aime ne plus me lever à 5 h chaque matin.

Plus j'y songe — et j'ai eu beaucoup de temps pour réfléchir cette semaine, allongée au bord de notre piscine —, plus je pense avoir envie de faire partie d'une nouvelle émission de télévision. Je sais que certains acteurs se plaignent de toujours jouer le même rôle pendant des mois ou des années, mais si c'est un formidable personnage et que les dialogues sont extraordinaires, alors on peut explorer toute une gamme d'émotions. J'adorais incarner Sam, mais je tuerais pour participer à une série d'action, un peu comme le genre de truc que j'ai fait dans *AJA*. Je me vois escalader des bâtiments en pantalon de cuir. Je pourrais interpréter une version moderne de la princesse Leia ! Toutefois, si j'ai l'occasion de revenir à la télévision, je n'exigerai pas une fortune comme certaines personnes de ma connaissance.

SECRET D'HOLLYWOOD NUMÉRO SEIZE : Quel salaire reçoivent les vedettes pour rester dans une émission à succès ? Les réseaux feront n'importe quoi pour avoir une émission à succès et ils semblent encore croire qu'un nom reconnu est le moyen d'amasser de l'argent. Je connais quelques petites vedettes de cinéma qui réclament 80 000 $ par épisode pour passer au petit écran. Mais quelques personnes du métier commencent à s'inquiéter que le lien entre l'acteur et ses admirateurs se gâche quand ce dernier gagne plus de 150 000 $ par épisode. On ne veut pas être pris pour des croqueurs de diamants. Un de ces jours, les salaires piqueront sérieusement du nez. Je le sais, sans aucun doute.

— Je pense que je vais miser sur l'un des portraits, informé-je mon groupe.

Maman lève son sourcil droit.

— Pourrais-je avoir une avance sur mon argent de poche ?

— À ce rythme, tu n'en recevras plus jusqu'à tes vingt ans, me prévient maman.

Je lui lance un regard suppliant.

— Mais j'imagine que c'est une bonne cause, alors vas-y. Ne mise pas trop toutefois !

Austin me suit. Il s'empare de ma main. La sienne est chaude et je la tiens fermement.

— Que vais-je faire sans toi tout l'été ? me demande-t-il.

Il sourit, mais d'un air sérieux. Presque triste. Je réalise que nous n'avons pas encore discuté de cette séparation. Austin a été accepté dans son camp de crosse, alors lui et son ami Rob Murray seront à San Antonio au Texas pendant toute la saison estivale pour pratiquer leurs coups de bâton.

— Je l'ignore, admets-je doucement. Que vais-je faire sans toi ? New York est l'une des villes les plus romantiques du monde et je ne pourrai pas la partager avec mon petit ami.

Austin nous entraîne dans un coin sombre près du cellier à côté du bar. Nous nous fixons dans les yeux. Nous serons vraiment séparés pour la première fois depuis le début de notre relation. Trois mois, c'est long. Mais, je suis qui je suis, et Austin pareil, alors j'imagine que cela devait arriver un jour. Si cela ne se produisait pas maintenant, ce serait partie remise l'an prochain, lorsqu'Austin partirait pour l'université. Sauf que maintenant que le temps approche à grands pas, la séparation nous paraît très réelle et j'ai peur d'entendre les pensées d'Austin à ce sujet.

— Que faisons-nous? lui demandé-je, nerveuse.

Austin croit-il que nous devrions rompre momentanément? Et s'il tombait amoureux d'une séduisante joueuse de crosse? Son camp est mixte.

Austin me lance un étrange regard.

— Que veux-tu dire? Souhaites-tu que nous mettions un terme temporaire à notre relation?

— NON! lancé-je avec un peu trop de vigueur. Enfin, à moins que ce soit ton souhait.

Je t'en prie, dis non. Je t'en prie, dis non.

Austin sourit.

— Je t'aime bien, Burke. Non, en fait. Je t'aime. Je veux être avec toi — que tu te trouves à des milliers de kilomètres ou debout juste devant moi.

Ahhhhh… il m'aime encore! C'est un soulagement. Il ne l'a pas dit depuis un bon moment, alors je m'inquiétais.

— Bien.

Je baisse timidement les paupières.

— Parce que je t'aime aussi. Et qui sait? Tu pourras peut-être me rendre visite.

— J'ai l'intention de m'asseoir dans ce théâtre au moins une fois pour te voir, promet Austin.

Je lève les yeux et aperçois son visage fixant le mien intensément. Ses yeux bleus sont tellement sérieux, sa frange ébouriffée lui tombe dans les yeux, son cou sent comme Beckham, son Polo boutonné le rend plus séduisant que n'importe quel gars ici en costume Prada… Je suis tellement amoureuse de ce garçon. Et quand il me fixe ainsi, je sens encore mes jambes faiblir.

— Qui sait ? Je pourrai peut-être venir te voir au Texas.

Je commence à divaguer pendant qu'il laisse son doigt filer lentement sur mon épaule dénudée. Ce soir, je porte une robe blanche sans bretelles avec de la dentelle noire et de minuscules talons noirs DKNY.

— Je n'ai pas de week-end de congé, ni rien ; mais je parie que je pourrais prendre l'avion dimanche soir après mon spectacle et revenir le mardi matin. Nadine pourrait probablement me réserver un vol ou sinon, elle pourrait m'obtenir un jet privé ou autre chose. Je suis certaine que je pourrais convaincre maman de me le permettre si je…

Austin m'embrasse et j'arrête enfin de parler.

— Nous trouverons un moyen, dit-il.

Et je sais qu'il le pense.

— D'accord, acquiescé-je, et je repousse les cheveux sur mon cou.

Ils tombent librement ce soir et ils sont très bouclés ; tout à coup, j'ai très chaud.

— Vous devriez vous prendre une chambre, lance Sky en essayant de se glisser entre nous.

Elle arbore ce qui ressemble à une John Galliano. Il s'agit d'une robe fauve sans bretelles avec une taille de style empire et de petites fleurs noires. Sa chevelure est lissée au fer. Elle porte à son bras le plus bel accessoire qu'elle pourrait désirer : Trevor. Je pense qu'ils sont enfin revenus ensemble.

— Tu peux bien parler, lui dis-je. Vous vous êtes embrassés sans arrêt toute la soirée !

Trevor et Sky se regardent et rougissent.

— Félicitations pour ta pièce, me dit Sky. Je l'ai vue quand j'ai séjourné à Londres et elle est fabuleuse.

— Merci, lui réponds-je. J'ai hâte.

— Lorsque tu reviendras, nous pourrions peut-être sortir à quatre, propose Trevor avec espoir.

Sky et moi nous dévisageons. Sortir à quatre avec Sky? Nous sommes toutes les deux bouche bée devant cette proposition.

Heureusement, Melli nous interrompt avant que nous ne puissions répliquer.

— Vous voilà vous deux! lance-t-elle.

Elle est éblouissante dans une robe bleue chatoyante, ses cheveux tirés en arrière en une petite queue de cheval bien serrée. Elle passe un bras autour de moi.

— Je bavardais à l'instant avec vos mères, les filles. Je leur ai confié comme cela m'a manqué de ne pas vous voir cette semaine. C'est comme si l'un de mes enfants venait de partir pour l'université.

— Nous nous sommes parlé tous les jours, lui rappelé-je. Mais ouais, c'était bizarre de ne pas surgir dans ta loge pour me plaindre de Sky ou discuter de problèmes de garçons.

Je lance un coup d'œil à Austin.

— Non que j'en aie.

— Tu es la reine des bons coups de relations publiques, me dit Melli. Je suis tellement excitée par ton départ pour Broadway. Je l'ai fait une fois lorsque j'étais dans la vingtaine et c'était exaltant. Exténuant, mais amusant à souhait de travailler devant un public. Tu vas les épater. J'essaie de convaincre mon mari de faire un saut à New York pour venir te voir. Tom affirme qu'il veut y aller aussi.

— Vraiment?

Je suis tellement touchée, je ne sais pas quoi répondre.

— J'adorerais cela.

— Bien.

Les yeux de Melli semblent flotter dans l'eau.

— Parce que tu n'es pas débarrassée de moi pour l'unique raison que je ne suis plus au fond du couloir.

Je sens les sanglots qui se réveillent.

— J'en remercie Dieu, lui dis-je.

Je lui donne un baiser sur la joue.

— Merci, Melli.

— Et quant à mon autre fille, reprend Melli en plaçant un bras autour de Sky, j'adore ton nouveau pilote. J'ai lu le scénario et je pense que l'émission aura à coup sûr une place dans la grille horaire d'automne.

C'est vrai que l'émission de Sky a l'air incroyable. Le livre *Libérez votre moi véritable* m'ordonne d'être heureuse pour elle, mais c'est un peu difficile. Une minuscule part de moi est encore jalouse, car j'ai raté cette occasion.

— Merci, s'enthousiasme Sky. Le rôle est épatant et mon réalisateur affirme que j'ai fait un malheur dans le pilote. Si nous sommes repris, l'émission sera sélectionnée pour les Emmy, c'est certain.

Je souris gentiment parce que j'ai peur de lâcher des paroles que je regretterais.

— Ce pourrait être la dernière fois que vous vous voyez toutes les deux avant un moment, nous dit Melli, parlant beaucoup comme Paige, et je veux m'assurer que vous vous séparez en bons termes.

Mes épaules se contractent.

— Il n'est pas souhaitable de couper les ponts trop souvent dans cette ville, les filles, poursuit Melli quand nous ne disons rien ni l'une ni l'autre. Hollywood a peut-être l'air d'une grande ville, mais tout le monde se connaît ici, et il est fort probable que vous retravailliez ensemble un jour ou que vous vous rencontriez dans des événements.

Sky et moi, nous nous regardons.

— Je ne pense pas que tu doives encore t'inquiéter pour nous, dis-je à Melli, même si j'observe encore Sky. Nous nous comprenons à présent et je crois que si nos carrières se croisent de nouveau, tout ira bien.

— Plus que bien, déclare Sky, et elle nous offre un sourire sincère.

— Puis-je avoir votre attention ? intervient Tom.

Il tient un microphone et il s'adresse au vaste public.

— Nous commencerons bientôt la vente aux enchères, mais je sais que plusieurs personnes souhaitaient prononcer un discours et je désire prendre la parole le premier.

Austin, Melli, Sky, Trevor et moi nous dirigeons vers l'endroit où se tient Tom. J'aperçois maman, papa, Matty, Rodney et Nadine ; Austin et moi continuons vers eux. Dans la foule, je remarque Pete de la cantine, Paul et Shelly, et Renee du service des costumes. Nous écoutons Tom parler de sa première saison dans l'émission, de son épisode favori et de la fierté qu'il ressent devant nos réussites au fil des ans. Melli prend sa suite et elle raconte une histoire follement drôle sur sa première scène de baisers avec Spencer. Un par un, les acteurs proposent de dire un mot. Enfin, c'est mon tour.

Je me fraie un chemin dans la foule et prends le microphone des mains de Sky. Puis, je me tourne face au public. Je vois tous les visages que je connais si bien et je souris.

— S'il y a une personne qui refuse peut-être de reconnaître qu'*Affaire de famille* prend fin, nous savons tous que c'est moi, commencé-je, et tout le monde rit. J'ai très mal accepté la nouvelle, mais je sais dorénavant que je ne suis pas seule.

La foule se tait.

— Vous êtes comme une seconde famille pour moi.

Je sens venir les sanglots, mais je les retiens.

— Ce qui m'aide à passer au travers, c'est de savoir que nous le faisons ensemble. Cette émission et les gens qui la font vivre sont une grande partie de nos vies, et le simple fait que le tournage se termine ne signifie pas que cela ne survivra pas en nous. J'emporte avec moi tout ce que vous m'avez enseigné et avec de la chance, le prochain projet auquel je participerai sera d'autant plus réussi grâce à vos enseignements. Je vous aime tellement, les amis, dis-je et maintenant, les larmes coulent. Merci pour cette merveilleuse période.

Tout le monde applaudit. Trevor siffle. Même Sky paraît larmoyante. Je remets le microphone à Trevor et je retourne vers ma famille et mes amis. Maman pleure. Papa me tapote le dos quelques fois avec vigueur et je sais qu'il tente de garder le contrôle. Liz serre fortement ma main. Puis, je me tourne et j'embrasse Austin.

— Tu étais formidable, me dit-il doucement. Et, tu as raison, ce n'est la fin pour personne, ajoute-t-il. De bonnes choses t'attendent, comme la pièce de théâtre et ton retour à la maison avec moi et des tas d'autres trucs.

Je souris largement.

— Tu as raison.

Je le serre fort.

— C'est plutôt excitant, non?

J'ai la chair de poule.

Qui sait ce que je ferai le week-end prochain ou dans trois mois ou bien dans six? Mais, vous savez quoi? Ce n'est pas important. Je ferai en sorte que tout aille bien. Peu importe ce qui m'attend, je suis certaine qu'il s'agira d'une aventure extraordinaire.

EN PRIMEUR

Kaitlin Burke s'attaque à Broadway !

par Marleyna Martin

La Samantha d'*Affaire de famille* est devenue une adulte et elle entreprend le rôle le plus difficile de sa carrière jusqu'à maintenant — au théâtre — dans le succès de Broadway *Les grands esprits se rencontrent*. A-t-elle ce qu'il faut ?

Kaitlin Burke est une professionnelle des séries dramatiques à la télévision. Après des années à incarner Samantha Buchanan, cette jeune fille de dix-sept ans a perfectionné l'art du crêpage de chignon, des disputes avec sa mère et des pleurs pour des garçons. Mais est-elle prête à faire tout cela devant un public ? Quand mai viendra, elle le devra. Kaitlin commence un tour de dix semaines dans *Les grands esprits se rencontrent* sous les traits de l'impertinente Andie Amber. Elle prend la place de Meg Valentine, l'actrice chérie originale. Ce choix de distribution étonnant soulève un doute chez plusieurs personnes : Kaitlin a-t-elle l'envergure pour un tel rôle ? « Kaitlin était

géniale en Sam et jusqu'à maintenant, elle a joué des personnages formidables au cinéma, mais ce sera un véritable test de son talent d'actrice de se glisser dans la peau d'Andie, admet l'un des agents de distribution. Hollywood l'observera attentivement. » Nous avons interrogé Kaitlin pour découvrir comment elle se prépare à son déménagement à New York.

HN : Kaitlin Burke à Broadway ! Quel effet cela te fait-il de savoir que ton nom s'illuminera bientôt au-dessus d'un théâtre ?
KB : C'est excitant, énervant, exaltant… Je ne crois toujours pas à ce qui m'arrive. Je suis tellement reconnaissante aux membres de la distribution de me donner la chance de travailler avec eux.

HN : As-tu déjà joué au théâtre auparavant ?
KB : Hum, non. (rires) J'ai suivi des ateliers qui m'ont enseigné

à me préparer pour la scène, mais ce sera ma première fois devant un public.

HN : Emma Price, qui joue Jenny, est un peu explosive, en plus d'être une actrice formée pour le théâtre. Es-tu prête à l'affronter sur un pied d'égalité ?

KB : J'espère que ce sera le cas le temps venu ! (rires) J'ai seulement rencontré Emma brièvement, mais elle a été très gentille. Je pars pour New York en avril, après ma tournée médiatique pour le dernier épisode d'*Affaire de famille*.

HN : Dylan Carter, l'amour de ton cœur dans la pièce, est agréable à l'œil, non ?

KB : Il est certainement mignon, mais je suis prise !

HN : Qu'as-tu le plus hâte de faire à New York ?

KB : Tout. Visiter les musées, faire des courses, me rendre dans tous les lieux réputés. Ma mère vérifie aussi la possibilité de faire un saut dans les Hamptons. Je ne cesse de lui dire que je n'aurai pas beaucoup de temps libre, mais je ne crois pas qu'elle m'écoute.

La prestation de Kaitlin dans Les grands esprits se rencontrent *débute le 1er mai.*

NE VOUS ARRÊTEZ PAS DE LIRE TOUT DE SUITE...

Vous ne pensiez tout de même pas que mon histoire s'arrêtait en même temps que la fin de mon émission, si ?

Pas du tout !

Ma carrière est loin d'être terminée. Premier arrêt : New York, New York. La scène sera une toute nouvelle expérience pour moi ; et quel meilleur endroit que Manhattan pour la vivre ? Maman dit que je reçois déjà des invitations à des fêtes dans le Upper East Side et les Hamptons. Mais ne vous inquiétez pas, je resterai discrète cette fois-ci. J'ai eu ma part de potins. Cet été, je me concentre sur le travail. J'espère simplement que les critiques ne se montreront pas sévères à mon égard. Nadine m'informe que les tabloïds ont commencé à interroger chaque agent de distribution sur mes chances d'obtenir une ovation. Soupir.

Au moins, j'ai ma famille et mes amis pour me soutenir. Tout le monde m'accompagne à New York, et avec Liz comme camarade de chambre, je sais que je m'amuserai follement. J'aimerais seulement qu'Austin vienne aussi. Qu'est-ce que des vacances prolongées à New York sans mon petit ami pour m'offrir une promenade en calèche dans Central Park ? Je suis certaine que tout ira bien, par contre. À Hollywood, la fin est toujours heureuse.

Mais ; attendez. Nous ne parlons plus d'Hollywood, non ? Je serai à New York, et c'est une tout autre histoire. Que dit-on toujours à propos de la Grosse Pomme ? Si on peut réussir là-bas, on peut réussir partout. J'espère être prête.

LES SECRETS DE MA VIE À HOLLYWOOD
LUMIÈRES DE BROADWAY
LIVRE 5

Remerciements

Je ressens uniquement de l'amour pour mes remarquables éditrices, Cindy Eagan et Kate Sullivan. Non seulement sont-elles expertes en tout ce qui a trait à Kaitlin, mais en plus elles inventent des titres géniaux pour la série Les secrets, comme celui-ci : *Princesse des paparazzis* ! (Un merci particulier va à Kate pour m'avoir aidée à peaufiner la chanson *Princesse des paparazzis* de Kaitlin. Même avec sa collaboration, je peux affirmer sans crainte que je n'ajouterai jamais le titre d'auteure de chansons dans mon curriculum vitae.)

Mon agente Laura Dail mérite des éloges extraordinaires, tout d'abord parce qu'elle veille à mes intérêts, et ensuite parce qu'elle endure mes innombrables appels téléphoniques où je m'inquiète de certains points dans l'intrigue, de délais et autres choses similaires qui toutes — comme elle me le fait patiemment remarquer — se règlent aisément en fin de compte. Et à Tamar Ellman, pour m'avoir aidée à braver les eaux étrangères et leurs contrats déroutants.

À l'épatante équipe de Little, Brown Books for Young Readers : Ames O'Neil, Melanie Chang, Andrew Smith, Lisa Ickowicz, Melanie Sanders et Tracy Shaw (pour une autre jaquette totalement brillante) — je ne pourrai jamais assez vous remercier pour tout l'amour que vous accordez à la série Les secrets.

À Mara Reinstein, que j'ai bombardée de courriels et d'appels à propos des pratiques des paparazzis, du crêpage de chignon et des crises de toutes sortes des célébrités : je te suis éternellement reconnaissante (comme toujours).

Un merci particulier à ma mère infatigable, Lynn Calonita, qui a accumulé plus d'heures auprès de Tyler qu'une grand-mère doublée d'une gardienne ne devrait avoir à le faire, simplement pour s'assurer que je respecte mes dates butoirs. Je ne pourrais vraiment rien faire de tout cela sans toi. Mon amour également à mon père, Nick Calonita, à Nicole et à John Neary, à mon grand-père Nick Calonita, à Gail Smith et à Brian Smith pour leur soutien indéfectible.

Enfin, à ma merveilleuse famille — mon mari, Mike, mon fils Tyler et notre chihuahua beaucoup trop gâté, Jack —, merci de faire de notre foyer l'endroit le plus doux au monde.

Les secrets de ma vie à Hollywood

Livre 1

Livre 2

Livre 3

POUR OBTENIR UNE COPIE DE NOTRE CATALOGUE :

Éditions AdA Inc.
1385, boul. Lionel-Boulet,
Varennes, Québec, J3X 1P7
Téléphone : (450) 929-0296
Télécopieur : (450) 929-0220
info@ada-inc.com
www.ada-inc.com

Pour l'Europe :
France : D.G. Diffusion Tél.: 05.61.00.09.99
Belgique : D.G. Diffusion Tél.: 05.61.00.09.99
Suisse : Transat Tél.: 23.42.77.40

VENEZ NOUS VISITER

facebook.
WWW.FACEBOOK.COM (GROUPE ÉDITIONS ADA)

twitter
WWW.TWITTER.COM/EDITIONSADA

www.AdA-inc.com
info@AdA-inc.com